房屋建筑的维修与养护

赵香花　谢夏云　端木凌云　李同超　编著

黄河水利出版社

内容提要

本书从地基与基础、结构工程、楼地面工程、门窗工程、房屋装饰工程、屋面防水工程、地下防水工程、房屋附属设施、房屋建筑的抗震加固等方面深入浅出、比较系统地介绍了房屋建筑维修与养护方面的有关知识,可供从事物业管理与房屋管理的人员学习、参考。

图书在版编目(CIP)数据

房屋建筑的维修与养护/赵香花,谢夏云,端木凌云,李同超编著.—郑州:黄河水利出版社,2002.11
ISBN 7-80621-627-8

Ⅰ.房… Ⅱ.①赵…②谢…③端木…④李… Ⅲ.①建筑物-维修②建筑物-养护 Ⅳ.TU746.3

中国版本图书馆 CIP 数据核字(2002)第 088750 号

出 版 社:黄河水利出版社
地址:河南省郑州市金水路 11 号　　邮政编码:450003
发行单位:黄河水利出版社
发行部电话及传真:0371-6022620
E-mail:yrcp@public2.zz.ha.cn
承印单位:黄河水利委员会印刷厂
开本:787 毫米×1 092 毫米　1/16
印张:12.625
字数:292 千字　　印数:1—2 600
版次:2002 年 11 月第 1 版　　印次:2002 年 11 月第 1 次印刷

书号:ISBN 7-80621-627-8 / TU·29　　定价:25.00 元

前　言

房屋是人们衣、食、住、行基本生活要素之一。房屋建成以后，人们关注的是如何将其管好用好，使其较好地发挥效益，在较长时间内为人们提供相对安全、舒适的生活空间。为了适应各单位房屋建筑维修与管理工作的需要，本书编者在总结多年从事房屋建筑设计、维修、管理工作经验的基础上，查阅了大量的技术资料和规范、规定，参考有关书籍，编写完成《房屋建筑的维修与养护》一书。该书深入浅出、比较系统地介绍了有关房屋建筑维修与养护方面的有关知识，具有较高的实用价值，可供物业管理和房屋管理部门有关人员学习、参考。

本书共分十二章。第一章为房屋建筑维修与养护概论，第二章为房屋建筑的查勘与鉴定，第三章为地基与基础的维修与养护，第四章为结构工程的维修与养护，第五章为楼地面工程的维修与养护，第六章为门窗工程的维修与养护，第七章为房屋装饰工程的维修与养护，第八章为屋面防水工程的维修与养护，第九章为地下防水工程的维修与养护，第十章为房屋附属设施的养护与管理，第十一章为房屋建筑的抗震加固，第十二章为修缮工程预算编制。本书各章执笔分别是赵香花（第一、十章），谢夏云（第二、三、九章及各章插图），端木凌云（第四、五、六、七章及各章插图），李同超（第八、十一、十二章），由赵香花同志对全书统稿。

由于本书涉及内容较多，书中错误、疏漏在所难免，望读者批评指正。

编　者

2002 年 9 月

目　　录

第一章 房屋建筑维修与养护概论

第一节 房屋建筑维修与养护概述

一、房屋建筑维修养护的意义

房屋从建成之日起,由于受水、气等自然因素和人为因素的影响,即开始发生损坏。当房屋损坏到一定程度,出现装饰老化脱落、屋面开裂、渗漏等现象时,其使用功能就受到影响,人们必须对房屋损坏的相应部位进行维修;当房屋的损坏发展到其板、梁、墙体、基础等结构构件也出现破损时,房屋的安全性就受到了影响,此时,必须对房屋进行更大规模的维修,才能恢复和保持其结构的安全性。此外,为了延缓房屋损坏的发展,人们还要对房屋进行经常性的维护和保养,以延长房屋的使用寿命。本书所说房屋建筑维修养护即房屋建筑修缮,它是研究房屋损坏的发生和发展的规律、房屋损坏的维修方法和房屋养护方法的学科。研究房屋受腐蚀等损坏的规律,就必然涉及化学、物理、生物以及材料等学科和检测技术等;研究房屋的维修和养护,也必然要运用房屋建筑、结构和施工方面的专业知识,故房屋维修养护是综合运用多学科知识的一门学科,是建筑工程学的一个分支。

房屋是人们生产、生活和从事文化娱乐、体育活动的重要场所。随着现代工业的发展和环境污染的日益严重,如何防治房屋损坏和房屋的养护问题显得越来越突出。据有关研究资料分析,由于建筑物中混凝土和钢筋损坏造成的损失约为国民收入的1.25%。在有色金属、化工、造纸等工业部门,建筑物处于侵蚀性的环境之中,建筑结构的损耗更为严重,每年损耗的总值占这些部门工业建筑固定资产的10%以上。因此,研究掌握房屋的损坏规律、掌握房屋修缮的专业知识和技能,将房屋维修、保养好是关系到保护社会资源、减少社会财富损失的重要任务,对保障社会生产和流通的安全、顺利进行,保障广大人民群众安居乐业具有十分重大的意义。

二、房屋修缮的内容和分类

房屋建筑维修养护的具体内容和分类取决于房屋的损坏范围、损坏程度和对维修的要求。

按房屋维修的部位划分为结构修缮工程和非结构修缮工程。结构修缮工程指对房屋的基础、梁、板、承重墙等主要承重构件进行的维修和养护,结构修缮恢复和延续房屋的安全性是房屋修缮的重点;非结构修缮工程指对房屋的非承重墙、门窗、装饰、附属设施等非结构部分的维修与养护,非结构部分的修缮恢复是延续房屋的适用性,同时对房屋的结构部分有良好的防护作用,也是必须重视的。

按房屋维修规模的大小划分为翻修工程、大修工程、中修工程、小修工程和综合维修工程。翻修工程是需将整栋房屋拆除、重新设计建造或利用原房屋少数主体构件进行改建的工程;大修工程是需牵动或拆换部分主体结构的工程;中修工程是需牵动或拆除少量主体结构的工程;小修工程是指修复房屋的轻微损坏,属于对房屋保养性质的工程;综合维修工程是需对成片多栋房屋(或单栋大楼)的大、中、小工程应一次性修缮的工程。

三、房屋修缮的工作程序

进行房屋修缮工作的一般程序包括修缮查勘、修缮设计、工程报建、搬迁住户、维修施工、工程验收和工程结算等几个工作环节。

修缮查勘是在对房屋损坏情况进行定期和季节性查勘的基础上,对损坏项目进行重点抽查和复核,运用观测、鉴别和测试等手段,明确损坏程度,分析损坏的原因,研究不同的修缮标准和修缮方法,确定修缮方案。

修缮设计是根据修缮方案和建设部所颁布的《民用建筑修缮工程查勘与设计规程》(JGJ117—98)等设计规程、规范,对房屋各修缮项目进行修缮设计。修缮设计的内容包括修缮范围、修缮方法和标准、结构处理的技术要求、施工图、工程概(预)算和查勘记录等,并制定成设计文件。

工程报建是将房屋修缮计划、修缮方案等上报政府的有关部门,取得有关部门的审核批准。

搬迁住户是指进行房屋修缮时,如需住户迁出时安排住户的临时搬迁。

维修施工是对房屋各需要维修项目进行的维修施工。

工程验收和工程结算是修缮工程完工以后,根据修缮设计文件和国家有关的规范、标准对修缮工程进行质量检查验收。检查质量不合格的项目要进行返修。全部工程都验收合格后,进行工程结算,向施工单位付清工程款。

工程资料归档是待房屋修缮工程完工后,将修缮工程项目的政府审批文件、工程合同、修缮设计文件、工程会审记录、维修工程变更通知、隐蔽工程验收记录等存入该房屋的技术档案之中的过程。

四、房屋修缮的发展概况

房屋修缮的发展,近几十年经历了探索、发展和完善三个阶段。

20 世纪 40～50 年代处于对房屋修缮研究的探索阶段。在这阶段中,主要着重于对房屋缺陷和损坏原因的分析和修补方法的研究,对房屋缺陷和损坏的检测大多采用以目测为主的传统方法。

20 世纪 60～70 年代,房屋修缮研究进入发展阶段。在此阶段中,对建筑物缺陷、损坏的检测技术和评价鉴定发展很快,提出了破损检测、非破损检测、物理检测、化学检测等十几种检测技术;研制出混凝土超声波仪、混凝土保护层厚度测定仪、中子湿度测定仪、振幅测定仪等大量测定建筑构件强度、内部缺损的仪器;提出了总体评价、分项评价、概率评价、对照规范评价等对房屋损坏程度的评价、鉴定的方法。这些较先进的仪器和检测技术的出现使对房屋缺陷、损坏的定量分析成为可能,配以合理的评价方法,使房屋损坏程度的评价和鉴定更加科学可靠。

20世纪80年代以后,房屋修缮进入完善阶段。在这一阶段,对房屋修缮的研究一方面是完善传统的对房屋的检测、评价和鉴定的方法,另一方面是探索对房屋检测、评价的新技术、新方法,特别是注意对建筑物评价标准的探讨和制订。德国、日本、美国等国家在这方面都非常重视,设立专门机构,组织力量进行理论研究和技术开发。我国也于此时期进行了卓有成效的研究工作,先后制订了《房屋完损等级评价标准》(1985年颁布)、《民用建筑修缮工程查勘与设计规程》(JGJ117—98)、《既有建筑地基基础加固技术规范》(JGJ123—2000)等房屋修缮的技术规范。在此阶段,房屋修缮方法也日趋完善,对一些维修难度大的房屋也取得了维修的成功。如意大利8层高55m的比萨斜塔是世界上最珍贵的历史文物之一,于1370年建成时已发生倾斜,且由于地基不均匀沉降不断发展,到1990年1月塔顶已偏离中心线5.27m,成为危险建筑而被封闭。该塔地基的情况非常复杂,纠正倾斜和各项维修工作十分困难。但经各国专家的创造性劳动,终于使其不均匀沉降得到控制,成功地抢救了这一世界文化遗产。展望未来,随着社会经济和建筑业的发展,房屋修缮技术也将以更快的速度向前发展。

第二节 房屋建筑维修养护基础知识

房屋建筑维修养护工作是物业管理和房地产管理部门工作的重要组成部分,其技术性强,所需知识面广。要搞好房屋建筑维修养护工作,需要具备建筑、维修等方面的基本知识和查阅应用有关规范、规定、规程的能力。

一、建筑基本知识

(一)建筑视图与构造知识

建筑视图知识主要是指应能看懂维修施工图中的建筑、结构的施工图,明确图纸中的设计意图,能根据图纸要求安排人工、材料进场,合理组织施工。建筑构造知识主要是应了解不同结构类型房屋中的各种构件的连接方式,不同性能材料之间的构造处理方式,以及一般房屋中常用的构造做法。

(二)建筑结构知识

在房屋维修工作中,经常涉及到房屋的主体结构部分。掌握建筑结构知识,主要是应了解房屋中各种主要承重构件的受力特点、传力方式等。对于结构的主要承重部位,应做到在维修工作中按照结构的受力特点进行合理的修缮,防止人为损伤承重构件而造成不必要的损坏。

(三)建筑材料知识

具备建筑材料知识,主要是应了解各种建筑材料的性能、特点、配合比及使用方法,在维修工作中,能根据不同的用途、部位正确合理地选用材料。

(四)建筑水、暖、电知识

为做好房屋维修工作,还应熟悉一般房屋中的给排水知识、卫生设备知识、供暖系统设备知识、供电照明等有关知识,以便配合房屋主体结构的维修施工,完善房屋的配套功能。

(五)建筑施工知识

具备建筑施工知识,主要是应熟悉施工技术与施工组织,以便合理地安排房屋维修的人工、材料、机械设备进场,做到安全施工,保证施工质量和施工工期。

(六)修缮工程预算知识

为了合理地利用有限的房屋维修经费,防止不必要的浪费,还应具备一定的房屋工程修缮预算知识。主要应熟悉修缮工程预算定额,了解修缮工程预算的特点,初步掌握修缮工程预算的编制步骤和方法。

二、维修基本知识

(一)基础处理与基础加固知识

地基处理的目的是提高软弱地基的强度,保障地基的稳定,降低软弱地基的沉降和抑制基础过大的不均匀沉降;防止地震时地基的震动液化;消除区域性土的湿陷性、胀缩性和冻胀性。在新建房屋工程中可采取的地基处理方法很多,但是对已建房屋地基处理却受到许多限制,选择什么地基处理方法,要根据房屋主体结构、地基特性以及对地基处理的施工技术等情况综合考虑。

基础加固的主要目的是增强原有基础的强度和刚度,扩大基础的底面积,提高基础的承载能力,减小基础的沉降和过大的不均匀沉降。对已有房屋基础进行加固时,主要存在的技术问题是如何使新旧基础有效地连接并共同工作,以及如何保证在施工过程中房屋的安全使用。其施工技术要求较高,施工难度较大,必须做到精心设计和精心施工。

(二)墙、柱的修缮知识

墙、柱的修缮主要是恢复墙体与柱的正常工作状态,提高墙、柱的强度、刚度和稳定性。在维修工作中,主要应掌握对倾斜的墙、柱纠偏与加固的技术,并正确鉴定原有墙、柱的现有强度和承载力,对不满足需要的墙、柱进行修缮与加固。

(三)钢筋混凝土结构及构件的修缮知识

钢筋混凝土的结构构件是房屋中的主要承重结构,在修缮工作中,主要应采取的措施是保证新、旧混凝土及钢筋的连接,在施工期间,应使原有房屋安全正常使用;加固前应进行鉴定,对钢筋混凝土构件的现有强度及承载能力进行评价;加固时应确保加固质量,保证新、旧部分可靠连接。

(四)屋面及有水房间渗漏的修缮知识

屋面及有水房间的防渗漏,是建筑科技人员经过长期努力而至今未完全解决的技术问题。在维修工作中,应该掌握屋面及有水房间的渗漏部位,提出防渗漏技术措施,选用恰当的防水材料,制定正确、合理、可行的技术方案。必须坚持选用优质的防水材料,坚实可靠的施工方案和技术,坚持经常性的严格的管理,坚持季节性、周期性的防水工程质量检测、监督及保障体系,保障各种防水材料经常处于良好的工作状态。

(五)内、外装饰的修缮知识

内、外装饰材料的使用是根据建筑设计的需要和经济条件的许可来确定的。内、外装饰材料的种类很多,使用方法各异。主要应掌握的是块材料损坏后,新补的内、外装饰材料与原墙体的粘接固定措施;防止新旧拌灰或水刷石结合处出现裂缝等。新型防火装饰材料应大力推广、应用。各种装饰工程中的艺术设计与处理都要不断地总结和探索。

三、查阅应用有关规范、规定、规程的能力

房屋建筑是房屋设计部门遵照国家规范、规定、规程按照建筑设计标准设计的，如混凝土结构设计规范、砌体结构设计规范、建筑地基基础设计规范、建筑荷载规范、建筑设计防火规范，以及供排水、暖通、供配电、建筑施工和验收规范等。当房屋维修时，不但要知道它新建时是如何设计出来的，涉及什么技术，遵循什么规范，按照什么标准来检查，怎样检测它的强度、刚度和变形，而且一定要掌握房屋维修时还应遵循的有关房屋修缮规范、规定和规程。只有全面地掌握房屋维修规范知识，充分利用相关技术和方法，才会在房屋维修工作中制定出全面、合理、安全、经济实用的房屋修缮技术方案，保障房屋建筑功能的完善，使其处于良好的运行状态。

第三节　房屋修缮管理

房屋维修管理包括房屋的维修质量管理、房屋维修施工管理和房屋维修行政管理三方面的内容。

一、房屋维修质量管理

通过房屋的质量管理，对现有房屋状况进行可靠的鉴定，为管理房屋提供可靠的资料和为编制房屋的维修计划提供依据。因此，物业管理和房屋管理部门要组织有关人员对管理的房屋定期进行检查和评定，对每栋房屋都评定出等级，并统计各类质量等级房屋的数量，掌握房屋的完好状况，以便科学地制定房屋维修计划和方案，进行维修技术设计，编制维修施工概预算，作出投资计划，正确合理地进行维修。以达到维护房屋使用价值、合理延长房屋使用年限、保证正常住用和安全住用的目的。

二、房屋维修施工管理

房屋维修施工管理应抓好施工前准备、施工中质量保证和竣工验收三项工作。

在施工前期准备工作阶段，房屋管理部门要准备好房屋维修工程的设计图纸及有关文件材料，向施工单位介绍应修房屋的维修项目、范围，并提出技术要求，对需维修的房屋应提前做好房屋内居住人员的搬迁工作。

在房屋维修施工阶段，要坚持按图施工，对重要部位和隐蔽工程要及时验收。对主要维修项目的质量，施工过程中应由施工人员相互检查、工班长或质量管理小组检查、主管技术人员重点检查。在检查中，应抓住质量是否达到标准，病害整治是否彻底，维修后是否还留有致病因素等重点。

维修工程竣工后，应先由施工单位初验。初验确认质量合格后，提交竣工资料和请求竣工验收，由工程批准单位组织正式验收。竣工验收时，应按照国家有关规范和标准，对工程质量作出评定，并写成验收记录。凡不符合要求并须翻修和补做的，应进行翻修和补做，直到符合规定的标准和要求为止。

三、房屋维修行政管理

房屋维修行政管理主要是指由国家制定出的房屋维修政策、规范、标准，要求各维修单位遵照执行。如建设部制定的《房屋修缮技术管理规定》、《房屋修缮工程施工管理规定》、《房屋修缮工程质量评定标准》、《房屋完损等级评定标准》、《危险房屋鉴定标准》等，在房屋维修中出现的一些问题，一般按规定由主管部门实施行政管理。

第四节　砖、瓦、灰、砂、石

一、砖

(1)常用砖的种类及规格见表1-1。

表1-1　　常用砖的种类及规格

名　称		说　明	标准规格或主要规格 (长×宽×厚)(mm)
黏土砖	普通黏土砖	是以黏土为主要原料，经成型、干燥、焙烧而成	240×115×53
	承重空心砖	是以黏土为主要原料，经成型、干燥、焙烧而成，且有竖孔、空洞率在15%以上的空心砖	KM_{12}　190×190×90 KP_{11}　240×115×90 KP_{22}　240×180×115
	拱壳空心砖	是以黏土为主要原料，经成型、干燥、焙烧而成，专门用于砌筑拱形屋盖的异型空心砖	孔数　规　格 4孔　220×90×95 5孔　190×190×140 6孔　240×90×120 6孔　140×100×100 8孔　240×140×90 9孔　190×190×120 9孔　240×119×90 13孔　240×119×90
	防潮砖 (红地砖)	是以黏土烧制的红色砖，具有质坚体轻、防潮耐磨等特点	150×150×(10～13) 100×100×(8～10)
	铺地缸砖	是以组织紧密的黏土胶泥压制成型，经干燥、焙烧而成	250×250×(40,50) 230×230×40 200×200×40
非黏土砖	煤渣砖 (炉渣砖)	是以工业废料煤渣为主要原料，加入适量石灰、石膏等混合成型，经常压蒸养而成	240×250×53
	粉煤灰砖	是以工业废料粉煤灰为主要原料，加入适量石灰、石膏等加水搅拌，经压制成型、常压蒸养而成	240×115×53
	煤矸石 半内燃砖	是以煤矸石掺入黏土为主要原料，利用煤矸石自身的发热量作为内燃料，经焙烧而成	240×115×(53,90,115)
	蒸压灰砂砖	是以石灰、砂子为主要原料(亦可加入着色剂或掺合料)，经坯料制备，压制成型、饱和蒸压养护而成	240×115×53
	碳化灰砂砖	是以石灰、砂子、石膏为主要原料，经坯料制备，压制成型，用石灰窑废气二氧化碳进行碳化、加工而成	240×115×53
	页岩砖	是以碳质及泥质页岩石经粉碎、成型、焙烧加工而成	240×115×53
	水泥花阶砖	是以普通水泥或白水泥掺以各种矿物颜料，经机械拌和、机压成型、充分养护而成	200×200×(15,16,18,20)
	水泥铺地砖	是以干硬性混凝土压制而成	250×250×(30,50,80)

(2)常用砖的技术指标及外观质量指标见表1-2与表1-3。

表1-2　　常用砖的技术指标

技术指标		强度等级										
		烧结普通(黏土)砖				烧结多孔(黏土)砖				蒸压灰砂砖		
		MU20	MU15	MU10	MU7.5	MU20	MU15	MU10	MU7.5	MU20	MU15	MU10
抗压强度(MPa)	5块平均值不小于	20	15	10	7.5	20	15	10	7.5			
	10块平均值不小于									20	15	10
	单块最小值不小于	14	10	6	4.5	14	10	6	4.5	14	12	8
抗折强度(MPa)	5块平均值不小于	4.0	3.1	2.3	1.8							
	10块平均值不小于									4.0	3.3	2.5
	单块最小值不小于	2.6	2.0	1.3	1.1					3.2	2.6	2.0
抗压荷重(kg)	5块平均值不小于					945	735	530	430			
	单块最小值不小于					615	475	310	260			
抗冻性能		抗冻性能由冻融试验鉴定,试验后任何一次试件均符合下列条件为合格: 1.单块试件干重损失不大于2% 2.被冻裂的裂纹长度不大于表1-3中二等砖的规定				抗冻性能由冻融试验鉴定,试验后任何一次试件均符合下列条件为合格: 1.不得出现明显的分层、剥落等冻坏现象 2.冻后强度不低于设计要求强度等级的相应指标				砖样经15次冻融试验后符合下列条件为合格: 1.抗压强度降低不超过25% 2.单块砖样的干重损失不超过2%		

表1-3　　常用砖的外观质量指标

砖的名称	项　目	指标(mm)		项　目	指标(mm)	
		一等	二等		一等	二等
普通黏土砖	尺寸允许偏差不大于 长　度 宽　度 厚　度	 ±5 ±4 ±3	 ±7 ±5 ±3	裂纹的长度不大于 1.大面上宽度方向及延伸到条面上的长度	70	110
	二个条面的厚度相差不大于	3	5	2.大面上长度方向及延伸到顶面上的长度和条面上的水平裂纹的长度	100	150
	弯曲不大于	3	5			
	完整面不得少于	一条面和一顶面	一条面或一顶面	杂质在砖面上造成凸出高度不大于	5	5
	缺棱、掉角的三个破坏尺寸不得同时大于	20	30	混等率(指本等级中混入该等级以下各等级产品的百分数)不得超过	10%	15%
承重黏土空心砖	尺寸允许偏差不大于 尺寸为240、190、180mm者 尺寸为115mm者 尺寸为90mm者	 ±5 ±4 ±3	 ±7 ±5 ±4	裂纹的长度不大于 1.大面上深入孔壁15mm以上的宽度方向裂纹	100	140
				2.大面上深入孔壁15mm以上的长度方向裂纹	120	160
				3.条面上的水平裂纹	120	160
	完整面不得少于	一条面和一顶面	一条面或一顶面	杂质在砖面上造成凸出高度不大于	5	5
	缺棱、掉角的三个破坏尺寸不得同时大于	30	40	混等率不得超过	10%	15%

续表 1-3

<table>
<tr><th rowspan="2">砖的名称</th><th rowspan="2">项　目</th><th colspan="2">指标(mm)</th><th rowspan="2">项　目</th><th colspan="2">指标(mm)</th></tr>
<tr><th>一等</th><th>二等</th><th>一等</th><th>二等</th></tr>
<tr><td rowspan="4">蒸压灰砂砖</td><td>尺寸允许偏差长度、宽度、厚度</td><td>±2</td><td>±3</td><td>裂纹的长度不大于
1.大面上宽度方向(包括延伸到条面)</td><td>50</td><td>90</td></tr>
<tr><td>对应的厚度差不大于</td><td>2</td><td>3</td><td rowspan="2">2.大面上长度方向(包括延伸到顶面)以及条面水平方向</td><td rowspan="2">90</td><td rowspan="2">120</td></tr>
<tr><td>缺棱、掉角的最大破坏尺寸不大于</td><td>20</td><td>30</td></tr>
<tr><td>完整面不得少于</td><td>一条面和一顶面</td><td>一条面或顶面</td><td>混等率不得超过</td><td>10%</td><td>15%</td></tr>
</table>

注　1. 普通黏土砖及蒸压灰砂砖的大面、条面、顶面尺寸分别是 240×115、240×53、115×53(mm×mm)的面。

2. 普通黏土砖凡有下列缺陷之一者,不能称为完整面:①缺棱、掉角在条面上造成的破坏面同时大于 10mm × 20mm 者;②裂缝宽度超过 1mm 者;③有黑头、雨淋及严重粘底者。

3. 承重黏土空心砖凡有下列缺陷之一者,不能称为完整面:①缺棱、掉角在条面上造成的破坏面同时大于 20mm ×30mm 者;②裂缝宽度超过 1mm,长度超过 70mm 者;③有严重的焦花粘底者。

4. 蒸压灰砂砖凡有下列缺陷之一者,不能称为完整面:①缺棱或掉角的最大尺寸大于 8mm 者;②灰球、黏土团、草根等杂物造成破坏面的两个尺寸同时大于 10mm ×20mm 者;③有气泡、麻面、龟裂等缺陷者。

5. 承重黏土空心砖有空洞的一面称为大面,较长的侧面或平行于抓孔方向的侧面称为条面,较短的侧面或垂直于抓孔方向的侧面称为顶面。

6. 凡混等率大于 15% 的普通砖、承重黏土空心砖、蒸压灰砂砖均为等外砖。强度低于 MU10 的蒸压灰砂砖也是等外砖。

二、瓦

(1)瓦的种类及规格见表 1-4。

表 1-4　　瓦的种类及规格

种　类	说　明	一般规格(mm)
黏土平瓦(机瓦)	是以黏土为主要原料,经模压或挤出成型、焙烧、加工而成。有灰(青)、红两种	(220×360)~(240×400)×(10~17)
黏土脊瓦	呈人字形,其他同黏土平瓦	(200~250)×(310~400)
小青瓦	是以黏土为主要原料,经成型、焙烧、加工而成的青色弧型小瓦	长 170~230,大头宽 170~230,小头宽 150~210,厚 8~12
混凝土平瓦	是以水泥为主要原料,经加工、养护而成	(235~240)×(385~400)厚(13~15)
混凝土脊瓦	呈人字形,其他同混凝土平瓦	(180~240)×(385~400)
石棉水泥瓦	是以石棉纤维与水泥为原料,经制版、压制而成。分大波、中波、小波三种瓦型	大波 2 800×994×8 中波(1 800~2 400)×745×(6~6.5) 小波 1 800×720×(5~6)
石棉水泥脊瓦	呈人字形,其他同石棉水泥瓦	780×(360~460)×6,搭接长 70
聚氯乙烯塑料瓦	是以聚氯乙烯为主要原料,加入配合剂,经塑化、挤出或压延、压波成型而成。有绿、蓝、白等各种颜色	2 000×(950~1 300)×(1.5~2) 波高 12~15,波距 60~65
玻璃钢瓦	是以不饱和聚酯树脂和玻璃纤维,用手糊法加工而成。分大波、中波、小波三种瓦型	(1 800~2 000)×(720~800)×(0.8~2.0)

(2)黏土平瓦的技术指标及外观质量指标见表1-5和表1-6。

表1-5　黏土平瓦的技术指标

技术标准	质量要求
1.瓦背面有四个瓦爪。前爪的爪形与大小须保证挂瓦后爪与槽搭接合适,后爪的有效高度不小于5mm 2.瓦槽深度不得小于10mm,边筋高度不得小于3mm 3.瓦的头尾搭接长度应在50~70mm之间,内外槽搭接宽度应为25~40mm	1.单片瓦的最小抗折荷重不得低于600N(60kg) 2.覆盖$1m^2$屋面的瓦吸水后的重量,不得超过550N(55kg) 3.成品中不允许混杂欠火瓦 4.任何一片瓦不得发生冻坏(分层、开裂等)现象,由冻融试验鉴定

表1-6　黏土平瓦、脊瓦的外观质量指标

黏土平瓦

项目		指标(mm)一等	指标(mm)二等
有效尺寸的允许偏差不超过	长度	±7	±7
有效尺寸的允许偏差不超过	宽度	±5	±5
翘曲不得超过		4	4
裂纹	实用面上的贯穿裂纹	不允许	不允许
裂纹	实用面上的非贯穿裂纹的长度不得超过	30	50
裂纹	搭接处上的贯穿裂纹	不允许	不得延伸入搭接部分的1/2
边筋		不允许裂断	不允许裂断
瓦正面的缺棱、掉角(损坏部分的最大深度小于4mm者不计)的长度不得超过		30	45
边筋和瓦爪的残缺	边筋的残留高度不低于	2	2
边筋和瓦爪的残缺	后爪残缺	不允许	允许一爪有缺,但均不得大于爪高的1/3
边筋和瓦爪的残缺	前爪残缺	允许一爪有缺,但不得大于爪高的1/3	允许两爪有缺,但均不得大于爪高的1/3
混等率不得超过		5%	5%

黏土脊瓦

项目		指标(mm)一等	指标(mm)二等
平整度翘曲不得超过		10	15
裂纹	实用面上的贯穿裂纹	不允许	不允许
裂纹	搭接处上的贯穿裂纹	不允许	不得伸入搭接处的1/2
裂纹	瓦边上的贯穿裂纹长度不得超过	20	30
裂纹	非贯穿裂纹的长度不得超过	30	50
缺棱、掉角损坏部分的最大深度大于4mm者,其长度不得超过		30	50
混等率(指本等级中混入该等级以下各等级产品的百分数)不得超过		2%	2%

三、石棉水泥瓦、脊瓦的技术指标及外观质量指标

石棉水泥瓦、脊瓦的技术指标及外观质量指标见表1-7与表1-8。

表 1-7　　石棉水泥瓦、脊瓦的技术指标

物理力学性能指标	大波瓦	中波瓦		加筋中波瓦		小波瓦	脊瓦
		220 号	190 号	200 号	150 号	170 号	
抗折力不得低于:横向(N) 纵向(N)	3 000 380	2 200 400	1 900 370	2 000 450	1 500 400	1 700 700	— —
破坏荷重不低于(N)	—	—	—	—	—	—	600
吸水率不大于(%)	28.0	28.0	28.0	24.0	24.0	26.0	—
抗冻性(次)	经 25 次冻融循环,不得有起层等破坏现象						

注　1. 在瓦的边缘上,贯穿瓦厚度的裂纹称为断裂。

2. 在瓦的断面上的分层现象称为起层。

表 1-8　　石棉水泥瓦、脊瓦的外观质量指标

瓦的种类				大波瓦	中波瓦	加筋中波瓦	小波瓦	脊瓦
外观质量要求				边缘整齐,表面平整,不得有起层、断裂等缺陷,杂物不得贯穿瓦的整个厚度;加筋中波瓦不得露筋,大波瓦不得起泡				
外观缺陷允许范围	掉角(mm)	沿瓦边长不得超过		150	100	100	100	20
		宽度方向不得超过		70	45	45	30	20
		允许折损角度		一张瓦不得折损二个角				
	掉边(mm)	宽度不得超过		20	15	15	15	不允许
	成型造成裂纹(mm)	正表面	宽度不得超过	1.5	1.5		1.5	
			长度不得超过	100	100		100	
		背面	宽度不得超过	2	2		2	
			长度不得超过	300	300		300	

四、石灰

(一)生石灰

生石灰的分类及技术指标和石灰体积和重量的换算见表 1-9 与表 1-10。

表 1-9　　生石灰的分类及技术指标

名称	说　明	按化学成分分类			技术指标						
		名称	钙质石灰	镁质石灰	项　目	钙质生石灰			镁质生石灰		
			氧化镁含量(%)			一等	二等	三等	一等	二等	三等
生石灰(块灰)	由含碳酸钙较多的石灰石经高温煅烧而成的气硬性胶凝材料。其主要成分为氧化钙和氧化镁。前者含量大于75%,后者含量在10%~25%之间。生石灰一般为白色或黄灰色块状。单位体积重量为800~1 000kg/m³	生石灰	≤5	>5	有效氧化钙加氧化镁含量不小于(%)	85	80	70	80	75	65
		消石灰粉	≤4	>4	未消化残渣含量(5mm圆孔的筛余)不大于(%)	7	11	17	10	14	20

注　1. 硅铝铁氧化物含量之和大于 5% 的生石灰,有效钙加氧化镁含量指标为一等≥75%,二等≥70%,三等≥60%。未消化残渣含量指标与镁质生石灰指标相同。

2. 将块状生石灰碾碎磨细所得的产品,称为生石灰。

表 1-10　　石灰体积和重量的换算

石灰组成(块:末)	在密实状态下每 1m³ 石灰重量(kg)	每 1m³ 熟石灰用生石灰数量(kg)	每 1t 生石灰消解后的体积(m³)	每 1m³ 石灰膏用生石灰数量(kg)
10:0	1 470	355.4	2.814	—
9:1	1 453	369.6	2.706	—
8:2	1 439	382.7	2.613	571
7:3	1 426	399.2	2.505	602
6:4	1 412	417.3	2.396	636
5:5	1 395	434.0	2.304	674
4:6	1 379	455.6	2.195	716
3:7	1 367	475.5	2.103	736
2:8	1 354	501.5	1.994	820
1:9	1 335	526.0	1.902	—
0:10	1 320	557.7	1.793	—

(二)熟石灰(水化石灰或消石灰)

熟石灰粉的技术指标见表 1-11。

表 1-11　　熟石灰粉的技术指标

项目		钙质熟石灰			镁质熟石灰		
		一等	二等	三等	一等	二等	三等
有效钙加氧化镁含量不小于(%)		65	60	55	60	55	50
含水率不小于(%)		4	4	4	4	4	4
细度	0.71mm 方孔筛的筛余不大于(%)	0	1	1	0	1	1
	0.125mm 方孔筛的累计筛余不大于(%)	13	20	—	13	20	—

五、砂

砂是混凝土和砂浆中的细骨料。砂可分为人工砂与天然砂。人工砂是用坚硬的大块岩石经人工或机械粉碎、筛选而成的。天然砂是由自然条件作用而形成的,它又分为海砂、河砂和山砂。其中河砂和山砂应用较多,通常称之为普通砂。砂的分类及质量要求如表 1-12 所示。

表 1-12　　砂的分类及质量要求

种类	质量要求	体积密度(kg/m³)
(一)按形成条件及环境区分:河砂、海砂、山砂 (二)按细度模数区分: 粗砂——M_x 为 3.7~3.1 中砂——M_x 为 3.0~2.3 细砂——M_x 为 2.2~1.6 特细砂——M_x 为 1.5~0.7	颗粒坚硬洁净 黏土、泥灰、粉末等不得超过砂的 3%,煤屑、云母等不得超过砂的 0.5% 三氧化硫(SO_3)不得超过砂的 1%(均以重量计)	干燥状态:平均 1 500~1 600 堆积震动下紧密状态:1 600~1 700

注　M_x 为砂的细度模数,详情请参见国家标准《建筑用砂》(GB/T14684—93)中的有关规定。

六、石

(一)天然石材

凡自天然岩石中开采而得的毛料,或经加工制成块状或板状的石材,统称天然石材。常用天然石材的主要性质见表 1-13,天然石材的加工种类和应用见表 1-14。

表 1-13　　常用天然石材的主要性质

名称		花岗岩	石灰岩	砂岩	大理岩
体积密度(kg/m^3)		2 500~2 700	1 000~2 600	2 200~2 500	2 600~2 700
强度(MPa)	抗压	120~250	22~140	47~140	70~110
	抗折	8.5~15	1.8~20	3.5~14	6~16
	抗剪	13~19	7~14	8.5~18	7~12
吸水率(%)		<1	2~6	<10	<1
膨胀系数(10^{-6}/℃)		5.6~7.34	6.75~6.77	9.02~11.2	6.5~10.12
平均重量磨耗率(%)		11	8	12	—
耐用年限(年)		75~200	20~40	20~200	40~100

表 1-14　　天然石材的加工种类和应用

品种		说明	应用
毛石	乱毛石	是由爆破直接获得的石块,形状不规则	砌筑基础、墙身、挡土墙、堤坝,灌筑毛石混凝土
	平毛石	将乱毛石经粗略加工,其形状基本上有六个面	砌筑基础、勒脚、墙身、桥墩、涵洞等
料石	毛料石	是由人工或机械开采的较为规则的六面体石块,经人工凿琢加工而成,表面稍加修整	用于墙身、踏步、地坪、砌拱等
	粗料石	表面凹凸深度不大于 2cm	
	半细料石	表面凹凸深度不大于 1cm	
	细料石	表面凹凸深度不大于 0.2cm	
花岗岩板材		是由花岗岩荒料加工制成的板材	主要用于建筑工程的室内、外饰面
大理石板材		是由大理岩荒料经锯切、研磨、抛光、切割而成的板材	主要用于室内装饰

(二)人造石材

1.建筑水磨石及其制品

建筑水磨石是以水泥和大理石米为主要原料,经成型、养护、研磨、抛光而成。具有美观、适用、强度高、施工方便等特点。预制制品有平板(饰面板)、窗台板、台面板、踢脚板、隔断板、踏步板及水池、浴盆等制品。

2.人造大理石或花岗岩板

人造大理石或花岗岩板是以石粉及石米(粒径小于 3mm)为主要填料,以树脂为粘合剂,在一定规格的模具上一次成型加工而成。仿天然大理石板的色泽、花纹者,称为“人造大理石板”,仿天然花岗岩板的色泽、花纹者,称为“人造花岗岩板”。

第五节　水泥、木材、钢材

一、水泥

(一)常用水泥

(1)常用水泥的品种、定义与标号见表1-15。

表1-15　　常用水泥的品种、定义与标号

品种	定义	水泥标号
硅酸盐水泥	凡以适当成分的生料,烧至部分熔融所得以硅酸钙为主要成分的硅酸盐水泥熟料,加入适当的石膏,磨细制成的水硬性胶凝材料,称为硅酸盐水泥。R代表快硬性水泥(下同)	425R、525、525R、625、625R、725R
普通水泥	凡以硅酸盐水泥熟料、少量混合材料、适量石膏磨细制成的水硬性胶凝材料,称为普通硅酸盐水泥	325、425、425R、525、525R、625、625R
矿渣水泥	凡以硅酸盐水泥熟料和粒化高炉矿渣、适量石膏磨细制成的水硬性胶凝材料为矿渣硅酸盐水泥	275、325、425、425R、525、525R、625R
火山灰水泥	凡以硅酸盐水泥熟料和火山灰质混合材料、适量石膏磨细制成的水硬性胶凝材料为火山灰硅酸盐水泥	275、325、425、425R、525、525R、625R
粉煤灰水泥	凡以硅酸盐水泥熟料和粉煤灰、适量石膏磨细制成的水硬性胶凝材料为粉煤灰硅酸盐水泥	275、325、425、425R、525、525R、625R

(2)常用水泥的适用范围见表1-16。

表1-16　　常用水泥的适用范围

水泥品种	特性		适用范围	
	优点	缺点	适用于	不适用于
硅酸盐水泥 普通水泥	1.早期强度高 2.凝结硬化快 3.抗冻性能好 4.在同标号情况,前者3～7d的强度较后者高3%～7%	1.水化热较高 2.抗水性差 3.耐酸碱和硫酸盐类的化学侵蚀差	1.一般地上工程和不受侵蚀性作用的地下工程以及不受水压作用的工程 2.无腐蚀性水中的受冻工程 3.早期强度要求较高的工程 4.在低温条件下需要强度发展较快的工程。但每日平均气温在4℃以下或最低气温－3℃以下时,应按冬季施工规定办理	1.水利工程的水中部分 2.大体积混凝土工程 3.受化学侵蚀的工程
火山灰水泥 粉煤灰水泥	1.对硫酸类侵蚀的抵抗能力强 2.抗水性好 3.水化热较低 4.在湿润环境中后期强度的增进率较大 5.在蒸汽养护中强度发展较快	1.早期强度低,凝结较慢。在低温环境中尤甚 2.耐冻性差 3.吸水性大 4.干缩性较大	1.地下、水中及经常受较高水压的工程 2.受海水及含硫酸盐类溶液侵蚀的工程 3.大体积混凝土工程 4.蒸汽养护的工程 5.远距离运输的砂浆和混凝土	1.气候干热地区或难于维持20～30天内经常湿润的工程 2.早期强度要求高的工程 3.受冻工程
矿渣水泥	1.对硫酸类侵蚀的抵抗能力及抗水性较好 2.耐热性好 3.水化热低 4.在蒸汽养护中强度发展较快 5.在潮湿环境中后期强度的增进率较大	1.早期强度低,凝结较慢。在低温环境中尤甚 2.耐冻性较差 3.干缩性大,有泌水现象	1.地下、水中及海水中的工程以及经常受高水压的工程 2.大体积混凝土工程 3.蒸汽养护的工程 4.受热工程 5.代替普通硅酸盐水泥用于地上工程,但应加强养护。亦可用于不经常受冻融交替作用的工程	1.早期强度要求高的工程 2.低温环境中施工而无保温措施的工程

（二）其他水泥

1. 快硬高强水泥

快硬高强水泥可分为高级水泥、快硬硅酸盐水泥、特快硬硅酸盐水泥、高铝水泥、浇筑水泥、硫铝酸盐早强水泥。

2. 膨胀水泥

水泥在硬化过程中能够产生体积膨胀的水泥称膨胀水泥。膨胀水泥可分为硅酸盐膨胀水泥、石膏矾土膨胀水泥和自应力水泥等。

3. 白色硅酸盐水泥

凡以适当成分的生料烧至部分熔融，所得以硅酸钙为主要成分，铁质含量少的熟料，加入适量石膏，磨细制成的白色水硬性胶凝材料，称为白色硅酸盐水泥（简称白水泥）。白水泥可分为325、425、525、625四个标号。它主要用于建筑物的内外装修，可配成白色和彩色灰浆、白色和彩色混凝土，制造各种颜色的水刷石、假大理石及水磨石等制品，也是配制彩色水泥的原料。

（三）水泥的保管

（1）不同生产厂家、不同品种、不同标号和不同出厂日期的水泥，应分别存放，不得混杂。

（2）水泥是怕潮物质，水泥受潮后凝结迟缓、强度降低，必须注意防潮。

（3）存放袋装水泥的仓库，必须注意干燥，屋顶、墙壁、门窗都不得有漏雨渗水等情况，以免潮气侵入，导致水泥变质。

临时存放的水泥，必须选择地势较高、干燥的场地或料棚，并做好上盖下垫工作。下垫要求在水泥或石头条墩或垫块上铺设木板，不要使用垫木代替水泥条墩或垫块，以免水分顺着垫木升至垛底，引起底部水泥受潮。

存放袋装水泥堆垛不宜太高，一般以10袋为宜，太高会使底层水泥受压过重，造成纸袋破裂或水泥结块。如储存期较短，堆垛可适当加高，但最多不得超过15袋。

（4）散装水泥应储存在密封的中转库、接收站或钢板罐中，并须有严格的防潮、防漏措施，顶部仓口或罐口须特别注意，勿使雨水漏入。临时性储存可用各种简易储库，库的地面应高出周围地面30cm以上，并铺以垫木板或油毡隔潮。

（5）水泥的储存，要合理安排库内出入通道和堆放位置，使到货的水泥能依次排列，实行先进先出的发放原则，合理周转。避免部分水泥因长期积压受潮而变质。

（6）水泥储存期不宜过长，以免受潮变质或降低强度。储存日期按出厂日期算起，一般水泥为三个月，高铝水泥为两个月，高级水泥为一个半月，快硬水泥为一个月。水泥超过存期必须重新化验，根据化验的指标情况，决定是否继续使用或降低标号使用或在次要工程部位使用。

（7）水泥与石灰、石膏、白垩、黏土、农药、化肥等粉状物料不能混存在同一库里，以免相混杂，造成工程事故和损失。

（8）水泥受潮后不能简单报废，也不能按原标号使用，应区别受潮的轻重程度作不同的处理。

二、木材

(一)木材的分类

木材的分类见表1-17。

表1-17　木材的分类

分类标准	分类名称	说明	主要用途
按树种分类	针叶树	树叶细长如针,多为常绿树。材质一般较软,有的含树脂,故又称软材。如:红杉、落叶、松云杉、冷杉、杉木、柏木等,都属此类	建筑工程,桥梁,家具,造船,电杆,坑木,枕木,桩木等
	阔叶树	树叶宽大,叶脉成网状,大都为落叶树,材质较坚硬,故称硬材。如樟木,榉木,水曲柳,青冈,柚木,山毛榉,色木等。也有少数质地较软的,如桦木,山杨等	建筑工程,桥梁,家具,坑木,枕木及胶合板等
按材种分类	原条	是指已经去皮、根、树梢的木料,但尚未按一定尺寸加工成规定的材类	建筑工程的脚手架,建筑用材,家具等
	原木	是指已经去皮、根、树梢的木料,并已按一定尺寸加工成规定直径和长度的材料	1.直接使用:用于建筑工程(屋架、檩、屋檐等)、桩木、坑木、电杆等 2.加工原木:用于胶合板及一般加工用材等
	板枋材	是指已加工锯解成材的木料。凡宽度为厚度的三倍或三倍以上的,称为板材,不足三倍的称为枋材	建筑工程,桥梁,家具,包装箱板等
	枕木	是指按枕木断面和长度加工而成的成材	铁道工程,工厂专用线

注　目前原木、原条,有的去皮,有的不去皮。但不去皮者,其皮不计算在木材体积以内。

(二)板、枋材的分类

板、枋材的分类见表1-18。

表1-18　板、枋材的分类

类 别	按宽、厚尺寸比例分类	按板材厚度、枋材宽厚乘积分类				
板　材	宽≥3×厚	名 称	薄板	中板	厚板	特厚板
		厚度(mm)	≤18	19~35	36~65	≥66
枋　材	宽<3×厚	名 称	小枋	中枋	大枋	特大枋
		宽×厚(cm^2)	≤54	55~100	101~225	≥226

(三)常用木材的主要特性

常用木材的主要特性见表1-19。

(四)木材的选用

在建筑工程中,屋架、墙板、门窗、地板木材材质选择原则如下:

(1)屋架类:要求材质纹理直、有适当的强度、耐久性好、钉着力强、干缩性小的木材。如黄杉、铁杉、红杉、毛白杨、马尾松,水杉等等。

(2)墙板、镶板、天花板:要求材质具有一定的强度、质地较轻和有装饰价值花纹的木材。除屋架类所述木材外,还有红楠、楠木、水曲柳、椴木等等。

(3)门窗:要求材质容易干燥,干燥后不变形,材质较轻,易加工,油漆、胶粘性质良好,并具有一定花纹和彩色的木材。如黄杉、铁杉、水曲柳、红松等。

(4)地板:要求材质耐磨、耐腐、质硬和具有装饰花纹的木材。如黄杉、铁杉、水曲柳、红松、红楠、楠木等。

表 1-19　　常用木材的主要特性

树 种	主 要 特 征
落叶松	干燥较慢,易开裂,早晚材硬度及收缩差异均大,在干燥过程中易轮裂,耐腐蚀性强
陆均松(泪木)	干燥较慢,干燥不当易翘曲,耐腐蚀性强,心材耐白蚁
云杉类木材	干燥快,干后不宜变形,收缩较大,耐腐蚀性中等
软木松	是五针松类,如红松、华山松、广东松、台湾五针松、新疆红松等。干燥快,不宜开裂和变形,收缩小,耐腐蚀性中等,边材易呈蓝变色
硬木松	是二针或三针松类,如马尾松、云南松、赤松、高山松、黄山松、樟子松、油松等。干燥时易翘裂,不耐腐蚀,最易受白蚁危害,边材蓝变色最常见
铁杉	干燥较易,耐腐蚀性中等
青冈(槠木)	干燥困难,较易开裂,可能劈裂,收缩颇大,质重且硬,耐腐蚀性强
栎木(柞木)	干燥困难,易开裂,收缩甚大,强度高,质重且硬,耐腐蚀性强
水曲柳	干燥困难,易翘裂,耐腐蚀性较强
桦木	干燥较易,不翘裂,但不耐腐蚀

三、钢材

(一)钢的分类

所说的钢可按多种方法分类:按照其化学成分分类,可分为碳素钢和合金钢,碳素钢又分为低碳、中碳、高碳普通碳素钢与优质碳素结构钢;按照冶炼方法分类,可分为平炉钢、转炉钢、电炉钢、坩埚炉钢;按照品质分类,可分为普通钢、优质钢和高级优质钢;按照用途分类,可分为建筑钢、结构钢、工具钢和特殊性能钢;按照赋予其形状的方法分类,可分为铸钢、锻钢、轧压钢、冷拔钢。

(二)钢材的分类

钢材的分类见表 1-20。

表 1-20　　钢材的分类

类 别		说　　明
钢轨	重轨	每米重量大于 24kg 的钢轨
	轻轨	每米重量小于 24kg 的钢轨
	重轨配件	包括重轨用的鱼尾板及垫板,不包括道钉等配件及轻轨配件
型钢	大型型钢	包括直径≥81mm 的圆钢、方钢、六角钢、八角钢,宽度≥101mm 的扁钢,高度≥180mm 的工字钢、槽钢(包括 I、U、T、Z 字钢),边宽≥150mm 的等边角钢和边宽≥100mm×150mm 的不等边角钢
	中型型钢	包括直径或对边距为 38～80mm 的圆钢、方钢、螺纹钢、六角钢、八角钢,宽度为 60～100mm 的扁钢,高度＜180mm 的工字钢、槽钢(包括 I、U、T、Z 字钢),边宽为 50～149mm 的等边角钢和边宽为(40mm×60mm)～(99mm×149mm)的不等边角钢
	小型型钢	包括直径或对边距为 10～37mm 的圆钢、方钢、螺纹钢、六角钢、八角钢,宽度≤59mm 的扁钢,边宽为 20～49mm 的等边角钢和边宽为(20mm×30mm)～(39mm×59mm)的不等边角钢,钢窗料等异形断面钢

续表 1-20

类 别	说 明
线材	直径为 5～9mm 的盘条及直条线材(由轧钢机热轧的),包括优质线材和普通线材。但各种钢丝(由拉丝机冷拉的)不论其直径大小,均不包括在内
带钢(钢带)	包括冷轧和热轧的。分为普通碳素带钢、优质带钢及镀锡带钢三种
中厚钢板	指厚度>4mm 的钢板。包括普通钢厚钢板(如普通碳素钢钢板、低合金钢钢板、桥梁钢板、花纹钢板及锅炉钢板等)和优质钢厚钢板(如碳素结构钢钢板、合金结构钢钢板、不锈钢钢板、弹簧钢钢板及各种工具钢钢板等)
薄钢板	指厚度≤4mm 的钢板。包括普通薄钢板(如普通碳素钢薄钢板、花纹薄钢板及酸洗薄钢板等)、优质薄钢板(如碳素结构钢薄钢板、合金结构钢薄钢板、不锈钢薄钢板及各种工具钢薄钢板等)和镀层薄钢板(如镀锌薄钢板、镀锡薄钢板及镀铅薄钢板等)
优质型材	指用优质钢热轧、锻压和冷拉而成的各种型钢(圆、方、扁及六角钢)。包括碳素结构钢、碳素工具型钢、合金结构型钢、合金工具型钢、高速工具型钢、滚珠轴承钢、弹簧钢、特殊用途钢、低合金结构钢及工业纯铁
无缝钢管	指热轧、冷轧、冷拔的无缝钢管和镀锌无缝钢管
接缝钢管	包括焊接钢管(如电焊管、气焊管、炉焊管及其他焊接钢管等)、冷拔焊接管、优质钢焊接管和镀锌焊接管等
其他钢材	指不属于上述各项的钢材,如轻轨配件、轧制车轮等其他钢材。但不包括由钢锭直接锻成的锻钢件及钢丝、钢丝绳、铁丝等金属制品

(三)钢筋的分类

钢筋可按多种方法进行类别划分。按外形分,可分为光面钢筋及带肋钢筋;按机械性能划分,可分为Ⅰ级钢筋、Ⅱ级钢筋、Ⅲ级钢筋和Ⅳ级钢筋;按钢种划分,可分为普通碳素钢钢筋和普通低合金钢锰系、硅钒系、硅钛系钢筋;按钢丝及其制品分,又有预应力混凝土结构用碳素钢丝、预应力混凝土结构用刻痕钢丝、预应力钢筋混凝土结构用钢绞线和冷拔低碳钢丝。

(四)钢材的规格表示及理论计算公式

钢材的规格表示及理论计算公式见表 1-21。

表 1-21 钢材的规格表示及理论计算公式

名 称	横断面形状及标注方法	各部分称呼及代号	规格表示方法(mm)	理论重量换算公式
圆钢及钢丝	d	d——直径	直径 例:ø25	$W=0.006\,17\times d^2$
方钢	a	a——边长	边长 例:50^2 或 50×50	$W=0.007\,85\times a^2$
六角钢	a	a——对边距离	对边距离 例:25	$W=0.006\,8\times a^2$
六角中空钢	D d	d——芯孔直径 D——内切圆直径	内切圆直径 例:28	$W=0.006\,8\times D^2-0.006\,17\times d^2$
扁钢	b δ	δ——厚度 b——宽度	厚度×宽度 例:6×8	$W=0.007\,85\times b\times\delta$

续表 1-21

名 称	横断面形状及标注方法	各部分称呼及代号	规格表示方法(mm)	理论重量换算公式 1
钢板		δ——厚度 b——宽度	厚度或厚度×宽度×长度 例:9 或 9×1 400×1 800	$W=7.85\times\delta$
工字钢		h——高度 b——腿宽 d——腰厚 N——型号	高度×腿宽×腰厚或以型号表示 例:100×68×4.5 或 10 号	①$W=0.007\ 85\times d[h+3.34(b-d)]$ ②$W=0.007\ 85\times d[h+2.65(b-d)]$ ③$W=0.007\ 85\times d[h+2.26(b-d)]$
槽钢		h——高度 b——腿宽 d——腰厚 N——型号	高度×腿宽×腰厚或以型号表示 例:100×48×5.3 或 10 号	①$W=0.007\ 85\times d[h+3.26(b-d)]$ ② $W=0.007\ 85\times d[h+2.44(b-d)]$ ③ $W=0.007\ 85\times d[h+2.24(b-d)]$
等边角钢		b——边宽 d——边厚	边宽^2×边厚 例:75^2×10 或 75×75×10	$W=0.007\ 85\times d(2b-d)$
不等边角钢		B——长边宽度 b——短边宽度 d——边厚	长边宽度×短边宽度×边厚 例:100×75×10	$W=0.007\ 85\times d(B+b-d)$
无缝钢管或电焊钢管		D——外径 t——壁厚	外径×壁厚×长度—钢号或外径×壁厚 例如:102×4×700—20 号或 102×4	$W=0.024\ 66\times t\times(D-t)$

注 1. 钢的密度为 7.85g/cm^3。

2. W 为每米长度(钢板公式中指每平方米)的理论重量(kg)。

3. 螺纹钢筋的规格以计算直径表示,预应力混凝土用钢绞线以公称直径表示,水、煤气输送钢管及电线套管以公称口径表示。

(五)钢筋的计算截面积及公称质量

钢筋的计算截面积及公称质量见表 1-22。

(六)钢材的验收与保管

1. 严格验收

通过严格验收以确定钢材在入库时的数量和质量状态,是保证该材料在保管期间数量准确、质量完好的先决条件。严格验收首先应从认真核对资料与实物标志入手,将随货凭证及有关技术资料与实物标志严加核对。其次,应检查材料包装有无异状,检查材料外观有无质量变化,并须注意检查材料有无受潮、雨淋等现象。严格验收是保证库房钢材保管质量的基础。

2. 合理选择保管条件

大型钢材因轻度锈蚀对实际使用影响不大或无影响,因此可以露天保管;中型钢材、钢筋可放在料棚仓库保管;小型钢材、薄钢板则必须放在库房内保管。

3. 妥善码垛

妥善码垛对库存钢材的保管质量影响甚大,一般应采取下列措施:

(1)有序堆码——将不同品种、规格、型号、牌号、等级、批次、炉号的钢材分别堆垛,以免混淆。

(2)定量堆码——将钢材按垛、行、层等定量堆放,以利清点及日常发料。

表 1-22　　　　钢筋的计算截面积及公称质量

直径 d (mm)	不同根数钢筋的计算截面面积(mm^2)									单根钢筋公称质量 (kg/m)
	1	2	3	4	5	6	7	8	9	
3	7.1	14.1	21.2	28.3	35.3	42.4	49.5	56.5	63.6	0.055
4	12.6	25.1	37.7	50.2	62.8	75.4	87.9	100.5	113	0.099
5	19.6	39	59	79	98	118	138	157	177	0.154
6	28.3	57	85	113	142	170	198	226	255	0.222
6.5	33.2	66	100	133	166	199	232	265	299	0.260
8	50.3	101	151	201	252	302	352	402	453	0.395
8.2	52.8	106	158	211	264	317	370	423	475	0.432
10	78.5	157	236	314	393	471	550	628	707	0.617
12	113.1	226	339	452	565	678	791	904	1 017	0.888
14	153.9	308	461	615	769	923	1 077	1 230	1 387	1.21
16	261.1	402	603	804	1 005	1 206	1 407	1 608	1 809	1.58
18	254.5	509	763	1 017	1 272	1 526	1 780	2 036	2 290	2.00
20	314.2	628	941	1 256	1 570	1 884	2 200	2 513	2 827	2.47
22	380.1	760	1 140	1 520	1 900	2 281	2 661	3 041	3 421	2.98
25	490.9	982	1 473	1 964	2 454	2 945	3 436	3 927	4 418	3.85
28	615.3	1 232	1 847	2 463	3 079	3 695	4 310	4 926	5 542	4.83
30	706.9	1 413	2 121	2 827	3 534	4 241	4 948	5 655	6 362	5.55
32	804.3	1 609	2 418	3 217	4 021	4 826	5 630	6 434	7 238	6.31
36	1 017.9	2 026	3 054	4 072	5 089	6 107	7 125	8 143	9 161	7.99
40	1 256.1	2 513	3 770	5 027	6 283	7 540	8 796	10 053	11 310	9.87

注　表中直径 $d = 8.2mm$ 的计算截面面积及公称质量仅适用于有纵肋的热处理钢筋。

(3)稳固垛形——在保持钢材有良好的通风条件下，尽量使料垛与地面、材料与材料之间有较大的接触面积，以保证料垛稳固，不致坍塌。

(4)垛高适当——一般来说，增加钢材的码垛垛高是提高仓库容量利用率的有效办法之一。但必须注意，码垛高度应当适当，不应超过地面和材料本身的承载能力，以免造成事故。另外，码垛过高，还会造成材料搬运、取用不便。

4. 坚持日常维修养护

维修保养，贵在坚持，一般包括以下几项内容：

(1)库房内应保持清洁，地面如是土地，应随时注意铲除杂草。

(2)各种钢材应随时适当苫盖。

(3)经常检查排水沟是否畅通，遇有堵塞，应及时疏通。

第六节　混凝土、建筑砂浆

一、混凝土

(一)混凝土的分类

混凝土的分类见表 1-23。

表 1-23　　　　　　　　　　　　　　　　混凝土的分类

总称	不同分类	各分类混凝土
混凝土	按胶凝材料分类	水泥混凝土,沥青混凝土,水玻璃混凝土
	按密度分类	重混凝土——密度＞2 500kg/m^3,如重晶石混凝土、钢筋混凝土 普通混凝土——密度 1 900～2 500 kg/m^3,简称混凝土 轻混凝土——密度＜1 900 kg/m^3,如轻骨料混凝土、大孔混凝土、泡沫混凝土等
	按强度分类	普强混凝土——强度等级≤C45 高强混凝土——C50≤强度等级≤C70 超高强混凝土——强度等级≥C80
	按用途分类	结构混凝土、道路混凝土、隧道混凝土、大坝混凝土、耐热混凝土、耐酸混凝土、防水混凝土、防辐射混凝土等
	按流动性分类	干硬性混凝土、低流动性混凝土、塑性混凝土、流态混凝土等
	按施工方式分类	现浇混凝土、预制混凝土、大体积混凝土、喷射混凝土、泵送混凝土等

(二)各龄期混凝土强度的增长值

各龄期混凝土强度的增长值见表 1-24。

表 1-24　　　　　　　　　　　　各龄期混凝土强度的增长值

龄　期	7d	28d	3 个月	6 个月	1 年	2 年	4～5 年	20 年
混凝土强度	0.6～0.75	1	1.25	1.5	1.75	2	2.25	3.00

(三)混凝土施工参考用表

(1)碎石、卵石混凝土水灰比选择见表 1-25、表 1-26。

表 1-25　　　　　　　不同水泥、水灰比碎石混凝土 28 天强度　　　　　　(单位:MPa)

水灰比	硅酸盐和普通水泥				矿渣、火山灰、粉煤灰水泥			
	325	425	525	625	275	325	425	525
0.40	33.0	43.1	53.2	63.4	26.5	31.4	41.0	50.7
0.41	31.9	41.7	51.5	61.4	25.7	30.4	39.7	49.1
0.42	30.9	40.4	49.9	59.5	24.9	29.4	38.5	47.5
0.43	30.0	39.2	48.4	57.6	24.1	28.5	37.3	46.1
0.44	29.1	38.0	47.0	55.9	23.4	27.7	36.2	44.7
0.45	28.2	36.9	45.6	54.3	22.7	26.8	35.1	43.3
0.46	27.4	35.8	44.2	52.7	22.0	26.0	34.1	42.1
0.47	26.6	34.8	43.0	51.1	21.4	25.3	33.1	40.8
0.48	25.8	33.8	41.7	49.7	20.8	24.6	32.1	39.7
0.49	25.1	32.8	40.6	48.3	20.2	23.9	31.2	38.6
0.50	24.4	31.9	39.4	47.0	19.6	23.2	30.3	37.5
0.51	23.7	31.1	38.4	45.7	19.1	22.6	29.5	36.4
0.52	23.1	30.2	37.3	44.4	18.6	21.9	28.7	35.4
0.53	22.5	29.4	36.3	43.2	18.1	21.3	27.9	34.5
0.54	21.9	28.6	35.4	42.1	17.6	20.8	27.2	33.6
0.55	21.3	27.9	34.4	41.0	17.1	20.2	26.4	32.7

续表 1-25

水灰比	硅酸盐和普通水泥				矿渣、火山灰、粉煤灰水泥			
	325	425	525	625	275	325	425	525
0.56	20.8	27.2	33.5	39.9	16.7	19.7	25.8	31.8
0.57	20.2	26.5	32.7	38.9	16.2	19.2	25.1	31.0
0.58	19.7	25.8	31.8	37.9	15.8	18.7	24.4	30.2
0.59	19.2	25.1	31.0	36.9	15.4	18.2	23.8	29.4
0.60	18.7	24.5	30.3	36.0	15.0	17.7	23.2	28.7
0.61	18.3	23.9	29.5	35.1	14.6	17.3	22.6	27.9
0.62	17.8	23.3	28.8	34.3	14.3	16.9	22.1	27.2
0.63	17.4	22.7	28.1	33.4	13.9	16.5	21.5	26.6
0.64	17.0	22.2	27.4	32.6	13.6	16.0	21.0	25.9
0.65	16.5	21.6	26.7	31.8	13.2	15.7	20.5	25.3
0.66	16.1	21.1	26.1	31.0	12.9	15.3	20.0	24.7
0.67	15.8	20.6	25.5	30.3	12.6	14.9	19.5	24.1
0.68	15.4	20.1	24.9	29.6	12.3	14.5	19.0	23.5
0.69	15.0	19.6	24.3	28.9	12.0	14.2	18.6	22.9
0.70	14.7	19.2	23.7	28.2	11.7	13.9	18.1	22.4
0.71	14.3	18.7	23.1	27.5	11.4	13.5	17.7	21.9
0.72	14.0	18.3	22.6	26.9	11.2	13.2	17.3	21.3

表 1-26　　不同水泥、水灰比卵石混凝土 28 天强度　　(单位:MPa)

水灰比	硅酸盐和普通水泥				矿渣、火山灰、粉煤灰水泥			
	325	425	525	625	275	325	425	525
0.40	29.5	38.5	47.6	56.6	25.3	29.9	39.1	48.2
0.41	28.6	37.4	46.2	54.9	24.4	28.9	37.8	46.6
0.42	27.7	36.3	44.8	53.3	23.6	27.9	36.5	45.1
0.43	26.9	35.2	43.5	51.8	22.9	27.0	35.3	43.7
0.44	26.2	34.2	42.3	50.3	22.1	26.2	34.2	42.3
0.45	25.4	33.3	41.1	48.9	21.1	25.3	33.1	40.9
0.46	24.7	32.4	40.0	47.6	20.8	24.6	32.1	39.7
0.47	24.1	31.5	38.9	46.3	20.1	23.8	31.1	38.4
0.48	23.4	30.7	37.9	45.1	19.5	23.1	30.2	37.3
0.49	22.8	29.8	36.9	43.9	18.9	22.4	29.3	36.2
0.50	22.2	29.1	35.9	42.8	18.4	21.7	28.4	35.1
0.51	21.7	28.3	35.0	41.7	17.8	21.1	27.6	34.1
0.52	21.1	27.6	34.1	40.6	17.3	20.5	26.8	33.1
0.53	20.6	26.9	33.3	39.6	16.8	19.9	26.0	32.1
0.54	20.1	26.3	32.5	38.7	16.3	19.3	25.2	31.2
0.55	19.6	25.6	31.7	37.7	15.9	18.8	24.5	30.3
0.56	19.1	25.0	30.9	36.8	15.4	18.2	23.8	29.5
0.57	18.7	24.4	30.2	35.9	15.0	17.7	23.2	28.6
0.58	18.3	23.9	29.5	35.1	14.6	17.2	22.5	27.8
0.59	17.8	23.3	28.8	34.3	14.2	16.8	21.9	27.1

续表 1-26

水灰比	硅酸盐和普通水泥				矿渣、火山灰、粉煤灰水泥			
	325	425	525	625	275	325	425	525
0.60	17.4	22.8	28.2	33.5	13.8	16.3	21.3	26.3
0.61	17.0	22.3	27.5	32.8	13.4	15.8	20.7	25.6
0.62	16.7	21.8	26.9	32.0	13.0	15.4	20.2	24.9
0.63	16.3	21.3	26.3	31.3	12.7	15.0	19.6	24.2
0.64	15.9	20.8	25.7	30.6	12.4	14.6	19.1	23.6
0.65	15.6	20.4	25.2	30.0	12.0	14.2	18.6	22.9
0.66	15.2	19.9	24.6	29.3	11.7	13.8	18.1	22.3
0.67	14.9	19.5	24.1	28.7	11.4	13.5	17.6	21.7
0.68	14.6	19.1	23.6	28.1	11.1	13.1	17.1	21.2
0.69	14.3	18.7	23.1	27.5	10.8	12.8	16.7	20.6
0.70	14.0	18.3	22.6	26.9	10.5	12.4	16.2	20.1
0.71	13.7	17.9	22.1	26.3	10.2	12.1	15.8	19.5
0.72	13.4	17.5	21.7	25.8	10.0	11.3	15.4	19.0

(2)零星碎石、卵石混凝土配合比见表 1-27、表 1-28。

表 1-27　零星碎石混凝土配合比参考

混凝土强度等级	水泥标号	石子规格(mm)	水灰比	重量配合比 水泥:砂:石	水泥用量(kg/m^3)	含砂率(%)
C10	275	25～60	0.70	1:2.58:5.68	239	32
C10	325	25～60	0.80	1:3.02:6.35	213	33
C15	275	13～40	0.55	1:1.95:4.00	318	33.5
C15	275	25～60	0.55	1:2.03:4.16	309	33.5
C15	325	13～40	0.61	1:2.25:4.43	287	34.5
C15	325	25～60	0.61	1:2.34:4.60	279	34.5
C20	325	13～40	0.50	1:1.58:3.55	360	31.5
C20	325	6～13	0.50	1:1.61:2.95	390	36
C20	425	13～40	0.60	1:2.07:4.25	300	33.5
C20	425	6～13	0.60	1:2.04:3.60	325	37
C25	425	13～40	0.52	1:1.70:3.66	346	32.5
C25	425	13～25	0.52	1:1.74:3.41	356	34.5
C30	425	13～40	0.46	1:1.41:3.25	391	31
C30	425	6～25	0.46	1:1.44:3.03	402	33
C30	525	13～40	0.53	1:1.74:3.74	340	32.5
C30	525	6～25	0.53	1:1.78:3.49	349	34.5
C40	525	6～25	0.43	1:1.25:2.88	430	34

(3)水泥用量换算见表 1-29。

【例题】原计划用 425 号水泥 50t,现供应 325 号水泥需用多少吨?

【解】从纵坐标 425 号和横坐标 325 号的交点查到系数为 1.16,故所需 325 号水泥为 $50\times1.16=58(t)$。

(四)混凝土配合比设计

1.几个参数的确定(表 1-30,表 1-31)

灌注不同结构的混凝土坍落度见表 1-30;混凝土最大水灰比、最小水泥用量见表 1-31。

表 1-28 零星卵石混凝土配合比参考

混凝土强度等级	水泥标号	石子规格 (mm)	水灰比	重量配合比 水泥:砂:石	水泥用量 (kg/m^3)	含砂率 (%)
C10	275	25～60	0.67	1:2.36:5.70	246	30
C10	325	25～60	0.74	1:2.63:6.35	223	30
C15	275	13～40	0.53	1:1.68:4.26	321	29
C15	275	25～60	0.53	1:1.73:4.72	302	27.5
C15	325	13～40	0.58	1:1.93:4.66	293	30
C15	325	25～60	0.58	1:1.95:5.19	276	28
C20	325	13～40	0.48	1:1.48:3.83	354	28.5
C20	325	6～25	0.48	1:1.46:3.62	365	29.5
C20	425	13～40	0.57	1:1.89:4.57	298	30
C20	425	6～25	0.57	1:1.91:4.29	307	31.5
C25	425	13～40	0.49	1:1.49:3.88	347	28.5
C25	425	6～25	0.49	1:1.53:3.69	357	30
C30	425	6～25	0.43	1:1.24:3.23	407	28.5
C30	525	6～25	0.50	1:1.59:3.75	350	30.5

注 以中砂密度 2.56g/cm^3、石子密度 2.65g/cm^3 编制，设计混凝土强度等级提高 116%，坍落度 1～3cm 石子可两种规格搭配使用(小于 30%，大于 70%)。

表 1-29 水泥用量换算参考

水泥标号	换算增减系数			
	275	325	425	525
275	1.00	0.83	0.71	0.63
325	1.21	1.00	0.86	0.76
425	1.41	1.16	1.00	0.88
525	1.59	1.31	1.13	1.00

表 1-30 混凝土灌注时的坍落度

项次	结构种类	坍落度 (mm)
1	基础或地面的垫层；无配筋的厚大结构(挡土墙、基础或厚大的块体等)或配筋稀疏的结构	10～30
2	板、梁和大型截面的柱子等	30～50
3	配筋密列的结构(薄壁、斗仓、筒仓、细柱等)	50～70
4	配筋特密的结构	70～90

2. 混凝土配合比设计举例

【例题】某建筑工程现浇钢筋混凝土梁，混凝土设计强度等级为 C20，施工时要求坍落度为 30～50mm，所用原材料如下，试设计混凝土配合比。

水泥：425 号普通水泥，水泥密度 $\rho_c = 3\ 100kg/m^3$；

砂子：中砂，级配合格，表观密度 $\rho_s = 2\ 650kg/m^3$，在工地含水率为 4%；

石子：碎石，连续级配合格，最大粒径 20mm，表观密度 $\rho_g = 2\ 730\ kg/m^3$，在工地含水率为 2%；

水：自来水。

表 1-31　　普通混凝土最大水灰比、最小水泥用量的一般规定

项次	混凝土所处的环境条件	最大水灰比		最小水泥用量(kg/m^3)	
		配筋混凝土	无筋混凝土	配筋混凝土	无筋混凝土
1	不受雨雪影响的混凝土	0.65	不作规定	260	200
2	1.受雨雪影响的露天混凝土 2.位于水中及水位升降范围内的混凝土 3.在潮湿环境中的混凝土	0.60	0.70	280	225
3	1.寒冷地区水位升降范围内的混凝土 2.受水压作用的混凝土	0.55	0.55	280	250
4	严寒地区水位升降范围的混凝土	0.50	0.50	300	300

注　1.表中所列水灰比，是指水与水泥(包括外掺混合材料)用量之比。

2.表中最小水泥用量(包括外掺混合材料)，当用人工捣实时应增加 $25kg/m^3$，当掺用外加剂且能有效地改善混凝土的和易性时，水泥用量可减少 $25kg/m^3$。

3.强度等级≤C10 的混凝土，其最大水灰比和最小水泥用量可不受本表的限制。

【解】　1.计算初步配合比

(1)确定混凝土初步强度($f_{cu,0}$)

$$f_{cu,0} = f_d + \sigma_0 = 20 + 4.0 = 24.0(\text{MPa})$$

式中　f_d——混凝土设计强度，MPa；

σ_0——施工单位的混凝土均方差的历史统计水平，MPa，如无统计资料，可按表 1-32 取值。

表 1-32　　σ_0取值表

混凝土设计强度等级 f_d	C10～C20	C25～C40	C45～C60
均方差 σ_0(MPa)	4.0	5.0	6.0

(2)计算水灰比(W/C)

①按强度要求计算水灰比

$$f_{ce} = \gamma_c \cdot f_{ce,k} = 1.13 \times 42.5 = 48.0(\text{MPa})$$

式中　f_{ce}——水泥 28d 的实际强度，MPa；

γ_c——水泥标号标准值的富余系数，无统计资料时可取全国平均值 1.13；

$f_{ce,k}$——水泥标号的标准值，MPa。

$$\frac{W}{C} = \frac{A \cdot f_{ce}}{f_{cu,0} + A \cdot B \cdot f_{ce}} = \frac{0.46 \times 48.0}{24.0 + 0.46 \times 0.52 \times 48.0} = 0.62$$

式中　A、B——回归系数

碎石混凝土：$A = 0.46$，$B = 0.52$；

卵石混凝土：$A = 0.48$，$B = 0.61$。

②按耐久性要求复核水灰比

查表 1-31,不受雨雪影响的混凝土,最大水灰比为 0.65,故取 $W/C=0.62$。

(3)确定用水量(m_{w0})

由碎石最大直径为 20mm,混凝土坍落度为 30～50mm,查表 1-33,得

$$m_{w0} = 195\text{kg/m}^3$$

表 1-33　　混凝土用水量选用　　(单位:kg/m³)

所需坍落度(mm)	卵石最大粒径(mm)			碎石最大粒径(mm)		
	10	20	40	15	20	40
10～30	190	170	150	200	185	165
30～50	200	180	160	210	195	175
50～70	210	190	170	220	205	185
70～90	215	195	175	230	215	195

注　1.本表用水量是采用中砂的平均值。如采用细砂,每立方米混凝土用水量可增加 5～10kg,采用粗砂则可减少 5～10 kg。

2.掺用各种外加剂或掺合材料时,可相应增减用水量。

3.混凝土坍落度小于 10mm 时,用水量按各地现有经验或经试验取用。

4.本表不适合用于水灰比小于 0.4 或大于 0.8 的混凝土。

(4)计算水泥用量(m_{c0})

①先按下式计算

$$m_{c0} = \frac{m_{w0}}{W/C} = \frac{195}{0.62} = 315(\text{kg/m}^3)$$

②按耐久性要求复核水泥用量

查表 1-31,不受雨雪影响的混凝土,最小水泥用量为 260kg,故取 $m_{c0}=315\text{kg/m}^3$。

(5)确定合理砂率(β_s)

由碎石 $D_m=20\text{mm}$, $W/C=0.62$,查表 1-34,得砂率为 35%～40%,取

$$\beta_s = 36\%$$

(6)计算砂、石用量(m_{s0}、m_{g0})

按体积计算,要求解联立方程

$$\begin{cases} \dfrac{m_{c0}}{\rho_c} + \dfrac{m_{s0}}{\rho_s} + \dfrac{m_{g0}}{\rho_g} + \dfrac{m_{w0}}{\rho_w} + 0.01\alpha = 1 \\ \dfrac{m_{s0}}{m_{s0} + m_{g0}} \times 100\% = \beta_s \end{cases}$$

式中　α——混凝土含气量百分数(%),在不使用含气型外加剂时,取 $\alpha=1$。

将有关数据代入式中,得联立方程如下:

$$\begin{cases} \dfrac{315}{3\,100} + \dfrac{m_{s0}}{2\,650} + \dfrac{m_{g0}}{2\,730} + \dfrac{195}{1\,000} + 0.01 \times 1 = 1 \\ \dfrac{m_{s0}}{m_{s0} + m_{g0}} = 36\% \end{cases}$$

解联立方程得:

$$m_{s0} = 674\text{kg/m}^3$$

$$m_{g0} = 1\,198\text{kg/m}^3$$

表 1-34　　混凝土砂率选用表　　(%)

水灰比	碎石最大直径 D_m(mm)			卵石最大直径 D_m(mm)		
(W/C)	15	20	40	10	20	40
0.4	30～35	29～34	27～32	26～32	25～31	24～30
0.5	33～38	32～37	30～35	30～35	29～34	28～33
0.6	36～41	35～40	33～38	33～38	32～37	31～36
0.7	39～44	38～43	36～41	36～41	35～40	34～39

注　1.表中数值是中砂的选砂率。对细砂或粗砂,可相应地减少或增加砂率。

2.本砂率适用于坍落度为10～60mm的混凝土,坍落度如大于60mm或小于10mm时,应相应地增加或减少砂率。

3.只用一个单粒级粗骨料配置混凝土时,砂率应当增加。

4.掺入各种外加剂或掺合料时,其合理砂率应经试验或参照其他有关规定选用。

(7)计算初步配合比

$$m_{c0} : m_{s0} : m_{g0} : m_{w0} = 315 : 674 : 1\,198 : 195 = 1 : 2.14 : 3.80 : 0.62$$

2.确定基准配合比

按初步配合比式样15L(即0.015m^3),各材料称重量为:

水泥=315×0.015=4.73(kg)

砂子=674×0.015=10.11(kg)

石子=1 198×0.015=17.97(kg)

水=195×0.015=2.92(kg)

如测得此拌和物的坍落度为70mm(大于设计要求的30～50mm),保持 β_s 不变,同时,增加砂、石各自重量的5%[即砂子 10.11×0.05=0.51(kg),石子 17.97×0.05=0.90(kg)],拌匀后测得坍落度为45mm,观测黏聚性、保水性良好,符合设计要求。这时,各材料的实际用量为 $m_{c拌}=4.73\text{kg}$, $m_{s拌}=10.11+0.51=10.62(\text{kg})$, $m_{g拌}=17.97+0.90=18.87(\text{kg})$, $m_{w拌}=2.92\text{kg}$。

测出实际表观密度 $\rho_{c,t}=2\,420\text{kg/m}^3$。由下式计算基准配合比:

$$m_{c1} = \frac{4.73}{4.73+10.62+18.87+2.92} \times 2\,420 = 308(\text{kg/m}^3)$$

$$m_{s1} = \frac{10.62}{4.73+10.62+18.87+2.92} \times 2\,420 = 692(\text{kg/m}^3)$$

$$m_{g1} = \frac{18.87}{4.73+10.62+18.87+2.92} \times 2\,420 = 1\,230(\text{kg/m}^3)$$

$$m_{w1} = \frac{2.92}{4.73+10.62+18.87+2.92} \times 2\,420 = 190(\text{kg/m}^3)$$

故基准配合比为

$$m_{c1} : m_{s1} : m_{g1} : m_{w1} = 308 : 692 : 1\,230 : 190 = 1 : 2.25 : 4.00 : 0.62$$

3.确定实验室配合比

取三个配合比,一个为基准配合比,另外两个的用水量与基准配合比相同(即取

190kg)，水灰比分别取 0.57 和 0.67，参照表 1-34，砂率分别取 0.34 和 0.38，按初步配合比的计算方法，可分别求出砂、石用量。按这三个配合比分别计算 15L 拌和物的称量，测其和易性和 28d 的立方体强度 f_{28}（见表 1-35）。因此，配合比三是比较合理的，可在此基础上计算实验室配合比。

表 1-35　实验室混凝土强度配合比

配合比	配合比一	配合比二	配合比三
水泥用量(kg/m^3)	333	308	284
砂子用量(kg/m^3)	636	692	726
石子用量(kg/m^3)	1 235	1 230	1 185
水用量(kg/m^3)	190	190	190
实测坍落度(mm)	35	45	40
实测表观密度(kg/m^3)	2 400	2 420	2 385
实测强度 f_{28}(MPa)	29.6	26.0	24.5

(1)算出混凝土的计算表观密度

$$\rho_{c,c} = 284 + 726 + 1\,185 + 90 = 2\,385(kg/m^3)$$

(2)求出配合比校正系数

$$\delta = \frac{\rho_{c,t}}{\rho_{c,c}} = \frac{2\,420}{2\,385} = 1.015$$

(3)计算各种材料用量

$$m_{c2} = \delta C' = 1.015 \times 284 = 288(kg/m^3)$$

$$m_{s2} = \delta S' = 1.015 \times 726 = 737(kg/m^3)$$

$$m_{g2} = \delta G' = 1.015 \times 1\,185 = 1\,203(kg/m^3)$$

$$m_{w2} = \delta W' = 1.015 \times 190 = 193(kg/m^3)$$

(4)实验室配合比

$$m_{c2} : m_{s2} : m_{g2} : m_{w2} = 1 : 2.56 : 4.18 : 0.67$$

4.计算施工配合比

$$m_{c3} = m_{c2} = 288(kg/m^3)$$

$$m_{s3} = m_{s2} \times (1 + 4\%) = 737 \times 1.04 = 766(kg/m^3)$$

$$m_{g3} = m_{g2} \times (1 + 2\%) = 1\,203 \times 1.02 = 1\,227(kg/m^3)$$

$$m_{w3} = m_{w2} - m_{s2} \times 4\% - m_{g2} \times 2\% = 140(kg/m^3)$$

(五)混凝土外加剂

在混凝土拌和物中，掺入不超过水泥重量的 5%、且能使混凝土按要求改性的物质，称为外加剂。外加剂的掺入，对改善拌和物的和易性、调节凝结硬化时间、控制强度的发展、改善空隙构造和提高耐久性等方面起着显著作用。

外加剂按其作用效果不同，分为速凝剂、缓凝剂、减水剂、早强剂、加气剂等。

速凝剂是一种使混凝土迅速凝结的外加剂。加入后可使水泥在加水拌和时立即反应，使水泥中的石膏失去缓凝作用，促成铝酸三钙迅速水化，并在溶液中形成水化物，促使水泥浆在几分钟内凝结。

缓凝剂是一种延缓混凝土凝结的外加剂。加入后由于它在水泥及其水化物表面上的吸附作用以及它与水泥反应生成不溶层的作用而使水泥达到缓凝效果。

减水剂是一种能保持混凝土工作性能不变而显著减少其拌和水量的外加剂，多为表面活性物质。加入后能对水泥颗粒起分散作用，从而把水泥凝聚体中所含的水释放出来，以使水泥充分水化。

早强剂是一种加速混凝土早期强度发展的外加剂，又称快凝剂，多用于冬季施工。

加气剂包括引气剂和发气剂两种。引气剂加入砂浆或混凝土后，可使砂浆或混凝土产生许多细微的、均匀分布的封闭气泡，以阻塞有害的毛细孔通道，从而改善砂浆或混凝土的和易性，提高砂浆或混凝土的抗渗性、抗冻性和耐久性。发气剂加入混凝土料浆后，会与水泥中的碱反应产生气体，使之体积膨胀成多孔结构的物质。

常用外加剂的种类、性能及掺量见表 1-36。

表 1-36　　常用外加剂的种类、性能及掺量

种类	名　称	性　能	掺　量（水泥重量的%）
速凝剂	711 型(固)	初凝＜5min，终凝＜10min	3.5
	红星—I 型(粉末)	初凝＜5min，终凝＜10min	2.5～4
缓凝剂	糖蜜(粉末)	除减水等作用外，初凝可延长 4h	0.2～0.3
	DH—3，D—H—H—34(粉末)	除减水等作用外，还有缓凝作用	0.5
	M 型减水剂(固)	减水、缓凝、节约水泥	0.2～0.3
	MY 型减水剂(固)	除减水等作用外，缓凝 3～10h	0.3～0.5
减水剂	MN 型减水剂(固)	减水、缓凝、节约水泥	0.2～0.3
	NNO(固)	减水、早强、增强、引气、节约水泥	0.5～1
	MF(固)	减水、早强、增强	0.5～0.7
	NF(固)	非引气高效减水剂，用于高强度混凝土	0.5
	SM(液)	减水、早强、增强	0.5～2
早强剂	NC 混凝土早强剂(固)	缩短混凝土养护期 1/2～3/4，在 -20℃低温下防止混凝土受冻，提高强度等级 20%以上，不锈蚀钢筋	2～4
	硫酸钠复合早强剂(甲型)(固)	缩短混凝土养护期 1/2～2/3，可用于 -1～-3℃下施工和常温、蒸养下施工	2～4
	硫酸钠复合早强剂(乙型)(固)	缩短混凝土养护期 1/2～2/3，可用于 -1～-3℃下施工	2～4
加气剂	松香热聚物加气剂(固)	适用于北方港口工程和水下工程，制作泡沫混凝土	0.005～0.02
	松香皂泡沫剂(膏)	适用于抗渗、抗冻工程，制作泡沫混凝土	0.007～0.01

（六）混凝土养护液

混凝土养护液是一种涂膜材料，将它喷洒在混凝土表面上，待干固后形成一层薄膜，使混凝土表面与空气隔绝，封闭混凝土中的水分不再蒸发，使水泥依靠混凝土中自身的配合水分来完成水化作用,实现混凝土的凝结和硬化。一般适用于表面不作粉刷处理的混凝土工程。常用的混凝土养护液有塑料薄膜养护液、乳化石蜡养护液等,具体情况详见表1-37、表1-38。

表 1-37　　塑料薄膜养护液

材料名称	重量比(%)	
	粗苯作溶剂	溶剂油作溶剂
粗苯	86	—
过氯乙烯树脂	9.5	10
苯二甲酸二丁酯	4	2.5
丙酮	0.5	—
溶剂油	—	87.5

表 1-38　　乳化石蜡养护液

材料名称	重量比(%)		
	Ⅰ	Ⅱ	Ⅲ
石蜡	100	100	100
硬脂酸	25	25	18
氨水	9	8	8
聚乙烯醇	—	5	2
三乙醇胺	—	1	—
水	866	861	872

二、建筑砂浆

(一)建筑砂浆的分类

建筑砂浆是建筑工程中不可缺少的、用量很大的建筑材料。它是由无机胶凝材料、细骨料和水,有时也掺入某些外掺材料,按一定比例配合而成。与混凝土比较,砂浆也称为无粗骨料的混凝土。常用的建筑砂浆分类情况见表1-39。

表 1-39　　建筑砂浆的分类

总称	不同分类	各分类砂浆	
建筑砂浆	按胶凝材料划分	水泥砂浆、石灰砂浆、石膏砂浆、水泥石灰混合砂浆、水泥黏土混合砂浆等	
	按主要功能划分	普通砂浆	砌筑砂浆、抹灰砂浆
		特种砂浆	保温砂浆、吸声砂浆、防水砂浆、装饰砂浆、耐酸砂浆等

砂浆的强度是将配置好的砂浆,制成边长为7.07cm的立方体试块,经24±2h脱膜后,放在标准条件下养护28天,测得的抗压强度值(MPa)。

水泥砂浆是由水泥、砂子和水组成。适用于潮湿环境、水中以及要求砂浆标号较高

(大于M5)的工程。

石灰砂浆是由石灰膏、砂子组成。由于石灰是气硬性胶凝材料,石灰砂浆强度较低(小于M5),石灰砂浆只宜用于地上、强度要求不高的工程,一般用于低层或临时建筑工程中。

水泥石灰混合砂浆由水泥、石灰(黏土)膏、砂子组成,其参考配合比详见表1-40。由于大多数工程要求砂浆标号为M5以下,而水泥砂浆标号往往大于M5。若降低水泥用量,则砂浆和易性差,为保证砂浆和易性,往往浪费水泥。因此,采用掺入石灰(黏土)膏的水泥混合砂浆,强度满足要求,混合物的和易性也得到改善。这种混合砂浆的强度和耐水性介于水泥砂浆和石灰砂浆之间。水泥用量、水泥强度与砂浆强度的等级关系详见表1-41。

表1-40　水泥石灰混合砂浆参考配合比

水泥标号	砂浆强度等级	配合比(重量) 水泥:石灰膏:砂子	每1m³砂浆材料用量(kg)		
			水泥	石灰膏	砂子
325矿渣水泥	M1	1:3.70:20.90	70	260	1 450
	M2.5	1:1.73:13.18	110	190	1 450
	M5	1:0.94:8.53	170	160	1 450
	M7.5	1:0.50:6.59	220	110	1 450
	M10	1:0.27:5.58	260	70	1 450
425普通水泥	M2.5	1:1.95:14.5	100	195	1 450
	M5	1:1.35:11.15	130	176	1 450
	M7.5	1:0.73:8.79	165	120	1 450
	M10	1:0.56:7.25	200	112	1 450

注　以上配合比所用砂子为中砂,本表选自北京第六建筑公司试验室。

表1-41　水泥用量、水泥强度与砂浆强度等级关系

水泥用量	砂浆的强度等级(当水泥标号为下列数值时)										
(Q_c)	275	300	325	340	360	380	400	425	445	465	480
100	1.5	1.6	1.7	1.8	1.8	2.0	2.1	2.2	2.3	2.4	2.5
110	1.7	1.8	2.0	2.1	2.2	2.3	2.4	2.5	2.6	2.7	2.9
120	1.9	2.1	2.2	2.3	2.5	2.6	2.7	2.8	3.0	3.1	3.2
130	2.2	2.3	2.5	2.6	2.8	2.9	3.1	3.2	3.3	3.5	3.6
140	2.4	2.6	2.8	2.9	3.1	3.3	3.4	3.6	3.7	3.9	4.1
150	2.7	2.9	3.1	3.2	3.4	3.6	3.8	4.0	4.1	4.3	4.5
160	3.0	3.2	3.4	3.6	3.8	4.0	4.2	4.4	4.6	4.8	5.0
170	3.3	3.5	3.7	3.9	4.1	4.4	4.6	4.8	5.0	5.2	5.5
180	3.6	3.8	4.0	4.3	4.5	4.8	5.0	5.2	5.5	5.7	6.0
190	3.9	4.1	4.4	4.7	4.9	5.2	5.4	5.7	5.9	6.2	6.5
200	4.2	4.5	4.8	5.0	5.3	5.6	5.9	6.2	6.4	6.7	7.0
210	4.5	4.8	5.1	5.4	5.7	6.0	6.3	6.6	6.9	7.2	7.5
220	4.9	5.2	5.5	5.8	6.2	6.4	6.8	7.2	7.5	7.8	8.1
230	5.3	5.6	5.9	6.3	6.6	7.0	7.3	7.7	8.1	8.4	8.7
240	5.6	6.0	6.4	6.8	7.1	7.5	7.9	8.2	8.6	9.0	9.4
250	6.0	6.4	6.8	7.2	7.6	8.0	8.4	8.8	9.2	9.6	10.0
260	6.4	6.8	7.2	7.7	8.1	8.5	9.0	9.4	9.8	10.2	10.6

续表 1-41

水泥用量	砂浆的强度等级(当水泥标号为下列数值时)										
(Q_c)	275	300	325	340	360	380	400	425	445	465	480
270	6.8	7.3	7.7	8.2	8.6	9.1	9.5	10.0	10.5	10.9	11.3
280	7.2	7.7	8.2	8.7	9.1	9.6	10.1	10.6	11.0	11.5	12.0
290	7.6	8.2	8.7	9.2	9.7	10.2	10.7	11.2	11.7	12.2	12.8
300	8.1	8.6	9.2	9.7	10.2	10.8	11.3	11.9	12.4	13.0	13.5

注 1.本表引自中国建筑工业出版社 1982 年出版的《材料试验》,所列数据是根据实践经验推导出来的。

2.本表强度单位为 N/mm^2,Q_c 为每立方米砌筑砂浆中的水泥用量(kg)。

(二)砌筑砂浆配合比设计举例

【例题】某工程采用 325 号普通水泥、含水量为 2%的中砂(密度 1 500kg/ m^3),配制 M2.5 的水泥石灰混合砂浆,试初步计算各种组合材料重量配合比。

【解】 1.计算试配强度($f_{配}$)

$$f_{配} = 1.15f_{28} = 1.15 \times 2.5 \approx 2.9(\text{MPa})$$

式中 f_{28}——砂浆的设计强度,MPa。

2.计算水泥用量(Q_c)

$$Q_c = 1\,000f_{配} /K f^k_{灰} = 1\,000 \times 2.9/0.643 \times 32.5 = 139(\text{kg/m}^3)$$

式中 K——经验系数,由试验确定,或参照表 1-42 选用。

3.计算石灰膏用量(Q_d)

$$Q_d = 350 - Q_c = 350 - 139 = 211(\text{kg/m}^3)$$

式中 350——经验数,在保证砂浆和易性条件下可在 250~350 范围内调整。

表 1-42 经验系数 K 值

换算后水泥标号	砂浆强度等级				
	M1	M2.5	M5	M7.5	M10
425	0.427	0.608	0.758	0.855	0.931
325	0.450	0.643	0.806	0.915	0.999
275	0.466	0.667	0.839	0.957	1.048
225	0.486	0.698	0.884	1.012	1.113

4.确定砂的用量(Q_s)

砂浆中砂的用量与砂的含水率有关。含水率为 2%左右的中砂,每 $1m^3$ 砂浆用 $1m^3$ 砂子;含水率为零的过筛净砂,每 $1m^3$ 砂浆用 $0.9m^3$ 砂子;含水率大于 2%时,则每 $1m^3$ 砂浆用 1.1~$1.25m^3$ 砂子。

$$Q_s = \gamma_s \cdot V_s = 1\,500 \times 1 = 1\,500(\text{kg/m}^3)$$

式中 γ_s——砂的密度,kg/m^3;

V_s——每 $1m^3$ 砂浆砂的体积,m^3/m^3。

5.计算砂浆的初步配合比

$$Q_c : Q_d : Q_s = 139 : 211 : 1\,500 = 1 : 1.52 : 10.79$$

（三）各种砂浆配合比及其应用范围

各种砂浆配合比及其应用范围见表1-43。

表1-43　　各种抹灰砂浆配合比及应用参考

砂浆类别	材料配合比(体积比)	应用范围
石灰砂浆	石灰:砂＝1:(2～5)	砖石墙面(但檐口、勒角、女儿墙及潮湿处除外)
石灰黏土砂浆	石灰:黏土:砂＝1:0.3:(3～6)	干燥环境的内墙屋面
石灰石膏砂浆	石灰:石膏:砂＝1:(0.2～0.4):(2～5) 石灰:石膏:砂＝1:(0.6～1.5):(2～3) 石灰:石膏:砂＝1:2:(2～4)	不潮湿环境的墙和天棚 干燥环境的墙和天棚 不潮湿房间线脚、修饰工程
水泥石灰砂浆	水泥:石灰膏:砂＝1:(0.5～1):(4.5～6)	用于檐口、勒角、女儿墙补脚及较潮湿部位
水泥砂浆	水泥:砂＝1:(2.5～3) 水泥:砂＝1:(1.5～2) 水泥:砂＝1:(0.5～1)	浴室及潮湿部位的基层 地面、天棚、墙面的面层 混凝土地面随时压光用
装饰砂浆	水泥:白云石灰:白石子＝1:(0.5～1):(1.5～2) 水泥:石子＝1:1.5 水泥:白石子＝1:(1～2) 石灰膏:麻刀＝100:2.5(重量比) 石灰膏:麻刀＝100:1.3(或纸筋3.8)(重量比) 石灰膏:纸筋＝1m³:3.6kg 水泥:石膏:砂:锯末＝1:1:3:5	水刷石面层(底层用1:0.5:3.5砂浆) 用于剁石[底层用1:(2～2.5)水泥砂浆] 水磨石面层(底层用1:2.5水泥砂浆) 用于木板条天棚底层 用于木板条天棚面层 较高级墙及天棚抹灰 用于吸音粉刷

第七节　建筑防水材料

一、沥青

（一）沥青的性能及其分类

沥青是一种胶凝憎水性材料，几乎不溶于水，而与矿物质材料有较强的粘着力，本身构造致密。因此，单独形成的沥青膜层，或与矿物质材料组成的沥青结合材料都有良好的隔潮、防水、抗渗性能。同时，沥青对于大多数中等浓度以下的酸、碱、盐等腐蚀性介质具有抵抗力。它更适合于带有腐蚀性介质的水溶液的作用环境，在建筑工程中的地坪、地基、沟池中，作为防水、耐腐蚀材料，及作为金属的防锈、防腐材料。

沥青的种类繁多，主要分为两大系统，一是地沥青，另一个是焦油沥青。地沥青包括从地表直接开采出来的天然沥青(如湖沥青、岩沥青、砂沥青等)和以地下开采出来的石油原油为原料，经提炼加工而得的石油沥青(如固体石油沥青、半固体石油沥青、液体石油沥青)；焦油沥青则是以煤或其他有机物干馏得到焦油，再经提炼加工而得到的沥青(如煤沥青、木沥青、泥炭沥青、页岩沥青等)。建筑工程中主要应用的沥青品种是石油沥青和焦油沥青。

(二)石油沥青和煤沥青

石油沥青的种类、技术指标和主要用途见表 1-44,煤沥青的定义、特点见表 1-45,煤沥青与石油沥青的鉴别方法见表 1-46。

表 1-44　　石油沥青的种类、技术指标和主要用途

种类	标号	针入度(25℃,100g)不小于(1/10mm)	延伸度(25℃)不小于(cm)	软化点不低于(℃)	溶解度(三氯甲烷、四氯化碳或苯)不小于(%)	闪点(开口)不低于(℃)	水分不大于(%)	蒸发损失(160℃,5h)不大于(%)	蒸发后针入度不小于(%)	主要用途
道路石油沥青(SYB 1661—77)	200	201~300	—	—	99	180	0.2	1	—	1. 作为道路工程及屋面工程的粘结剂用 2. 制造防水纸及绝缘材料用
	180	161~200	100	25	99	200	0.2	1	60	
	140	121~160	100	25	99	200	0.2	1	60	
	100 甲	81~120	80	40	99	200	0.2	1	60	
	100 乙	81~120	60	40	99	200	0.2	1	60	
	60 甲	41~80	60	45	98	230	痕迹	1	60	
	60 乙	41~80	40	45	98	230	痕迹		60	
建筑石油沥青(GB494—75)	30 甲	21~40	3	70	99	230	痕迹	1	60	1. 作为建筑及其他工程的防水、防潮、防腐蚀材料、胶结材料和涂料 2. 制造油毡、油纸和绝缘材料
	30 乙	21~40	3	60	99	230	痕迹	1	60	
	10	5~20	1	95	99	230	痕迹	1	60	
普通石油沥青(SYB 1665—77)	75	75	2.0	60	98	230	痕迹	—	—	适用于道路、建筑工程及制造油毡、油纸等防水材料之用
	65	65	1.5	80	98	230	痕迹	—	—	
	55	55	1.0	100	98	230	痕迹	—	—	

表 1-45　　煤沥青定义、特点

定义	特点(与石油沥青相比)
烟煤炼焦或制煤气时,将干馏挥发物中冷凝得到的煤焦油,再继续蒸馏出轻油、中油、重油和蒽油后所剩残渣,称为煤焦油	1. 塑性差:受力后产生变形易开裂,尤其在低温时脆性大 2. 温度稳定性差:受热后易软化溶于油分中,使其热稳定性差 3. 大气稳定性差:在光、热及氧化作用下老化过程加快 4. 黏滞性大:与矿质材料粘结力强,可利用这一性质,将少量煤沥青掺入石油沥青中以提高其粘结性能 5. 防腐能力强:含有酚、蒽等易挥发的有毒成分,施工时对人体有害,但将其用于木材防腐中,效果很好

表 1-46　　煤沥青与石油沥青的鉴别方法

鉴别方法	煤沥青	石油沥青
比重	大于 1.1(约为 1.25)	接近 1
锤击	声清脆、韧性差	声哑,富有弹性,韧性较好
燃烧	烟呈黄色,有刺激性臭味	烟无色,无刺激性臭味
溶液颜色	用 30~50 倍汽油或煤油溶解后,将溶液滴于滤纸上,斑点分内外两圈,内圈呈黑色,外圈呈棕色或黄色	溶解方法同煤沥青,斑点完全均匀散开,呈棕色

二、防水卷材

(一)常用油毡

常用油毡的品种、定义、用途见表1-47。

表1-47　　常用油毡的品种、定义及用途

名称	标号		定义	用途
	按原纸重(g/m^2)分	按表面撒布材料分		
石油沥青油毡(GB326—89)	200号 350号 500号	粉状撒布材料面油毡 片状撒布材料面油毡	石油沥青材料油毡是用低软化点石油沥青浸渍原纸,然后用高软化点石油沥青涂盖油纸两面,再撒以撒布材料所制成的一种纸胎防水卷材	200号各种撒布材料油毡用于简易建筑防水、临时性建筑防水、建筑防潮及包装等 350、500号粉状撒布材料面油毡适用于多层防水层的各层或面层。片状撒布材料面油毡适用于单层防水
石油沥青油纸(GB326—89)	200号 350号	—	石油沥青油纸是用低软化点石油沥青浸渍原纸所制成的一种无涂盖层的纸胎防水卷材	适用于建筑防潮及包装,也可以作多层防水层的下层
煤沥青油毡(JC505—92)	350号	粉状撒布材料面油毡 片状撒布材料面油毡	煤沥青油毡是用低软化点煤沥青浸渍原纸,然后用高软化点煤沥青涂盖油纸的两面所制成的一种纸胎防水卷材	适用于地下防水、建筑防潮及包装等

(二)特种油毡

特种油毡的品种及用途见表1-48。

表1-48　　特种油毡的品种及用途

名称	定义	特点	用途
再生胶油毡	再生胶油毡是一种不用原纸作基层的无胎油毡,它是由废橡胶粉掺入石油沥青,经高温脱硫为再生胶,再掺入填料经炼胶机混炼,以压延机压延而成的一种质地均匀的防水卷材	延伸性大,低温柔性好,耐腐蚀性强,耐水性及耐热稳定性良好	适用于屋面或地下作接缝和满堂铺设的防水层,尤其适用于基层沉降较大或沉降不均匀的建筑物变形缝处的防水
沥青玻璃布油毡	沥青玻璃布油毡是用石油沥青涂盖材料浸涂玻璃纤维布的两面,并撒以粉状撒布材料所制成的一种以无机纤维为基料的沥青防水卷材	抗拉强度高于500号的纸胎油纸,柔韧性好,耐腐蚀性强,耐久性比普通油毡高一倍以上	适用于地下防水层、防腐层、屋面防水层及金属管道(热管道除外)防腐保护层等
沥青玻璃纤维油毡	沥青玻璃纤维油毡是用石油沥青涂盖材料浸涂玻璃纤维毡片的两面,并撒以粉状撒布材料所制成的一种无机纤维为基料的沥青防水卷材	除抗拉强度略低于纸胎350号油毡外,其他性能都高于纸胎油毡,比纸胎油毡轻	适用于地下防水层、防腐层、屋面防水层及金属管道(热管道除外)防腐保护层等
石油沥青麻布油毡	石油沥青麻布油毡是用麻织品为底胎,先浸渍低软化点石油沥青,然后涂以含有矿质填充料的高软化点石油沥青,再撒布一层矿质石粉所制成的一种防水卷材	抗拉强度高,抗酸碱性高,柔性好,耐热度较低	适用于要求比较严格的防水层及地下防水工程,尤其适用于要求具有高度的多层防水层及基层结构有变形和结构外形复杂的防水工程等

续表 1-48

名称	定义	特点	用途
玻璃纤维毡片	玻璃纤维毡片是用中级定长玻璃纤维铺制成的毡状薄片。它可与乳化沥青或石油沥青等涂料相配合用于建筑防水工程,是一种新型的防水材料	成本低、重量轻、防水性较好、使用简便	适用于屋面及地下防水工程

(三)新型防水卷材

新型防水卷材种类很多,诸如:三元乙丙橡胶防水卷材、氯化聚乙烯防水卷材、氯化聚乙烯－橡胶共混防水卷材、复合增强 PVC 屋面防水卷材、APP 改性沥青防水卷材等。

1.三元乙丙橡胶防水卷材(表 1-49)

表 1-49　　三元乙丙橡胶防水卷材的特点及应用范围

说明	特点	适用范围
是以三元乙丙橡胶掺入适量的丁基橡胶、硫化剂促进剂、软化剂和补强剂等,经密炼、拉片过滤、挤压成型等工序加工而成	由于三元乙丙橡胶结构分子结构中的主链上没有双键,因此,当其受到臭氧、紫外线、湿热的作用时,主链上不宜发生断裂,所以它有优异的耐气候性,耐老化性,而且抗拉强度高、延伸率大、对基层伸缩或开裂的适应性强,加之重量轻、适用温度范围宽(－40～＋80℃),是一种高效防水材料。它还可冷施工,操作简便,减少环境污染,改善工人的劳动条件	用于屋面、楼房地下室、地下铁道、地下停车站的防水,桥梁、隧道工程防水,排灌渠道、水库、蓄水池、污水处理池等方面防水隔水,以及厨房卫生间的室内防水等

2.氯化聚乙烯－橡胶共混防水卷材(表 1-50)

表 1-50　　氯化聚乙烯－橡胶共混防水卷材的特点和用途

说明	特点	用途
是用高分子材料氯化聚乙烯与合成橡胶共混接枝而制成。卷材铺贴采用冷施工,操作方便,没有环境污染	该卷材的主体材料氯化聚乙烯的大分子结构中没有双键,因此有优良的耐候性和耐老化性,并具有耐油性和耐化学性能。因与橡胶共混,表现出橡胶的高弹性、高延伸率,以及良好的耐低温性能,并对地基沉降、混凝土收缩的适应性强等	用于新建和维修各种建筑屋面、墙体、地下建筑、卫生间及用于水池、水库等工程的防潮、防渗、防漏

3.复合增强 PVC 屋面防水卷材(表 1-51)

表 1-51　　复合增强 PVC 屋面防水卷材的特点及用途

说明	特点	用途
复合增强 PVC 屋面防水卷材系以聚氯乙烯防水卷材为面层、无纺纤维毡作底层,通过粘结加工而成	该卷材为一种复合增强型结构,强度高、延伸率大、收缩率小、能适合房屋结构较大的变形,卷材本身为银灰色,吸热系数小,可有效地降低屋面温度,采用先进的改性配方,抗老化性能好,卷材搭接、拼缝、异形部位及边部均有专用胶牢固粘结和密闭,可保证施工质量	主要用于建筑屋面防水

4. APP 改性沥青防水卷材(表 1-52)

表 1-52　　APP 改性沥青防水卷材的特点及适用范围

说明	特点	用途
是以无规则聚丙乙烯(APP)改性沥青为涂盖材料,以优质聚酯毡或玻纤毡做基胎,上表面撒布细砂或绿页岩片,下表面撒布细砂而做成。由于APP使沥青改性,将沥青包围在网状结构中,并形成弹性键,从而提高了软化温度、硬度和低温柔性。这种新的混合物具有良好的橡胶质感,加上用优质基胎,使卷材的抗拉强度、延伸率等其他性能也大大提高	该卷材抗拉强度大,延伸率高、具有良好的弹塑性、耐高温、耐低温和抗老化性,－50℃不龟裂、120℃不变形、150℃不流淌,老化期可达20年以上,而且使用方便,易于修补。聚酯胎卷材具有很高的拉力、延伸率及抗穿刺和抗撕裂能力。无纺玻纤毡卷材的特点是成本低,耐细菌腐蚀性和尺寸稳定性好,但拉力和延伸率较低	APP改性沥青防水卷材集防水、密封、粘结于一体,不仅适合于各种屋面、墙体、楼地面、地下室、水池、桥梁、公路、机场跑道和水坝等防水、防护工程,也适用于各种金属容器、管道的防腐保护,为防水、防潮、防腐的理想材料

三、沥青胶(玛琋脂)及冷底子油

(一)玛琋脂

沥青胶俗称玛琋脂,其配制及使用温度见表 1-53。玛琋脂的主要用途为粘结卷材、嵌缝补漏及防水层、防腐层等。玛琋脂分为石油沥青玛琋脂和煤沥青玛琋脂,前者只能粘贴石油沥青油毡,其参考配合比见表 1-54、表 1-55,后者只能粘贴焦油沥青油毡,其参考配合比见表 1-56。玛琋脂标号的选用参考见表 1-57。

表 1-53　　玛琋脂的配制及使用温度

名称	配制方法	使用温度	说明
热玛琋脂	在石油沥青或煤沥青中掺入一定数量的粉状或纤维状填充料及少量添加剂等配制而成	须在熔化状态下(约 180℃)使用	热玛琋脂的标号主要以耐热度来划分。其用料配合比见表1-54及表1-55
冷玛琋脂	以石油沥青或焦油沥青熔化冷却至130～140℃后加入稀释剂(如绿油、轻柴油等),进一步冷却至70～80℃后再加入填料搅拌而成	使用时不必加热。但在低温时(低于5℃)则须加热至50～60℃,始可使用。加热时须注意不能直接用火加热,以免引起冷玛琋脂内溶剂中挥发气体燃烧,发生事故	冷玛琋脂亦可将填充料先与溶剂拌和,然后再将溶好沥青加入拌和物中搅拌而成

表 1-54　　石油沥青热玛琋脂的用料参考配合比(重量%)

耐热度(℃)	石油沥青		填充料			
	30号或180～60号与30号混合	60号	六级石棉	泥炭渣或木粉	混合石棉或七级石棉	粉状物(如滑石粉、白云石等)
65	—	80	15	—	—	—
	—	87	—	13	—	—
	—	70	—	—	30	—
	—	55	—	—	—	45

续表 1-54

耐热度(℃)	石油沥青		填充料			
	30号或180～60号与30号混合	60号	六级石棉	泥炭渣或木粉	混合石棉或七级石棉	粉状物(如滑石粉、白云石等)
75	—	82	—	18	—	—
	—	78	22	—	—	—
	—	65	—	—	35	—
	90	—	—	10	—	—
	87	—	13	—	20	—
	80	—	—	—	—	—
	70	—	—	—	—	30
85	85	—	—	15	—	—
	82	—	18	—	—	—
	65	—	—	—	35	—
	45	—	—	—	—	55
90	78	—	22	—	—	—
	82	—	—	18	—	—
	60	—	—	—	40	—

表 1-55　石油沥青冷玛琋脂的用料参考配合比(重量%)

用 料	10号石油沥青	轻柴油	油 酸	熟石灰粉	6～7级石棉
配合比	50	25～27	1	14～15	7～10

表 1-56　煤沥青热玛琋脂的用料参考配合比(重量%)

耐热度(℃)	煤焦沥青	煤焦油	填充料		添加剂		
			矿 粉	石棉粉	硬脂酸	蒽油	桐油(或蒽油)
50	50	45	—	—	—	—	5
	38	20	38	—	4	—	—
	40	20	—	35	—	5	—
60	47	15	—	35	—	3	—
	40	20	36	—	—	—	4
	50	20	—	24	6	—	—
70	45	15	35	—	—	—	5
	55	15	—	25	—	—	5
	60	20	12	—	4	4	—

表 1-57　玛琋脂标号的选用

沥青胶结材料类别	屋面坡度	历年室内外极端最高气温	沥青胶结材料标号
石油沥青胶结材料	1%～3%	小于38℃	S—60
		38～41℃	S—65
		41～45℃	S—70
	3%～15%	小于38℃	S—65
		38～41℃	S—70
		41～45℃	S—75
	15%～25%	小于38℃	S—75
		38～41℃	S—80
		41～45℃	S—85

续表 1-57

沥青胶结材料类别	屋面坡度	历年室内外极端最高气温	沥青胶结材料标号
焦油沥青胶结材料	1%～3%	小于 38℃ 38～41℃ 41～45℃	J—55 J—60 J—65
	3%～10%	小于 38℃ 38～41℃	J—60 J—65

注 1. 卷材层上有板块保护层或整体保护层时，沥青胶结材料标号可按本表降低 5 号。
2. 屋面受其他热源影响（如高温车间等），或屋面坡度超过 25%时，应考虑将沥青胶结材料的标号适当提高。
3. 表中 S 代表石油沥青，J 代表焦油沥青。

（二）冷底子油

冷底子油用于涂刷在水泥砂浆或混凝土基层及金属表面上作打底子之用。它可以使基层表面与玛琋脂、油膏、涂料等中间具有一层胶质薄膜，提高胶结性能。

冷底子油配合成分见表 1-58。

表 1-58　冷底子油配合成分（重量%）

用途	沥青			溶剂		说明
	10 号 30 号石油沥青	60 号石油沥青	软化点为 50～70℃的煤油沥青	轻柴油	苯	
涂刷在终凝前的水泥基层上	40 — —	— 55 —	— — 50	60 45 50	— — —	如无轻柴油时，可用煤油代替。当用挥发性快的溶剂时，其配合成分应为汽油 70%，30 号石油沥青 30%
涂刷在终凝后的水泥基层上	50 — —	— 60 —	— — 55	50 — —	— 40 45	
涂刷在金属构件表面上	30 35 45 — — 45	— — — — — —	— — — 40 45 —	70 65 — 60 — —	— — 55 — 55 55	

四、防水涂料

（一）石灰膏乳化沥青

1. 石灰乳化沥青

（1）配制工艺：将经过熟化的石灰膏和规定用水量的 1/2 加入搅拌机中搅拌 2～3min，再按用量加入 180～220℃的热沥青及剩余的水，继续搅拌 3～5min，直至成为均匀的深灰色乳化沥青为止。乳化沥青可存于池中备用，但为了防止沥青还原，乳化沥青上部须经常保持 10cm 厚的积水层。

（2）用料配合比（重量比）及质量要求：石灰膏∶石油沥青∶水＝1∶1∶1。做石灰膏时生石灰中氧化钙（CaO）含量须大于 70%，氧化镁（MgO）含量须小于 3%，用前须经水淋 7d 以上，淋制的石灰膏颗粒应小于 0.5mm，使用时其含水量控制在 40%～50%之间；石油沥青软化点应为45～60℃(国产道路石油沥青60号甲或乙均可)并须加热至100～220℃，脱水备用;配料中水可采用自来水,但须加热至100℃。

(3)施工时注意事项:①涂刷乳化沥青的板面须打扫清洗干净。板缝应用油膏嵌填,油膏表面应高出板面1cm以上。②涂料施工有两种方法,一是涂刷乳化沥青三层,湿时总厚度为2～3mm,上撒3mm粒径砂砾保护层一层;二是涂刷沥青漆一度,石灰乳化沥青两度,上撒3mm粒径砂砾保护层一层(此种做法效果较好)。③涂层厚度:采用一次抹压法施工时,涂层厚度以1.5～2mm为宜;采用分层抹压法施工时,以每层湿厚度为2～3mm,干后涂层总厚度为2～3mm为宜。由于用扫帚涂刷施工难以使涂层厚度均匀,并易起皮脱落,故不宜采用。④夏季施工应尽量安排在早晚间,不宜在太阳曝晒情况下施工。

2.抹压乳化沥青

(1)配制工艺:①石灰一般须提前两星期进行熟化,在熟化过程中禁止搅拌,待熟化成乳白色膏状物时,始可加入少量清水搅成白浆,然后以0.5mm孔径的筛子过筛后,储于池中备用。②沥青使用前必须脱水,脱水过程应慢慢升温,并经常搅动,温度应控制在150℃以下。③采用卧式桨叶搅拌机,有效容积100L,转速约400转/min,桨叶线速度约3m/s,电动机为22kW(30马力)。搅拌第一罐前,应向搅拌机内注水,并将水加热到60℃。搅拌头三罐时,每罐可增加3号石油沥青3～5kg,减少石棉绒3～4kg。第四罐以后即可恢复正常配合比。④配制时先按重量比加入石灰膏和所需水量的一半(水温70～80℃),搅拌约3～5min,然后加入150℃的热沥青,搅拌5min后,再加入石棉绒和其余一半水。继续搅拌约5min即成为均匀的黑色膏体的乳化沥青。该乳化沥青可储于容器内降至常温(10～30℃)备用。如须储存较长时间再用时,应在乳化沥青上面加适量的水,以防止其中水分蒸发,引起面层沥青还原。

(2)用料配合比及质量要求见表1-59。

表1-59　用料配合比及质量要求

材料名称	配比(重量比)			质量要求
	1号	2号	3号	
60号石油沥青	40	30	30	1.石灰须采用一般烧好的低镁石灰。氧化钙含量应大于65%,酸不溶物小于2% 2.石棉绒须采用质软、细粉含量少、纤维长度为0.5～1.5cm者 3.石灰膏细度小于0.5mm,含水量为45%～50%
石灰膏	28	25	30	
石棉绒	10	20	4～5	
滑石粉	—	—	13～15	
水	22	25	20～23	

(3)施工时注意事项:①板面清扫干净后先涂冷底子油一度。其配合比为3号石油沥青:汽油=1:3。板面局部缺陷处可先用乳化沥青抹压找平。②冷底子油干燥后,即以铁抹子抹压乳化沥青。厚度控制在4～6mm范围以内(干缩后厚3～4mm)。抹压好的乳化沥青不得有裂缝、起泡或凸凹不平之处。③施工时室外气温不应低于10℃,不宜高于30℃。气温过高时应在早晚间进行施工。④施工时应注意在乳化沥青未还原凝固前,严禁雨水冲刷。⑤施工缝应做成斜坡形。斜面越大越好。接缝前应先将接头表面析出的碳酸钙薄膜和尘土用小刀刮掉扫净,再行施工。新抹压的乳化沥青应比旧抹压者表面高出2～4mm。⑥天沟、女儿墙、伸缩缝等处采用油毡防水者,油毡应在抹压乳化沥青之前,铺

设完毕。易受振动部位(板缝)应用聚氯乙烯胶泥或建筑油膏嵌实。刚性部位(板面)应用乳化沥青抹压。施工时,应先施工板面部分,完后再做板缝(但板缝下部的填缝砂浆可以早做)。⑦板缝嵌填的防水接缝材料(包括纵横缝)应高于抹压乳化沥青面层2mm,并在缝的两边各2～5mm宽范围内,满抹乳化沥青一层。

(二)再生橡胶——沥青防水涂料

再生橡胶——沥青防水涂料的用途及性质见表1-60。

表1-60　再生橡胶—沥青防水涂料的用途及性质

说明及用途	性能	
	项目	指标
再生橡胶——沥青防水涂料是胎面再生橡胶、沥青和汽油配制而成,可用于各种屋面的防水涂层及防腐防潮工程。根据其性能测定及试点工程调查来看,该涂料的防水性、抗裂性、柔韧性、耐寒性、抗老化性均好。除粘结性能略低于氯丁橡胶沥青外,其他性能基本接近(见右栏)	耐热性	在80±2℃下,恒温5h无皱皮、起泡等现象
	耐碱性	20±2℃下,在饱和氢氧化钙水溶液中浸泡15d,无剥落、起泡、分层、起皱等现象
	粘结性	20±2℃下,用8字模法测抗拉强度大于0.2MPa
	不透水性	20±2℃下,动水压0.1 MPa,30min内不透水
	低温柔韧性	-10℃下,通过ϕ10mm轴棒,无网纹、裂缝、剥落等现象
	耐裂性	20±2℃下,涂膜厚度0.3～0.4mm、基层裂缝宽度不大于0.2 mm时,涂膜不开裂

注　表内性能指标是湖南省洞口县防水材料厂的产品指标。

(三)乳化沥青与玻璃纤维毡片

乳化沥青及其用途、用量见表1-61;玻璃纤维毡片的规格及技术条件见表1-62。

表1-61　乳化沥青的说明、用途、用量

说明	用途	用量
乳化沥青是以熔化的沥青与热的乳化剂水溶液经机械强力搅拌,使沥青分散成细微颗粒(1～6μm)悬浮于水中,以至水与沥青形成稳定的乳化液体而成。外观呈棕黑色,均匀一致,具有粘结性高、防水性能好、干燥快和具有较好的热稳定性等特征 乳化沥青不宜在冬季或低温条件下施工	配合玻璃纤维毡片或玻璃布及油膏用于屋面防水及地下工程防渗防漏	每$1m^2$屋面涂料用量1.2～1.5kg(以涂刷四道计算)

表1-62　玻璃纤维毡片的规格及技术条件

规格				技术条件			备注
厚度(mm)	幅度(mm)	每卷重量(kg)	每卷面积(m^2)	定量(g/m^2)	拉力(kg)	水分(%)	
0.3～0.4	915	>22	300	50～80	>10	≤1	天津油毡

(四)JG—2型防水冷胶料

JG—2型防水冷胶料(简称冷胶料)是以橡胶为基础材料,通过水乳制成的新型建筑防水材料。它分别由A液(胶液)和B液(乳化沥青)组成,使用时按设计要求进行配比与混合均匀即可。该材料具有良好的耐热粘结、弹塑、耐寒、防水及抗老化等性能,并且无毒、不燃、冷施工方便,具有改善劳动条件、减少环境污染等优点。

冷胶结料加衬玻璃布,适用于保温和非保温的屋面、墙身、楼地面防水层,也适用于一般地下室、冷库及设备管道等防水层。JG—2 型防水冷胶料的技术性能、质量标准、施工特点、材料用量配合比见表 1-63～表 1-66。

表 1-63　　JG—2 型防水冷胶料混和液的技术性能

项目		测试条件	指标
技术性能	含固量	—	≥43%
	低温柔性	-10 ± 1℃,绕 ϕ10mm 轴棒	无裂纹
	不透水性	水压 0.1MPa,30min	不透水
	耐热性	80 ± 2℃,试件 45°倾斜,5h	无起泡、流淌现象
	粘结性	—	≥0.2MPa
	抗冻性	循环 20 次	无开裂
	延伸性	无处理	≥4.5mm
		处理后	≥3.5mm
生产单位		北京延庆橡胶厂、温州市新型防水材料厂、徐州防水材料厂	

表 1-64　　JG—2 型防水冷胶料的外观质量标准

两组分比	外观指标
1:1	1.呈黑色无光泽黏稠液体,略有橡胶味,无毒 2.用玻璃棒将混合液薄而均匀地涂刷在玻璃板上或石棉板上,肉眼观察其颗粒度,要求均匀细腻,不得有明显的颗粒或块状物 3.表面无结膜或凝固物,无沉淀或离析现象。若表面有结膜物,而且是有弹性的软膜,可取少许放入水中,如能分散于水中则为合格

表 1-65　　JG—2 型防水冷胶料的施工特点

项目	使用施工说明
基层要求及处理	基层表面须平整、结实、干燥、不得有蜂窝状、浮灰杂物,有裂缝时(深宽超过 2mm 以上者)应用嵌缝密封材料嵌填。基层的突出部位和阴阳角,均应做成八字坡 若要求涂刷冷底子油,可用 JG—2 的 B 溶液作冷底子油
特殊部位的预处理	天沟、立墙、烟囱口、雨水口阴阳角等特殊部位须先贴玻璃丝布附加层
防水层施工	1.施工衬玻璃丝布时,将配制好的冷胶料倒在基层上,用长柄刷子涂刷均匀,然后将玻璃丝布一端贴牢,用力向前推压滚铺,随刷随铺,并在已铺完的玻璃丝布上用刷子赶走气泡、压实。搭接宽度长边不小于 70mm,短边不小于 100mm。待第一道涂层基本干后,再继续涂第二遍 2.涂第二道冷胶料时,若防水层为一布二胶构造,则第二道冷胶涂层厚度应不小于 1.5mm;若是二布三胶构造,则第二道涂刷厚度应为 0.3～0.5mm,并粘贴第二层玻璃丝布。表干后涂刷第三道冷胶料,其厚度应不小于 1.5mm 3.刷完最后一道涂料时,随即撒上粗砂或云母粉,要使其均匀地与防水层牢固粘结
注意事项	1.冷胶料施工温度为 0℃以上,不宜在大风、雨天、冰冻时施工 2.冷胶料是水乳型,使用时必须搅拌均匀,保持浓度一致 3.涂刷冷胶料时,涂层要均匀,不得漏刷,不得外露玻璃丝布 4.玻璃丝布应与基层粘牢,不得有皱纹、翘边白茬、鼓泡等现象 5.A 液储存期 6 个月,B 液储存期 3 个月,且应置于阴凉处密封,避免日晒雨淋,严防冰冻,禁止在负温下存放

表 1-66　　JG—2 防水冷胶料防水层的材料用量及涂料配合比

防水层构造	每 1m² 防水层的材料参考用量		冷胶料两组份配合比(重量比)	
	冷胶料(kg)	玻璃丝布(m²)	第一遍底层涂料	其他各层涂料
一布二胶	1.5～2.0	1.2	A:B 液＝1:2	A:B 液＝1:1
二布三胶	2.2～3.0	2.4		

五、防水油膏

几种常用防水油膏的配制工艺见表 1-67～表 1-71。

表 1-67　　聚氯乙烯胶泥的用料配合比及配制工艺

材料名称	重量配比		配制工艺
	配方 1	配方 2	
煤焦油 聚氯乙烯树脂 苯二甲酸二丁酯 硬脂酸钙 填充料	100 10 10 1 10	100 15 15 1 15	聚氯乙烯胶泥是热塑性材料,适用于现场配制,趁热浇筑,配制工艺为: 1.煤焦油在 120～140℃下脱水,然后降至 40～60℃备用 2.按配合比称取聚氯乙烯树脂和硬脂酸钙,混合后搅拌均匀,再加入定量的二丁酯搅成糊状,即得聚氯乙烯糊液 3.把上述糊液缓慢加入温度为 40～60℃定量的脱水煤焦油中,搅拌均匀,再徐徐加入填充料。此时,应边加热,边搅拌,温度控制在 130～140℃之间,保持 10min 后,即成胶泥 4.每次停工后粘结在熬制锅上的胶泥残料,应刮除干净,以免影响下次配制胶泥的质量

注　1.填充料数量可随浇灌时胶泥稠度的需要而适当增减。

2.本胶泥可适用坡度:配方 1 适用于平屋面及≤1:10 坡度的屋面;配方 2 适用于大于 1:10 坡度的屋面。

3.本胶泥适用于－25～80℃条件下的各种坡度的工业与民用建筑屋面工程,也适用于有硫酸、盐酸、硝酸、氢氧化钠气体腐蚀的屋面工程。

表 1-68　　嵌缝沥青防水油膏的重量配合比

油膏类别	油料				填料		填料:油料
	茂名石油沥青	松焦油	硫化鱼油	重松节油	石棉绒	滑石粉	
南方用油膏	(70℃软化点) 100	5～15	20	60	87.4 (40%)	131.3 (60%)	1:1.15
北方用油膏	(60℃软化点) 100	5～15	30	60	66.5 (30%)	155 (70%)	1:1.08

六、建筑防水材料的选用与分档

(一)建筑防水材料的选用原则

近几年来,防水材料发展较快,而且每类产品还有高、中、低档之分,经有关建筑科研施工单位多年试用总结,介绍如下使用原则以供参考。

表 1-69　　嵌缝沥青防水油膏的配制工艺

改性沥青炼制	硫化鱼油的制备	油膏组成的混合搅拌
1.将10号及60号石油沥青按预计软化点为70±3℃或60±3℃的配比投入锅内加热溶化脱水,滤去纸屑杂物 2.升温至180~200℃时,加入松焦油,边加边搅,连续搅拌30~60min,待气泡消失后方可使用 3.松焦油加入后沥青温度应保持在170~190℃	1.硫化鱼油制造时,先将带鱼油在100~110℃温度下脱水后加入10号石油沥青溶化脱水,滤去纸屑等杂物。脱水时温度不得超过200℃ 2.待气泡完全消失后,立即熄火。降温至140~150℃时慢慢加入硫磺粉,边加边搅,注意防止温度超过170℃和产生大量的硫化氢气体造成溢油事故,在硫化过程中搅拌不可停止。硫磺粉加完后至少再搅拌30min,温度保持在150~170℃ 3.待硫化鱼油的软化点达到80±30℃时,即可冷却到140~150℃,然后按总重量加入同样重量的重松节油,边加边搅直至均匀为止。此稀释液即可泵入储油池内备用。使用前须加以搅拌	1.在未搅拌之前,先将混合搅拌筒保温至80~100℃ 2.将温度保持在170~190℃的改性沥青按配比投入搅拌筒,再将硫酸鱼油稀释液投入,并开始搅拌,同时依次投入重松节油、滑石粉和石棉绒 3.投料完成后,继续搅拌15min至混合均匀为止即可出料

注　配制软化点为70℃或60℃的沥青时,以用茂名10号与60号石油沥青为好,其用量如下:

1.70℃软化点沥青用茂名10号47%加茂名60号53%。

2.软化点为60℃时,用茂名10号30%加茂名60号70%。

表 1-70　　马牌建筑油膏的施工方法、产品规格

施工方法及注意事项	产品规格	产地及适用范围
1.施工缝的基层必须坚硬,不准有松软的砂土层 2.施工缝的缝内须保持干净,不得有尘土、水泥渣、锈等 3.施工缝的缝内须保持干燥,不得潮湿,雨天不得施工 4.缝内先均匀涂一遍建筑底油,然后将油膏在木板上或用手搓成与缝粗细相适合的圆条(表面严禁粘着尘土等粉末),立即嵌入缝内(或用油膏挤压枪将油膏灌入缝内) 5.再用木板或镏子或用手指将嵌入缝内的油膏用力压紧、抹平、按实,必须与缝严密粘牢 6.用手操作时,为了防止油膏粘手,可在手上或木板上粘少量鱼油、重松节油润滑,但不可用柴油、煤油、滑石粉等,以免影响粘结 7.压紧抹平后的油膏应与缝口略平(或鼓出),随即在表面用毛刷再满涂底油一遍。一般涂刷面积最低要超出油膏边缘4mm以上,以保证封闭油膏	701 702 703 801 802 803	1.产品由北京黄土岗化工厂生产 2.产品适用于屋面及地下工程的防水、防潮和防渗漏

表 1-71　　塑料油膏配合比

简介	特点	用途	用料重量配合比				备注
			材料名称	配方1	配方2	配方3	
是以废旧聚氯乙烯、煤焦油、增塑剂、稀释剂、防老化剂及填充料配制而成的新型弹塑性建筑防水材料	粘结力强,耐热度高,低温柔性好,抗老化性好,耐酸碱、宜热施工兼可冷用	适用于各种混凝土屋面板嵌缝防水和大板侧墙、天沟、落水管、桥梁等混凝土构配件接缝防水以及旧屋面的补漏工程	1.煤焦油	100	100	100	配方1为现配热罐型,配方2为成品回锅热罐型,配方3为冷嵌型
			2.废旧聚乙烯塑料	18~20	16~18	18~20	
			3.二辛酯	3~5	3~5	3~5	
			4.滑石粉	20~25	30~40	80	
			5.二甲苯		15~20	30	
			6.糠醛		5	10	

1.按防水材料类别选用

(1)卷材类:防水卷材具有施工方便,施工温度范围广,一般可一遍成活等优点,但存在着有接缝,对异形部位(如突起部位)卷材铺贴处理难度大,往往成为渗漏的薄弱环节等缺陷,所以它较适合于大面积基本平直的部位,如屋面、地下室底板和墙面,不宜用于管道较多的部位,如厕所、卫生间等。

从卷材本身的性能来看,高分子防水卷材一般比改性沥青防水卷材的性能、档次要高一些,因此具体选用哪种卷材,要根据工程的建筑标准决定。像高级宾馆、国家重点工程等可选用高弹性、耐候性优异的三元乙丙橡胶卷材;一般工程可选用中、低档的防水卷材。在屋面上选用耐候性较差的卷材时,应加保护层。

(2)涂料类:防水涂料不仅能在水平面,而且能在立面、阴阳角及各种复杂表面,形成无接缝的完整的防水膜,所以它适用于各种形状复杂的部位,特别适用于管道较多的部位,如厕所、卫生间等。但由于涂料涂层较薄,若将弹性较差的涂料用于屋面,容易因温度变化而产生裂缝,从而导致屋面渗漏,所以必须谨慎使用。

在选用时,建筑标准高的工程,可选用聚氨酯涂膜防水涂料,一般工程可选用氯丁胶乳防水涂料,并要严格注意材料质量,保证涂层厚度不小于2mm。

(3)油膏类:防水油膏是一种弹性材料,施工操作比较方便,材料资源丰富,可一遍成活。它主要用于混凝土建筑物、构筑物及配件的接缝嵌缝防水、补缝防漏,不宜用作大面积的涂层防水,可作为涂料刷在板面、地面、墙面,起防渗、防潮、防腐蚀作用,而且在作防水层涂料使用时应加玻璃纤维布。

2.按防水层基层选用

(1)现浇钢筋混凝土基层:宜选用防水卷材或片材,也可选用防水涂料。

(2)混凝土预制板加找平层:宜选用防水卷材或片材,也可选用防水涂料。

(3)大型屋面板:板缝用油膏嵌缝,板面用涂料或用油膏,不宜用卷材。

(4)保温层加水泥砂浆找平层:宜用中档以上防水卷材。

3.按防水部位选用

(1)屋面防水:由于屋面防水工程是大面积的施工,使用温度范围差异较大,防水材料常常直接暴露于大气之中,受大气侵蚀的影响最大。因此,屋面防水设计的安全度应比较大(仅次于地下室防水),宜选用性能较好的高、中档防水卷材,不宜用防水涂料。但一般工业与民用建筑工程,若受造价限制,也可选用低档防水卷材和冷作业防水涂料或热熔油膏满涂加衬玻璃丝布。选用低档防水卷材时,卷材厚度不宜小于2mm;选用冷作业防水涂料时要特别注意材料质量,并保证涂层厚度不小于2mm;选用热熔油膏满涂时要严格掌握油膏的熔化温度,涂层厚度以4～5mm为宜。

(2)厕所、卫生间防水:厕所、卫生间防水工程防水面积小,并且防水材料上有较厚的保护层,因此,防水设计的安全度比屋面和地下室为小。另外,由于它们的施工面积一般比较窄小,拐角与管道较多,因此最好选用防水涂料,宜采用涂膜防水,不宜使用防水卷材。

(3)地下室防水:地下室防水工程工序交叉较多,施工期长,因地下水有压力,极易产生渗漏现象,修补也较困难,所以地下室防水设计的安全度应最大,而且要精心施工,认真对待，宜选用中、高档防水材料(卷材、涂料、密封膏)。还可采用“防排结合，刚柔并用，多道设防，因地制宜，综合治理”的原则，同时使用两类以上的防水材料，以取得良好的防水效果。

地下室如设计为卷材防水层，应采用抗菌性能好、耐腐蚀性能强的橡胶、塑料或改性沥青卷材。

(4)板式嵌缝防水：宜选用嵌缝密封膏。建筑标准高者采用聚硫、聚氨酯类密封膏，一般工程可用塑料胶泥或塑料油膏等。

(5)防水工程的重点部位(亦称特殊部位)：对防水效果有直接影响的特殊部位，如屋面的天沟、檐沟、排水口等；地下室的底板与转角处和其他特殊部位；楼面的踢脚、管道的泛水等部位，在做防水层时，均应加做1～2层卷材或涂料，进行“加强”处理，以增强其防水能力。

(二)防水材料的分档

为了实际的使用方便，根据防水材料的防水性能和造价，粗略地将其分为高、中、低三档(表1-72)，以供参考。

表1-72　防水材料的分类

类别	材料名称	档次	类别	材料名称	档次
防水卷材	三元乙丙橡胶防水卷材	高	防水涂料	851焦油聚氨酯防水胶	高
	氯磺化聚乙烯防水卷材	高		硅橡胶防水涂料	中
	氯化聚乙烯－橡胶共混防水卷材	高		有机硅防水涂料	中
	SBS聚合物沥青聚氨酯胎防水卷材	高		CB型丙烯酸酯弹性防水涂料	中
	APP改性沥青聚氨酯胎防水卷材	高		氯丁橡胶沥青防水涂料	中
	603防水卷材	中		确保时防水涂料	中
	氯化聚乙烯防水卷材	中		防水室防水涂料	中
	聚氯乙烯防水卷材	中		PVC防水冷胶料	低
	丁基橡胶防水卷材	中		SBS弹性沥青防水冷胶料	低
	聚乙烯丙纶双面复合防水卷材	中		橡胶沥青防水冷胶料	低
	SBS聚合物沥青黄麻胎防水卷材	中	防水密封材料	聚硫建筑密封膏	高
	(禹王牌)聚乙烯膜改性沥青无纺聚酯胎防水卷材	中		聚氨酯建筑密封膏	高
	硫化型橡胶防水卷材	中		有机硅防水密封膏	高
	SBS聚合物沥青玻纤胎防水卷材	低		丙烯酸建筑密封膏	中
	PVC防水柔毡	低		氯磺化聚乙烯嵌缝密封膏	中
	化纤胎改性沥青油毡	低		塑料油膏	低
	焦油沥青耐高、低温防水卷材	低		橡胶沥青嵌缝油膏	低
	聚氯乙烯－煤焦油砂面防水卷材	低		聚氯乙烯胶泥	低
	(禹王牌)聚乙烯膜氧化沥青防水卷材	低			
	聚氨酯涂膜防水卷材	高			

第八节　混凝土密封剂

一、M1500水性水泥密封剂

M1500水性水泥密封剂的特点及施工要点见表1-73、表1-74。

表 1-73 M1500 水性水泥密封剂的特点及使用范围

说 明	优 点	局 限 性	适用范围
M1500 水性水泥密封剂是以美国桦青公司 M1500 催化剂为原料生产的一种水泥建筑物防水剂，将它喷涂于混凝土表面渗入内部数厘米，与水泥内部的碱类物质反应，形成不溶于水的凝胶体，堵塞空隙和毛细孔通道，形成致密的永久防水层。由于它是无机混合物，不受水、阳光(紫外线)、温度等外界环境的影响，具有永久的防水效果	1.增加混凝土的硬度，防止建筑物表面风化、破裂和生长青苔 2.能使新混凝土固化均匀、防止局部干燥或产生裂纹 3.能排除杂质，密封新、旧水泥，防止建筑物中钢筋腐蚀 4.水泥面经处理后可防止地砖、地毯、油漆等脱落 5.防止酸雨对建筑物的侵蚀	M1500 只适用于混凝土和砖石，不可密封沥青、金属和木制品；不能渗透有机玻璃或无空隙橡胶基油漆 不可用于珐琅质砖石；不可于冰点使用 如用于疏松混凝土砖石，需经特别处理	用于水泥面层，混凝土结构、砖石结构的各种建筑物之防水防潮；建筑物外墙、内墙的防水；对地下室或地底的工程防水维修，最能发挥它的功效，一般情况，M1500 能承受地下室 5～6 层的水压(约 30.48m)，具体如下： 1.水泥屋面防漏，仓库、地下室、水塔、氨水池、沼气池等储水装置的防渗、防漏 2.用混凝土浇筑的隧道、管道及其他地下建筑物的防水、防渗、防漏、防潮 3.用于飞机跑道、公路、桥梁等 4.用于水泥船，不仅可以防漏，还可以减轻钢筋被腐蚀

表 1-74 M1500 水性水泥密封剂的施工要点

项 目	施 工 操 作 要 点
施工前准备	1.对于旧混凝土建筑物，需将表面清理干净，修补破损、龟裂处，并将油污、涂料、橡胶及其他不能被 M1500 密封剂渗透的物质清除干净 2.对于新浇混凝土，一般只需将表面清扫干净即可
施工方法	1.在待施工的基层表面喷洒足够多的水，过 30min 后再进行 M1500 防水剂的喷涂 2.用低压喷射器(如农药喷射器)喷射整个表面两次(于第一次喷后将干前再喷第二次)，务必使整个表面达到均匀饱和。施工面积小时，可用刷子刷 3.喷涂 M1500 防水剂 3h 后或将干前，需用水湿润表面，特别是在夏季高温季节，更要注意浇水湿润，但浇水量不宜过大，以免冲淡防水剂。施工 24h 后，可见到混凝土表面有白色杂质析出，须用水清洗，一直冲洗到混凝土表面不再有白色杂质出现为止， 每天湿润的次数，夏季一般 6～7 次，其他季节 1～2 次，共需保养 3d 左右
材料参考用量	每 1m^2 防水层面积需防水剂 0.22～0.25kg，若防水层需喷涂二遍，则 1m^2 防水层面积需防水剂 0.44～0.50kg
注意事项	1.可在潮湿表面施工，但不得在有流动水状态下施工，若出现流水情况，待制止后施工 2.不能拌在水泥砂浆中使用，否则无效 3.密封剂可渗透油基或水基涂料而不影响涂料颜色 4.新浇的混凝土，当固膜去掉后，即可以用密封剂饱和整个表面。现浇屋面及新抹水泥面层将干前喷刷效果最好

二、SWF混凝土密封剂

SWF混凝土密封剂的特点及使用见表1-75、表1-76。

表1-75　　SWF混凝土密封剂特点及使用范围

说明	特点	适用范围
SWF混凝土密封剂是一种以无机硅酸钠或硅溶胶水基液为主的无机混凝土密封剂。它具有优良的渗透性能，使用于混凝土表面时，能渗入混凝土结构内，并和混凝土内的碱性物质起反应，生成凝胶，填塞混凝土内的毛细管孔隙，从而提高混凝土的抗渗性、密封性、耐腐性	该密封剂对混凝土构筑物有四大作用： 1.防水 2.密封。可以防止酸雨、大气中二氧化碳等气体对混凝土构筑物的侵蚀，防止混凝土构筑物的中性化 3.增强。可以增强混凝土的强度，特别是混凝土的早期强度 4.养护。保护混凝土中的水分不致过快地蒸发，从而达到使水泥充分水化，防止混凝土龟裂的效果	可广泛用于隧道、地铁、人防、管道、机场跑道、道路及工业构筑物等混凝土工程的防渗、防腐，亦可用于各种混凝土构筑物、混凝土构件的养护

表1-76　　SWF混凝土密封剂使用说明

使用操作说明	参考用量 (kg/m^2)	生产单位
1.用一般低压喷雾器喷涂或涂刷 2.对厚度较大的混凝土构筑物，可以多次涂刷，以达到彻底渗透之目的 3.两次涂刷间隔时间24h，如涂刷过程中混凝土表面析出白物质，须用水冲洗干净	涂刷二道 0.33～0.50	上海市隧道工程公司防水材料厂

第二章　房屋建筑的查勘与鉴定

第一节　房屋建筑查勘与鉴定的目的、标准

房屋查勘鉴定是指房产经营管理和物业管理部门为了了解和掌握房屋的完损状况，及时发现房屋各方面的损坏程度，确定完损等级的一项基本而又重要的房屋管理工作。

通过查勘鉴定，监督房屋结构技术状况，可及时发现问题，以便采取必要的维护和修缮措施，确保房屋的正常和安全使用，做到“建好房、管好房、修好房、用好房”，合理延长房屋使用年限，充分发挥房屋的使用功能。具体说来，可达到如下目的：

(1)确保房屋的正常使用。通过鉴定房屋发生的异常现象的原因和程度，及时发现安全隐患，及时维护修缮，避免不安全事故的发生。

(2)监督房屋的合理使用。通过掌握房屋结构、设备、装修的技术状况，及时纠正不合理使用房屋的行为，充分延长使用年限。

(3)掌握房屋的完损状况。依据建设部颁布的《房屋完损等级评定标准》和《危险房屋鉴定标准》(JGJ125—99)，鉴定房屋的完损等级和危险等级，以便对房屋进行分类处理。

(4)有助于制定房屋修缮计划。通过查勘鉴定掌握房屋的详细资料，为编制长、短期房屋维修修缮计划提供依据。

(5)为房屋修缮设计、施工、技术管理提供依据，同时为城市规划和旧城改造提供依据。

房屋查勘与鉴定主要包括房屋查勘鉴定技术、房屋完损等级评定和危险房屋鉴定三个方面的标准。房屋查勘鉴定技术标准是指在房屋查勘鉴定时，要根据不同房屋类型、不同房屋组成部分的完损状况，采取相应的房屋查勘鉴定的技术标准和方法，如建设部颁布的《民用建筑修缮工程查勘与设计规程》(JGJ117—98)；房屋完损等级评定标准是指对现有房屋完好或损坏程度划分的质量等级标准，一般根据建设部颁布的《房屋完损等级评定标准》来评定；危险房屋鉴定标准是确定房屋结构已严重损坏，或承重构件已属危险构件，随时可能丧失稳定和承载能力，不能保证居住和使用安全房屋的标准。

第二节　房屋查勘的内容和方法

一、房屋查勘的内容

房屋查勘工作首先要根据房屋查勘的目的确定房屋查勘的内容，根据不同的房屋查勘的目的，房屋查勘分为房屋定期查勘、房屋季节性查勘、工程查勘和特别查勘。

(一)房屋的定期勘查

房屋的定期查勘也称为房屋安全普查,是指对所管房屋在一定期限内进行逐栋逐间的检查鉴定,全面掌握房屋的完损情况,确定房屋的完损等级,制定合理的养护和维修计划。一般来说,每隔1～3年查勘鉴定一次。定期查勘主要是对房屋的结构、装修和设备设施三大部分进行全面查勘鉴定,记录各部分完损状况,按照一定的标准进行分析,评定房屋完损等级。房屋的查勘具体内容为:

(1)结构部分。包括基础有无沉降、破损等现象;墙体、梁、板、柱、屋架、楼梯、楼面、阳台等有无裂缝、变形、损坏、腐蚀、松动、渗漏等现象;防潮层、防水层有无老化、裂缝、渗漏、破损等现象。

(2)装修部分。包括内外墙抹灰、顶棚抹灰有无裂缝、起壳、脱落等现象;地板砖、装饰瓷砖有无起壳、松动、裂缝、脱落现象;门窗有无损坏、腐烂现象;装饰油漆有无退色、起壳、脱落现象。

(3)设备部分。包括水电、煤气、消防、卫生、保安、暖气、通讯等设备是否齐全通畅、安全完整、设置合理等。

(4)附属设施部分。包括垃圾通道、下水道、化粪池有无堵塞、损坏、渗漏现象等。

为了查勘工作的方便,查勘前应准备房屋检查情况登记表。表2-1为房屋安全普查登记表,供查勘时参考使用。

表2-1　　房屋安全普查登记表

房屋地址				结构		层数		建造年代	
建筑面积		总建筑面积		户数			人数		
住宅面积		非住宅面积		留房部位面积					
房屋用途		产别		业权人		承担人			

危房部位记录

年份	历年修缮情况记录

续表 2-1

检查年度																	
部位			1层	2层	3层	…	N层	1层	2层	3层	…	N层	1层	2层	3层	…	N层
结构部分	地基基础																
	承重构件	柱															
		梁															
		墙															
		楼盖															
		屋架															
	非承重墙																
	屋盖																
	楼梯																
	综合																
装修部分	门窗																
	外墙																
	内墙																
	顶棚																
	楼地面																
	细木装修																
	综合																
设备部分	水卫	上水															
		下水															
		洁具															
	电照																
	暖气																
	煤气																
	特种设备																
	综合																
初评	等级																
	检查人																
复评	等级																
	复查人																
备注																	
填表代号			○—完好 ☆—基本完好 △—一般损坏 ◇—严重损坏 □—局部损坏 ★—全部危险														

(二)房屋的季节性查勘

房屋的季节性查勘是根据房屋所在地区的气候特征和季节特点进行的机动性房屋查勘鉴定。重点是根据季节、气候特征,例如雨季、台风、地震、山洪、大雪等情况,着重对损坏严重的房屋、危险的房屋进行查勘,及时制定安全措施抢险解危。房屋的季节性查勘主要对以下房屋进行查勘:

(1)建筑在山坡、江畔、软土地段,大雪、大雨、山洪、台风、地震过后不安全的房屋。

(2)新发现有危险迹象的房屋。

(3)严重损坏,有安全隐患的房屋。

(4)未及时实施安全处理措施的危险房屋。

(5)年久失修还在使用的房屋。

(6)学校、医院、商场、娱乐场所等人流密度大的房屋。

(三)房屋的工程查勘

它是以房屋定期查勘或季节性查勘掌握的房屋状况资料为基础,对需要维修的部分的完损状况运用观测、鉴别和测试等手段进一步查勘鉴定的定期检查,以便明确损坏程度,分析损坏的原因,研究不同修缮标准和修缮方法,确定修缮方案。它以查勘鉴定损坏构件和房屋结构体系为重点,掌握不同结构房屋(如砖木结构、钢筋混凝土结构、混合结构等)各结构部分的受力状况与联系,以及它们的强度、刚度、稳定性和相互影响程度,以便制定出合理的房屋修缮计划。

(四)房屋的特别查勘

房屋的特别查勘鉴定也称为房屋的技术鉴定,一般应由设计部门或专门从事房屋查勘鉴定部门进行的一项技术性工作。一般要经过实地查勘,结构计算,试验研究,综合分析,然后提出鉴定结果和处理意见,制定合理的养护维修方案。一般在发生以下情况时进行:

(1)改变房屋使用功能或原设计用途时。

(2)房屋进行扩建、改建,房屋发生变异时。

(3)房屋出现损坏,造成房屋可能发生危险时。

(4)相邻房屋损坏,产权双方对损坏原因有异议时。

(5) 房屋发生意外事故,其危险性不确定时。

二、房屋查勘的程序和方法

(一)房屋查勘的程序

为了提高房屋查勘的工作效率,避免查勘项目的遗漏,对房屋的现场查勘应该按照一定的查勘程序来进行。一般应采取“从外部到内部,从下层到上层,从承重结构到非承重结构,从表面到隐蔽,从局部到整体”的查勘程序。当然,根据不同类型房屋的具体情况可采取不同的查勘程序,一般按如下程序进行:

(1)做好查勘前的准备工作。包括确定查勘对象、查勘目标,研究查勘对象的历史资料,确定查勘项目和查勘方案,制定房屋查勘各类登记表。

(2)成立查勘工作小组。根据查勘对象和项目的特点,配备相应的技术人员作为查勘工作人员,以提高房屋查勘的质量和效率。

(3)确定查勘时间。通知查勘房用户配合,约定房屋查勘时间。

(4)进行房屋现场查勘。根据查勘对象的实际情况,按照相应的查勘程序,逐项进行查勘鉴定,并记录在案。

(5)评定房屋完损等级。对查勘结果进行综合分析,评定房屋完损等级。

(二)房屋查勘的方法

房屋查勘在我国各地区有不同的查勘鉴定方法,归纳起来一般有直观检查和仪器检测两大类方法。在房屋查勘鉴定时,往往是以直接检查与仪器检测相结合,观察与计算相结合,资料分析与现场查勘相结合,重复检查与试验检查相结合的形式来进行。具体的房屋查勘方法可归纳为以下几种:

(1)直观检查法。该法是指查勘人员以目测和简单工具检查房屋的完损状况,查勘时通过现场直接观察房屋外形的变化,房屋结构的变形、倾斜、裂缝、脱落等破损情况,用简单工具(如线、尺)测量房屋破损程度及损坏构件数量,根据工程技术经验判断房屋构件损坏程度。

(2)重复观测法。该法是指由于被查勘房屋的损坏情况在不断地变化,一次的查勘不能准确无误地确定房屋的完损等级,需要进行多次的查勘观测才能掌握其损坏变化程度,得以把握房屋的最终完损情况。

(3)仪器检测法。该法是指用各种仪器对房屋进行各种状况的检测,通过取得多种的定量分析指标来确定房屋的完损等级的一种方法。一般通过经纬仪、水准仪、激光准直仪等仪器检查房屋的变形、沉降、倾斜等状况;用回弹仪枪击法、撞击法、敲击法等机械方法进行房屋的非破坏性检验;用超声波脉冲法、共振法进行构件的物理检验;用万能试验机对构件样品进行性能测试等。

(4)荷载试验法。这是一种通过对房屋结构施加试验性荷载,进而对房屋结构进行鉴定的技术方法。主要用于房屋发生重大质量事故,构件发生重大变形、裂缝,房屋改变用途或增加层数而无必要数据时对房屋结构、构件进行技术性测定。

(5)计算分析法。该法是指将房屋查勘的相关资料和测定结果运用结构理论进行计算分析,对房屋结构、构件进行强度、刚度、稳定性的验算,确定结构构件是否安全的一种方法。计算时要根据实际的负荷,以实测材料强度为准,以便准确测定结构负载能力。因需投入的工作量较大,一般对重要房屋检查时采用此方法。

第三节　房屋完损等级评定

一、房屋完损等级的概念及分类

(一)房屋完损等级的概念

房屋在使用过程中,由于使用、管理、保养、维修不善,以及环境因素、外在因素、自然因素等影响,房屋会出现不同程度的损坏,并可能在使用时出现危险。在人们长期使用房屋的过程中,通过比较分析,逐步形成了房屋完损等级的概念和标准。

房屋完损等级是指对现有房屋的完好或损坏程度划定等级，即现有房屋的质量等级，它是按照统一的标准、项目和评定方法，通过直观检测、定性定量分析，对现有房屋进行的综合性等级评定。

(二)房屋完损等级的分类

1.房屋完损等级评定项目

为评定房屋完损等级，首先要确定评定的项目。在房屋完损等级的评定中，把各类房屋分为结构、装修、设备三大组成部分，并具体划分为14个项目：结构部分划分为基础、承重构件、非承重构件、屋面和楼地面五项；装修部分划分为门窗、外抹灰、内抹灰、顶棚、细木装修五项；设备部分划分为水卫、电照、暖气和特种设备四项。

2.房屋完损等级的分类

根据房屋结构、装修和设备三部分各项目完好损坏程度，房屋完损等级分为五个等级：

(1)完好房。指完好损坏程度如下的房屋：结构完好；装修完好；设备完好；且房屋其他各部分完好无损，无需修理或经过一般小修就能正常使用。

(2)基本完好房。指完好损坏程度如下的房屋：结构基本完好，少量构件有轻微损坏；装修基本完好，小部分有损坏，油漆缺乏保养，小部分装饰材料老化、损坏；设备基本完好，部分设备有轻微损坏。房屋损坏部分不影响房屋正常使用，一般性维修可修复。

(3)一般损坏房。指完好损坏程度如下的房屋：结构一般性损坏，部分构件损坏或变形，屋面局部渗漏，部分结构变形，有裂缝；装修局部有破损，油漆老化，抹灰和装饰砖小面积脱落，门窗有破损，设备部分损坏、老化、残缺、不能正常使用，管道不够通畅，水电等不能正常使用。房屋需进行中修或局部大修、更换部分构件才能正常使用。

(4)严重损坏房。指完好损坏程度如下的房屋：结构严重损坏，结构有明显变形或损坏，屋面严重渗漏，构件严重损坏；装修严重变形，破损，装饰材料严重老化、脱落，门窗严重松动、变形或腐蚀；设备陈旧不全，管道严重堵塞，水、卫、电等设备残缺不全或损坏严重。房屋需进行全面大修、翻修或改建。

(5)危险房。指结构已经严重损坏，或承重构件已属危险构件，随时可能丧失稳定和承载能力，不能保证居住和使用安全的房屋。

二、房屋完损等级的标准

房屋完损等级标准是指房屋的结构、装修、设备等各组成部分的各项目完好或损坏程度的等级标准。由于房屋设计、施工的质量不同，养护修缮程度不同，使用功能不同，使用年限及维护程度不同，致使房屋的结构、装修、设备的各项目的完损程度不同，在评定时应逐步对照完损等级标准进行。危险房屋的标准与评定方法按《危险房屋鉴定标准》执行。房屋完损等级标准见表2-2～表2-5。

三、房屋完损等级的评定方法

房屋完损等级是根据房屋各个组成部分的完损程度来进行综合评定的。具体做法是：按照《房屋完损等级评定标准》的规定，将房屋划分为钢筋混凝土结构(含钢结构)、混

表 2-2 房屋完好标准

组成部分	项目	完损状况
结构部分	地基基础	有足够的承载能力,无超过允许范围的不均匀沉降
	承重构件	梁、板、柱、墙、屋架平直牢固,无倾斜、变形、裂缝、松动、腐蚀
	非承重墙	预制墙板节点安装牢固、拼缝处不渗漏;砖墙平直完好,无风化破损;石墙无风化弓凸
	屋面	平屋面防水层、隔热层、保温层完好;平瓦屋面搭接紧密、无缺角或裂缝瓦,瓦出线完好;青瓦屋面垄顺直、搭接均匀、瓦头整齐、无碎瓦,节筒俯瓦灰埂牢固;铁皮屋面安装牢固,铁皮完好、无腐蚀;石灰炉渣、青灰屋面光滑平整;油毡屋面平整无破洞
	楼地面	整体面层平整完好,无空鼓、裂缝、起砂;木楼地面平整坚固,无腐朽、下沉,无较多磨损和稀缝;砖、混凝土块料面层平整,无碎裂;灰土面层平整完好
装饰部分	门窗	完整无损,开关灵活,玻璃、五金齐全,纱窗完整,油漆完好
	外抹灰	完整牢固,无空鼓、剥落、破损和裂缝(风裂除外),勾缝砂浆密实
	内抹灰	完整牢固,无空鼓、剥落、破损和裂缝(风裂除外)
	顶棚	完整牢固,无破损、变形、腐朽和下垂脱落,油漆完好
	细木装修	完整牢固,油漆完好
设备部分	水卫	上下水管道通畅,各种水卫器具完好、零件齐全无损
	电照	电器设备、线路、各种照明装置完好牢固,绝缘良好
	暖气	设备、管道、烟道通畅完好,无堵、冒、漏现象,使用正常
	特种设备	状况良好,使用正常

表 2-3 房屋基本完好标准

组成部分	项目	完损状况
结构部分	地基基础	有承载能力,稍有超过允许范围的不均匀沉降,但已稳定
	承重构件	有少量损坏,基本牢固;钢筋混凝土个别构件有轻微变形、细小裂缝,混凝土有轻度剥落、露筋;钢屋架平直不变形,各节点焊接完好,表面稍有锈蚀,钢筋混凝土屋架无混凝土剥落,节点牢固完好,钢杆件表面稍有锈蚀;木屋架各部件节点基本完好,稍有缝隙,铁件齐全,有少量生锈;承重砖墙(柱)、砌块有少量细裂缝;木构件稍有变形、裂缝、倾斜,个别节点和支撑稍有松动,铁件稍有锈蚀;竹结构节点基本牢固,轻度蛀蚀,铁件稍有锈蚀
	非承重墙	有少量损坏,基本牢固;预制墙板稍有裂缝、渗水、嵌缝不密实,间隔层稍有破损;外砖墙稍有风化,砖墙体轻度裂缝,勒脚有侵蚀;石墙稍有裂缝、弓凸
	屋面	局部渗漏、积尘较多、排水基本通畅;平屋顶隔热层、保温层稍有损坏,卷材防水层稍有空鼓、翘边和缝口不严,刚性防水层稍有龟裂,块体防水层稍有脱壳;平瓦屋面少量瓦片裂碎、缺角、风化,瓦稍有裂缝;青瓦屋面瓦垄少量不直,少量瓦片破碎,节筒俯瓦有松动,灰埂有裂缝,屋脊抹灰有裂缝;铁皮屋面少量咬口或嵌缝不严实,部分铁皮生锈,油漆脱皮;石灰炉渣、青灰屋面稍有裂缝,油毡屋面有少量破洞
	楼地面	整体屋面稍有裂缝、空鼓、起砂;木楼地面稍有磨损,轻度颤动;砖、混凝土块料面层磨损起砂,稍有裂缝、空鼓;灰土地面有磨损、裂缝

续表 2-3

组成部分	项 目	完 损 状 况
装饰部分	门 窗	少量变形、开关不灵，玻璃、五金、窗纱少量残缺，油漆失光
	外 抹 灰	稍有空鼓、裂缝、风化、裂缝，勾缝砂浆少量酥松脱落
	内 抹 灰	稍有空鼓、剥落、裂缝
	顶 棚	无明显变形、下垂，抹灰层稍有裂缝，面层稍有脱钉、翘角、松动，压条有脱落
	细木装修	稍有松动、残缺，油漆基本完好
设备部分	水 卫	上下水管道基本通畅，水卫器具基本完好、个别零件残缺损坏
	电 照	电器设备、线路、照明装置基本完好，个别零件损坏
	暖 气	设备、管道、烟道基本通畅，稍有锈蚀，个别零件损坏，基本能正常使用
	特种设备	状况基本良好，能正常使用

表 2-4　　房屋一般损坏标准

组成部分	项 目	完 损 状 况
结构部分	地基基础	局部承载力不够，有超过允许范围的不均匀沉降，对上部结构稍有影响
	承重构件	有较多损坏，强度已有所减弱；钢筋混凝土构件有局部变形、裂缝，混凝土剥落露筋，变形、裂缝值稍超过设计规范的规定，混凝土剥落面积占全部面积的10%以内，露筋锈蚀；钢屋架有轻微倾斜或变形，少数支撑部件损坏，锈蚀严重；钢筋混凝土屋架有剥落、露筋，钢杆有锈蚀；木屋架有局部腐朽、蛀蚀，个别节点连接松动，木质有裂缝、变形、倾斜等损坏，铁件锈蚀；承重墙体（柱）、砌块有部分裂缝、倾斜、弓凸、风化、腐蚀和灰缝酥松等损坏，木结构局部有倾斜、下垂、侧向变形、腐朽、裂缝，少数节点松动、脱榫，铁件锈蚀；竹构件个别节点松动，竹材有部分开裂、蛀蚀、腐朽，局部构件变形
	非承重墙	有较多损坏强度减弱；预制墙板的边、角有裂缝，拼缝处嵌缝料部分脱落、有渗水，间隔墙面层局部损坏；砖墙有裂缝、弓凸、倾斜、风化、腐蚀、灰缝有酥松，勒脚有部分侵蚀剥落；石墙部分开裂、弓凸、风化、砂浆酥松，个别石块脱落；木、竹、芦帘墙体部分严重破损，土墙稍有倾斜、硝碱
	屋 面	局部漏雨，木基层局部腐朽、变形，钢筋混凝土屋面板局部下滑，屋面高低不平，排水设施锈蚀、断裂；平屋面保温层、隔热层较多损坏，卷材防水层部分有空鼓、翘边和封口脱开，刚性防水层部分有裂缝、起壳，块体防水层部分有松动、风化、腐蚀；平瓦屋面有瓦片破碎、风化，瓦出现严重裂缝、起壳，脊瓦局部松动、破损；青瓦屋面部分瓦风化、破碎、翘角，瓦垄不顺直，节筒俯瓦破碎残缺，灰埂部分脱落，屋脊抹灰有脱落，瓦片松动；铁皮屋面部分咬口或嵌缝不实，铁皮严重锈烂；石灰炉渣、青灰屋面局部风化脱壳、剥落，油毡屋面有破洞
	楼 地 面	整体面层部分裂缝、空鼓、剥落，严重起砂；木楼地面部分有磨损、蛀蚀、翘裂、松动、稀缝，局部变形下沉，有颤动；砖、混凝土块料面层磨损，部分破损、裂缝、脱落，高低不平；灰土地面坑洼不平
装饰部分	门 窗	木门窗部分翘裂、榫头松动，木质腐朽，开关不灵；钢门、窗部分膨胀变形、锈蚀，玻璃、五金、纱窗部分残缺，油漆老化翘皮、剥落
	外 抹 灰	部分有空鼓、裂缝、风化、剥落，勾缝砂浆部分酥松脱落
	内 抹 灰	部分有空鼓、裂缝、剥落
	顶 棚	有明显变形、下垂，抹灰层局部有裂缝，面层局部有脱钉、翘角、松动、部分压条脱落
	细木装修	木质部分腐朽、蛀蚀、破裂，油漆老化

续表 2-4

组成部分	项 目	完 损 状 况
设备部分	水 卫	上下水管道不够畅通,管道有积垢、锈蚀,个别有滴、漏、冒水现象,水卫器具零件部分损坏、残缺
	电 照	设备陈旧,电线部分老化,绝缘性能差,少量照明装置有残缺损坏
	暖 气	部分设备、管道锈蚀严重,零件损坏,有滴水、冒气、跑气现象,供气不正常
	特种设备	不能正常使用

表 2-5　　房屋严重损坏标准

组成部分	项 目	完 损 状 况
结构部分	地基基础	承载能力不足,有明显不均匀沉降或明显滑动、压碎、折断、冻酥、腐蚀等损坏,并且仍在继续发展,对上部结构有明显的影响
	承重构件	明显损坏,强度不足;钢筋混凝土构件有明显下垂变形、裂缝,混凝土剥落和露筋锈蚀严重,下垂变形、裂缝值稍超过设计规范的规定,混凝土剥落面积占全部面积的10%以上;钢屋架明显倾斜或变形,部分支撑弯曲松脱,锈蚀严重;钢筋混凝土屋架有倾斜,混凝土严重腐蚀剥落、露筋锈蚀,部分支撑损坏,连接杆不齐全,钢杆锈蚀严重;木屋架端节点腐朽、蛀蚀,节点连接松动,夹板有裂缝,屋架有明显下垂或倾斜,铁件严重锈蚀,支撑松动;承重墙体(柱)、砌块强度和稳定性严重不足,有严重裂缝、倾斜、弓凸、风化、腐蚀和灰缝严重酥松等损坏;木构件严重倾斜、下垂、侧向变形、腐朽、蛀蚀、裂缝,木质脆枯,节点松动,榫头折断拔出,榫眼压裂,铁件严重锈蚀和部分残缺;竹构件节点松动、变形,竹材弯曲断裂、腐朽,整个房屋倾斜变形
	非承重墙	有严重损坏,强度不足;预制墙板严重裂缝、变形,节点锈蚀,拼缝处嵌缝料脱落、严重渗水,间隔墙立筋松动、断裂,面层严重破损;砖墙有严重裂缝、弓凸、倾斜、风化、腐蚀、灰缝酥松;石墙严重开裂、下沉、弓凸、断裂、砂浆酥松,石块脱落;木、竹、芦帘苇箔等墙体严重破损,土墙倾斜、硝碱
	屋 面	严重漏雨,木基层腐烂、蛀蚀、变形、损坏,屋面高低不平,排水设施严重锈蚀、断裂、残缺不全;平屋面保温层、隔热层严重损坏,卷材防水层普遍老化、断裂、翘边和封口脱开,沥青流淌;刚性防水层严重开裂、起壳、脱落;块体防水层严重松动、腐蚀、破损;平瓦屋面瓦片零乱不落槽,严重破碎、风化,瓦出现破损、脱落,脊瓦严重松动、破损;青瓦屋面瓦片零乱、风化、碎瓦多,瓦垄不直,节筒俯瓦严重破碎残缺,灰埂脱落,屋脊严重损坏,铁皮屋面严重锈烂,变形下垂;石灰炉渣、青灰屋面大部冻鼓,裂缝、脱壳、剥落,油毡屋面严重老化,大部破损
	楼 地 面	整体面层严重裂缝、沉陷、空鼓、剥落,严重起砂;木楼地面有严重磨损、蛀蚀、翘裂、松动、稀缝、变形下沉、颤动;砖、混凝土块料面层严重脱落、下沉、高低不平、破碎、残缺不全;灰土地面严重坑洼不平
装饰部分	门窗	木门腐朽,开关普遍不灵,榫头松动,翘裂;钢门窗严重变形锈蚀,玻璃、五金、纱窗残缺,油漆剥落见底
	外 抹 灰	严重空鼓、裂缝、剥落,墙面渗水,勾缝砂浆严重酥松脱落
	内 抹 灰	严重空鼓、裂缝、剥落
	顶 棚	严重变形、下垂,木筋弯曲翘裂、腐朽、蛀蚀,面层严重破损,压条脱落,油漆见底
	细木装修	木质腐朽、蛀蚀、破裂,油漆老化见底

续表 2-5

组成部分	项 目	完 损 状 况
设备部分	水 卫	上下水管道严重堵塞、腐蚀、漏水,水卫器具零件严重损坏、残缺
	电 照	设备陈旧残缺、电线普遍老化、零乱,照明装置残缺不齐,绝缘不符合安全用电要求
	暖 气	设备、管道锈蚀严重,零件损坏、残缺不全,跑气、冒气、滴水现象严重,基本上已无法使用
	特种设备	特种设备严重损坏,已无法使用

合结构、砖木结构、其他结构(简易结构)四类,每类房屋按结构、装修、设备三个组成部分的完损程度进行综合评定。

在进行房屋的综合评定时,会碰到一些较复杂的情况,如房屋结构各分项均达到完好房标准,而装修、设备部分达到基本完好房标准,此时如何评定房屋等级呢?对诸如此类情况,房屋完损等级标准也给出了具体的评定方法。下面分别介绍钢筋混凝土结构、混合结构、砖木结构房屋和其他结构房屋进行综合评定的方法。

(一)钢筋混凝土结构、混合结构、砖木结构房屋完损等级评定

钢筋混凝土结构、混合结构、砖木结构房屋完损等级评定方法如下:

(1)房屋的结构、装修、设备等组成部分的各项完损程度均符合同一个完损标准,则该房屋的完损等级就是分项完损程度所符合的完损等级。例如,某栋混合结构房屋的结构、装修、设备等组成部分各项完损程度均符合基本完好标准,则该栋房屋完损等级评为"基本完好房"。

(2)房屋的结构部分各分项完损程度符合同一个完损等级标准,而在装修、设备部分中有一、二项完损程度下降一个等级,其余各分项和结构部分符合同一个完损标准,则该房屋完损等级按结构部分的完损等级来确定。例如,某栋钢筋混凝土结构房屋的结构部分各分项完损程度均符合完好标准,装修部分的"外抹灰"分项和设备部分的"电照"分项的完损程度符合基本完好标准,其余各分项均符合完好标准,则该房屋完损等级应评为"完好房屋"。

(3)房屋的结构部分中非承重墙或楼地面分项完损程度有一个下降一个完损标准等级,在装修或设备部分中有一项下降一个完损标准等级,其余三个组成部分的各分项都符合上一个等级标准,则该房屋完损等级可按大部分分项的完损程度来确定。例如,某栋混合结构房屋结构部分"楼地面"分项(或非承重墙分项)和设备部分的"水卫"分项(或装修部分的某一分项)的完损程度符合一般损坏标准,设备部分的"电照"分项和装修部分的"门窗"分项的完损程度符合完好标准,其余各分项完损程度均符合基本完好标准,则该房屋完损等级应评为"基本完好房屋"。

(4)房屋的结构部分中地基基础、承重构件、屋面等项的完损程度符合同一个标准,其余各分项中都高出一个等级的完损标准,则该房屋的完损等级还按地基基础、承重构件、屋面等项的完损程度来评定。例如,某栋砖木结构房屋的地基基础、承重构件、屋面等项的完损程度符合一般损坏标准,其余各分项完损程度均符合基本完好标准,则该房屋完损等级应评为"一般损坏房屋"。

（二）其他结构房屋完损等级评定

其他结构房屋是指木、竹、石结构等类型的房屋，通称“简易结构”房屋。此类房屋完损等级的评定方法如下：

（1）房屋的结构、装修、设备等组成部分的各分项完损程度符合同一个完损等级标准，则该房屋完损等级就是分项的完损程度符合的等级。

（2）房屋的结构、装修、设备等组成部分的绝大多数项目的完损程度符合同一个完损等级标准，有少量分项完损程度符合高的一个等级完损标准，则该房屋完损等级按绝大多数分项的完损程度评定。

四、房屋完损等级评定的注意事项

（1）评定房屋完损等级应在评出房屋的结构、装修、设备等组成部分的各分项完损程度的基础上，再对整栋房屋的完损程度进行综合的评定。

（2）在评定房屋完损等级时，要以房屋的实际完损程度为依据，严格按照建设部颁布的《房屋完损等级评定标准》进行，不能以建筑年代划分评定房屋完损等级，也不可能以房屋原设计标准的高低代替评定房屋的等级。

（3）评定房屋完损等级时，要认真对待结构部分完损程度的评定。因为其中地基基础、承重构件、屋顶等项的完损程度是决定房屋完损等级的主要条件。若地基基础、承重构件、屋顶等三项的完损程度不符合同一个完损等级标准，则应以这三项中损坏程度最严重的一项的完损程度来评定房屋的完损等级。

（4）评定为完好房屋时，结构部分的各项都要达到完好标准，才能评定为完好房屋。

（5）评定为严重损坏房屋时，结构、装修、设备等各部分的分项完损程度不能下降到危险房屋的标准。

（6）评定重要房屋时，必要时要对地基基础、承重构件、屋面等项进行测试和复核才能确定其完损程度。

（7）评定危险房屋时，另外按《危险房屋鉴定标准》进行。

五、房屋完损等级评定的程序

为了能够准确地评定房屋的完损等级，除了要按一定的评定标准和评定方法之外，还要严格按照一定的评定程序来进行，以保证评定过程尽量做到准确无误。一般的房屋完损等级评定的程序如下：

（1）制定房屋完损等级评定计划，建立评定组织。

（2）组织评定人员业务培训，搞好评定试点工作。根据评定要求准备查勘工具，以及各种统计记录表格。

（3）按《房屋完损等级评定标准》进行现场查勘鉴定。把每栋房屋的结构、装修、设备部分各项目的完损状况整理分析，填写好《房屋分栋完损等级评定表》（表2-6）。

（4）按照房屋完损等级评定方法或对照《房屋完损等级评定方法参考表》（表2-7），分析每栋房屋的《房屋分栋等级评定表》的资料，确定该房屋的完损等级。

（5）评定每栋房屋的完损等级后，填写《房屋完损等级统计汇总表》（表2-8），进行房屋完损等级统计汇总工作，以便掌握所查勘房屋各类结构的完损等级情况，制定合理的养护修缮计划。

表 2-6　　房屋分栋完损等级评定表

坐落：________区（镇）________街道________号　　　　编号________

房屋情况		完损等级标准	完损标准分类	结构部分					装饰部分					设备部分				评定等级
				地基基础	承重构件	非承重墙	屋面	楼地面	门窗	外抹灰	内抹灰	顶棚	细木装修	水卫	电照	暖气	特种设备	
栋号		完好																
产别		基本完好																
结构类别		一般损坏																
建筑面积		严重损坏																
现在用途		危险																
附记																		

表 2-7　　房屋完损等级评定方法参考表

分类		结构	装修	设备	符号说明
完好房	1	○	○	○	○完好 ☆ 基本完好 △ 一般损坏 ◇ 严重损坏
	2	○	○☆	○	
	3	○	○	○☆	
	4	○	○☆	○☆	
	5	○	○☆	○	
	6	○	○	○☆	
基本完好房	7	☆	☆	☆	
	8	☆	☆ △	☆	
	9	☆	☆	☆ △	
	10	☆	☆ △	☆ △	
	11	☆	☆ △	☆	
	12	☆	☆	☆ △	
	13	☆ △	☆ △	☆	
	14	☆ △	☆	☆ △	
一般损坏房	15	△	△	△	
	16	△	△ ◇	△	
	17	△	△	△ ◇	
	18	△	△ ◇	△ ◇	
	19	△	△ ◇	△	
	20	△	△	△ ◇	
	21	△ ◇	△ ◇	△	
	22	△ ◇	△	△ ◇	
严重损坏房	23	◇	◇	◇	
	24	◇ △	◇ △	◇ △	

表 2-8　　××××年房屋完损等级统计汇总表

<table>
<tr><th colspan="4" rowspan="2">各完损等级情况</th><th colspan="3">按用途分</th><th colspan="5">按结构分</th></tr>
<tr><th>合计</th><th>住宅用房</th><th>非住宅房</th><th>合计</th><th>钢筋混凝土</th><th>混合结构</th><th>砖木结构</th><th>其他结构</th></tr>
<tr><td rowspan="2">总计</td><td colspan="3">栋</td><td></td><td></td><td></td><td></td><td></td><td></td><td></td><td></td></tr>
<tr><td colspan="3">建筑面积(m²)</td><td></td><td></td><td></td><td></td><td></td><td></td><td></td><td></td></tr>
<tr><td rowspan="21">其中</td><td rowspan="7">危险房</td><td rowspan="3">小计</td><td>栋</td><td></td><td></td><td></td><td></td><td></td><td></td><td></td><td></td></tr>
<tr><td>建筑面积(m²)</td><td></td><td></td><td></td><td></td><td></td><td></td><td></td><td></td></tr>
<tr><td>面积比例(%)</td><td></td><td></td><td></td><td></td><td></td><td></td><td></td><td></td></tr>
<tr><td rowspan="2">全危</td><td>栋</td><td></td><td></td><td></td><td></td><td></td><td></td><td></td><td></td></tr>
<tr><td>建筑面积(m²)</td><td></td><td></td><td></td><td></td><td></td><td></td><td></td><td></td></tr>
<tr><td rowspan="2">局危</td><td>栋</td><td></td><td></td><td></td><td></td><td></td><td></td><td></td><td></td></tr>
<tr><td>建筑面积(m²)</td><td></td><td></td><td></td><td></td><td></td><td></td><td></td><td></td></tr>
<tr><td rowspan="7">损坏房</td><td rowspan="3">小计</td><td>栋</td><td></td><td></td><td></td><td></td><td></td><td></td><td></td><td></td></tr>
<tr><td>建筑面积(m²)</td><td></td><td></td><td></td><td></td><td></td><td></td><td></td><td></td></tr>
<tr><td>面积比例(%)</td><td></td><td></td><td></td><td></td><td></td><td></td><td></td><td></td></tr>
<tr><td rowspan="2">严重损坏房</td><td>栋</td><td></td><td></td><td></td><td></td><td></td><td></td><td></td><td></td></tr>
<tr><td>建筑面积(m²)</td><td></td><td></td><td></td><td></td><td></td><td></td><td></td><td></td></tr>
<tr><td rowspan="2">一般损坏房</td><td>栋</td><td></td><td></td><td></td><td></td><td></td><td></td><td></td><td></td></tr>
<tr><td>建筑面积(m²)</td><td></td><td></td><td></td><td></td><td></td><td></td><td></td><td></td></tr>
<tr><td rowspan="7">完好房</td><td rowspan="3">小计</td><td>栋</td><td></td><td></td><td></td><td></td><td></td><td></td><td></td><td></td></tr>
<tr><td>建筑面积(m²)</td><td></td><td></td><td></td><td></td><td></td><td></td><td></td><td></td></tr>
<tr><td>面积比例(%)</td><td></td><td></td><td></td><td></td><td></td><td></td><td></td><td></td></tr>
<tr><td rowspan="2">基本完好房</td><td>栋</td><td></td><td></td><td></td><td></td><td></td><td></td><td></td><td></td></tr>
<tr><td>建筑面积(m²)</td><td></td><td></td><td></td><td></td><td></td><td></td><td></td><td></td></tr>
<tr><td rowspan="2">完好房</td><td>栋</td><td></td><td></td><td></td><td></td><td></td><td></td><td></td><td></td></tr>
<tr><td>建筑面积(m²)</td><td></td><td></td><td></td><td></td><td></td><td></td><td></td><td></td></tr>
</table>

第四节　危险房屋鉴定处理

危险房是严重损坏房的进一步发展，是无法保证正常安全使用的房屋。它作为房屋完损等级中的一个等级，也需要进行评定和鉴定，但由于《房屋完损等级评定标准》中未把它的具体内容列入，建设部另行制定了一个更有针对性的《危险房屋鉴定标准》(JGJ125—

99)，对危险房屋作专门的分析研究，危险房屋鉴定时应按该标准进行。

一、危险房屋的概念

危险房屋(简称危房)，是指结构已经严重损坏，或承重构件已属危险构件，随时可能丧失稳定和承载能力，不能保证居住和使用安全的房屋。承重构件是指基础、墙、柱、梁、板、屋架等基本结构构件。

危险构件是指构件已经达到其承载能力的极限状态，并且出现不适用于继续承载的、不能满足正常使用要求的结构构件。

一般来说，当房屋出现承重构件老化、承载能力降低、变形增大；墙、柱失稳、脱落、异常变形；突发性荷载作用出现较大裂缝；地基下沉并继续发展等一些危险迹象，不能保障住用安全的房屋均属危险房屋。

二、危险房屋的分类

根据《危险房屋鉴定标准》(JGJ125—99)的规定，危房可以分为以下三类：

(1)整栋危房。整栋危房又称“全危房”，是指承重结构承载能力已不能满足正常的使用要求，整体出现险情的房屋。这类房屋大部分结构、装修、设备有不同程度的严重损坏，无法确保住用安全。

(2)局部危房。局部危房又称“局危房”，是指部分承重结构承载能力已不能满足正常使用要求，局部出现险情的房屋。这类房屋大部分的结构承载能力基本正常，只是局部结构有险情，只要排除局部危险就可安全使用。

(3)“危险点”房。危险点又称“危点”，是指单个承重构件、围护构件或房屋设备处于危险状态。“危险点”房是指个别结构构件承载能力不能满足正常使用要求，处于危险状态的房屋。这类房屋结构的承载力基本能满足正常要求，只是个别构件出现险情成为“危点”。这类房屋的“危点”只要及时维修，排除险情，就可安全使用。

三、危险房屋的鉴定程序

危险房屋的鉴定程序按照建设部颁发的《城市危险房屋管理规定》和《危险房屋鉴定标准》的有关要求进行，其程序如下：

(1)受理委托。一般由房屋的产权单位或用户提出鉴定申请，鉴定单位根据委托人的要求，确定房屋危险性鉴定的内容和范围。

(2)初步调查。鉴定机构对房屋的使用状况、档案资料进行收集调查和分析，并进行现场查勘。

(3)检测验算。根据有关技术资料和鉴定方法，进行现场检测，必要时进行仪器测试和结构验算。

(4)鉴定评级。对调查、查勘、检测、验算的数据资料和实际状况进行全面的分析，综合评定其危险等级。

(5)处理建议。对被鉴定的房屋提出原则性的处理建议。

(6)出具报告。鉴定结论由鉴定人员使用统一的专业用语写出，报告样式可参考表2-9。

表 2-9　　　　　　　　　　　　房屋安全鉴定报告　　　　　　　　　　　　报告编号(　　)

一、委托单位/个人情况			
单位名称		电 话	
房屋地址		委托日期	
二、房屋概况			
房屋用途		建造年份	
结构类型		建筑面积	
平面形式		层 数	
产权性质		产权证号	
备 注			

三、房屋安全鉴定的目的：

四、鉴定情况：

五、损坏原因分析：

六、鉴定结论：

七、处理建议：

八、检测鉴定人员：

九、鉴定单位技术负责人(章)　　　　　　　　鉴定单位(公章)

鉴定人：

审核人：

审定人：

鉴定日期：　　年　　月　　日

四、危险房屋鉴定方法

我国危险房屋的鉴定,在总结大量危险房屋鉴定实践经验的基础上,把原《危险房屋鉴定标准》(CJ13—86)的危险构件鉴定和危险房屋鉴定两个层次,修订为构件危险性鉴定、房屋组成部分危险性鉴定和房屋危险性鉴定三个层次来对危险房屋进行综合评定,以便使评定方法更加科学、合理和便于操作,符合实际工作的需要。根据《危险房屋鉴定标准》(JGJ125—99),按以下层次进行危险房屋鉴定：

(1)第一层次为构件危险性鉴定。按《危险房屋鉴定标准》评定各构件为"危险构件

(T_d)”或“非危险构件(F_d)”。

(2)第二层次为房屋组成部分危险性鉴定。房屋划分为三个组成部分:地基基础、上部承重结构和围护结构。按《危险房屋鉴定标准》将各部分评定为a、b、c、d四个等级。a级为无危险点;b级为有危险点;c级为局部危险;d级为整体危险。

(3)第三个层次为房屋危险性鉴定。按《危险房屋鉴定标准》将各房屋评定为A、B、C、D四个等级。A级为结构承载力满足正常使用要求,未发现危险点,房屋结构安全;B级为结构承载力基本满足正常使用要求,个别结构构件处于危险状态,但不影响主体结构,基本满足正常使用要求;C级为部分承重结构承载力不能满足正常使用要求,局部出现危险,构成局部危房;D级为承重结构承载力不能满足正常使用要求,房屋整体出现危险,构成整栋危房。

五、危险房屋的鉴定

危险房屋的鉴定要按照一定的鉴定标准和方法来进行,根据《危险房屋鉴定标准》的规定,分为三种鉴定标准,即“构件危险性鉴定标准”、“房屋组成部分危险性鉴定标准”和“房屋危险性鉴定标准”。首先要根据“构件危险性鉴定标准”确定构件的危险性和危险构件的数量,然后根据“房屋组成部分危险性鉴定标准”和“房屋危险性鉴定标准”的综合评定方法鉴定房屋组成部分危险性等级和房屋危险等级。其具体评定方法如下。

(一)构件危险性鉴定

1.单个构件划分的有关规定

(1)基础:①独立基础以一根柱的单个基础为一个构件;②条形基础以一个自然间一轴线单面长度为一构件;③板式基础以一个自然间的面积为一构件。

(2)墙体以一个计算高度、一个自然间的一面为一构件。

(3)柱以一个计算高度、一根为一构件。

(4)梁、檩条、龙骨等以一个跨度、一根为一构件。

(5)板以一个自然间面积为一构件,预制板以一块为一构件。

(6)屋架、桁架等以一榀为一构件。

2.构件危险性的鉴定标准

(1)地基部分有下列现象之一者,应评定为危险状态:①地基沉降速度连续两个月大于2mm/月,并短期内无终止趋势;②地基产生不均匀沉降,其沉降量大于国家规定标准《建筑地基基础设计规范》(GBJ7—81)规定的允许值,上部墙体产生沉降裂缝大于10mm,且房屋局部倾斜率大于1%;③地基不稳定产生滑移,水平位移大于10mm,并对上部结构有显著影响,且仍有继续滑动迹象。

(2)基础部分有下列现象之一者,应评定为危险点:①基础承载能力小于基础作用效应的85%[$R/(\gamma\cdot S)<0.85$,式中R为结构构件承载能力(抗力),γ为结构构件重要性系数,S为结构构件的作用效应];②基础老化、腐蚀、酥碎、折断,导致结构明显倾斜、位移、裂缝、扭曲等;③基础已有滑动,水平位移速度连续两个月大于2mm/月,并短期内无终止趋向。

(3)砌体结构构件有下列现象之一者,应评定为危险点:①受压构件的承载能力小于其作用效应的 85%[$R/(\gamma \cdot S)<0.85$];②受压墙、柱沿受力方向产生裂缝宽度大于 2mm、缝长超过层高 1/2 的竖向裂缝,或产生缝长超过层高 1/3 的多条竖向裂缝;③受压墙、柱表面风化、剥落,砂浆粉化,有效截面消弱达 1/4 以上;④支撑梁或屋架端部的墙体或柱截面局部受压产生多条竖向裂缝或裂缝宽度超过 1mm;⑤墙、柱因偏心受压产生水平裂缝,缝宽大于 0.5mm;⑥墙、柱产生倾斜,其倾斜率大于 0.7%,或相邻墙体连接出处断裂成通缝;⑦墙柱刚度不足,出现挠曲鼓闪,且挠曲部位出现水平或交叉裂缝;⑧砖过梁中部产生明显竖向裂缝,或端部出现明显斜向裂缝,或支撑过梁的墙体有水平裂缝,或产生明显弯曲、下沉变形;⑨砖筒拱、扁壳、波形筒拱、拱顶沿母线裂缝,或拱曲面明显变形,或拱脚明显位移,或拱体拉杆锈蚀严重,且拉杆体系失效;⑩石砌墙(或土墙)高厚比单层大于 14,两层大于 12,且墙体自由长度大于 6m,墙体的偏心距达墙厚的 1/6。

(4)木结构构件有下列现象之一者,应评定为危险点:①木结构构件承载能力小于其作用效应的 90%[$R/(\gamma \cdot S)<0.90$];②连接方式不当,构造有严重缺陷,已导致节点松动变形、滑动、沿剪切面开裂、剪坏或铁件严重锈蚀、松动致使连接失效等损坏;③主梁产生大于 $L_0/150$ 的挠度,或受拉区伴有较严重材质缺陷(L_0 为计算跨度);④屋架产生大于 $L_0/120$ 的挠度,且顶部或端部节点产生腐朽或开裂,或出平面倾斜量超过屋架高度的 1/120;⑤檩条、龙骨产生大于 $L_0/120$ 的挠度,入墙木质部位腐朽、虫蛀或空鼓;⑥木柱侧弯变形,其矢高大于 $h/150$,或柱顶劈裂,柱身断裂柱脚腐朽面积大于原截面 1/5(h 为墙、柱的计算高度);⑦对受拉、受弯、偏心受压和轴心受压构件,其斜纹理或斜裂缝的斜度 ρ 分别大于 7%、10%、15%和 20%;⑧存在任何心腐缺陷的木质构件。

(5)混凝土结构构件有下列现象之一者,应评定为危险点:①构件承载能力小于其作用效应的 85%[$R/(\gamma \cdot S)<0.85$];②梁、板产生超过 $L_0/150$ 的挠度,且受拉区的裂缝宽度大于 1mm;③简支梁、连续梁跨度中部受拉区产生竖向裂缝,其一侧向上延伸达梁高的 $\frac{2}{3}$以上,且缝宽大于 0.5mm,或在支座附近出现剪切斜裂缝,缝宽大于 0.4mm;④梁、板受力主筋处产生横向水平裂缝和斜裂缝,缝宽大于 1mm,板产生宽度大于 0.4mm 的受拉裂缝;⑤梁、板因主筋锈蚀产生沿主筋方向的裂缝,且缝宽大于 1mm,或构件混凝土严重缺损,或混凝土保护层严重脱落、露筋;⑥现浇板面周边产生裂缝,或板底产生交叉裂缝;⑦预应力梁、板产生竖向通长裂缝,或端部混凝土松散露筋,且其长度达到主筋直径的 100 倍以上;⑧受压柱产生竖向裂缝,保护层脱落,主筋外露锈蚀;或一侧产生水平裂缝,缝宽大于 1mm,另一侧混凝土被压碎,主筋外露锈蚀;⑨墙中间部位产生交叉裂缝,缝宽大于 0.4mm;⑩墙、柱产生倾斜、位移,其倾斜率超过高度的 1%,其侧向位移量大于 $h/500$。⑪墙、柱混凝土酥裂、碳化、起鼓,其破坏面大于全截面的 1/3,且主筋外露、锈蚀严重、截面减小;⑫屋架产生大于 $L_0/200$ 的挠度,且下弦杆产生横断裂缝,缝宽大于 1mm;⑬屋架的支撑系统失效导致倾斜,其倾斜率大于屋架高度的 2%;⑭压弯构件保护层剥落,主筋多处外露锈蚀;端节点连接松动,且伴有明显变形裂缝;⑮梁、板有效搁置长度小于规定值的 70%。

(6)钢结构构件有下列现象之一者,应评为危险点:①构件的承载能力小于其作用效应的 90%[$R/(\gamma \cdot S)<0.90$];②构件或连接件有裂缝或锐角切口,焊缝、螺栓或铆接拉

开、变形、滑动、松动、剪坏等严重损坏；③连接方式不当，构造有严重缺陷；④受拉构件因锈蚀，截面减少大于原截面的10%；⑤梁、板等构件挠度大于 $L_0/250$，或大于45mm；⑥实腹梁侧弯矢高大于 $L_0/600$，且有发展迹象；⑦受压构件的长细比大于现行国家标准《钢结构设计规范》(GBJ17—88)中规定值的1.2倍；⑧钢柱顶位移，平面内大于 $h/150$，平面外大于 $h/500$，或大于40mm；⑨屋架产生大于 $L_0/250$ 或大于40mm的挠度；屋架支撑系统松动失稳，导致屋架倾斜，倾斜量超过 $h/150$。

(二)房屋组成部分危险性鉴定

房屋组成部分危险鉴定是根据"地基基础"、"上部承重结构"和"围护结构"三部分的构件数量，及其危险构件的数量，通过计算三部分危险构件百分数确定房屋各组成部分危险性等级，然后计算房屋各组成部分危险性等级的隶属度，为整栋房屋的危险性鉴定提供依据。

1.计算房屋组成部分危险构件百分数

(1)地基基础中危险构件百分数计算公式为：

$$P_{fdm}=n_d/n\times100\%$$

式中 P_{fdm}——地基基础中危险构件构件百分数；

n_d——危险构件数；

n——构件数。

(2)承重构件中危险构件百分数计算公式为：

$$P_{sdm}=[2.4n_{dc}+2.4n_{dw}+1.9(n_{dmb}+n_{drt})+1.4n_{dsb}+n_{ds}]/[2.4n_c+2.4n_w+1.9(n_{mb}+n_{rt})+1.4n_{sb}+n_s]\times100\%$$

式中 P_{sdm}——承重构件中危险构件(危险点)百分数；

n_{dc}、n_c——危险柱数和柱数；

n_{dw}、n_w——危险墙段数和墙段数；

n_{dmb}、n_{mb}——危险主梁数和主梁数；

n_{drt}、n_{rt}——危险屋架榀数和屋架榀数；

n_{dsb}、n_{sb}——危险次梁数和次梁数；

n_{ds}、n_s——危险板数和板数。

(3)围护构件中危险构件百分数计算公式为：

$$P_{esdm}=n_d/n\times100\%$$

式中 P_{esdm}——围护构件中危险构件(危险点)百分数；

n_d——危险构件数；

n——构件数。

2.判断房屋组成部分危险性等级

房屋组成部分危险性等级由其相应的危险构件百分数确定：

(1)当 $P=0$ 时，房屋组成部分危险性等级为a级，即无危险点。

(2)当 $0<P<5\%$ 时，房屋组成部分危险性等级为b级，即有危险点。

(3)当 $5\%<P<30\%$ 时，房屋组成部分危险性等级为c级，即为局部危险。

(4)当30%＜P＜100%时，房屋组成部分危险性等级为d级，即为整体危险。

3.计算房屋组成部分危险性等级的隶属度

(1)房屋组成部分a级的隶属函数按 $\mu_a = 1(P = 0)$ 计算，式中 μ_a 为房屋组成部分a级的隶属度；P 为危险构件(危险点)百分数。

(2)房屋组成部分b级的隶属函数的计算：当 $P \leqslant 5\%$ 时，$\mu_b = 1$，当 $5\% < P < 30\%$ 时，$\mu_b = (30\% - P)/25\%$；当 $P \geqslant 30\%$ 时，$\mu_b = 0$。式中 μ_b 为房屋组成部分b级的隶属度；P 为危险构件(危险点)百分数。

(3)房屋组成部分c级的隶属函数的计算：当 $P \leqslant 5\%$ 时，$\mu_c = 0$；当 $5\% < P < 30\%$ 时，$\mu_c = (P - 5\%)/25\%$；当 $30\% \leqslant P \leqslant 100\%$ 时，$\mu_c = (100\% - P)/70\%$。式中 μ_c 为房屋组成部分c级的隶属度；P 为危险构件(危险点)百分数。

(4)房屋组成部分d级的隶属函数的计算：当 $P \leqslant 30\%$ 时，$\mu_d = 0$；当 $30\% < P < 100\%$ 时，$\mu_d = (P - 30\%)/70\%$；当 $P = 100\%$ 时，$\mu_d = 1$。式中 μ_d 为房屋组成部分d级的隶属度；P 为危险构件(危险点)百分数。

(三)房屋危险性鉴定

由房屋组成部分的各种危险性等级隶属度计算出房屋各危险等级的隶属度，即可判别房屋的危险等级。

1.计算房屋各危险等级隶属度

(1)房屋A级的隶属函数的计算式为：

$$\mu_A = \max[\min(0.3,\ \mu_{af}),\ \min(0.6,\ \mu_{as}),\ \min(0.1,\ \mu_{aes})]$$

式中 μ_A——房屋A级的隶属度；

μ_{af}——地基基础a级的隶属度；

μ_{as}——上部承重结构a级的隶属度；

μ_{aes}——围护结构a级的隶属度。

(2)房屋B级的隶属函数的计算式为：

$$\mu_B = \max[\min(0.3,\ \mu_{bf}),\ \min(0.6,\ \mu_{bs}),\ \min(0.1,\ \mu_{bes})]$$

式中 μ_B——房屋B级的隶属度；

μ_{bf}——地基基础b级的隶属度；

μ_{bs}——上部承重结构b级的隶属度；

μ_{bes}——围护结构b级的隶属度。

(3)房屋C级的隶属函数的计算式为：

$$\mu_C = \max[\min(0.3,\ \mu_{cf}),\ \min(0.6,\ \mu_{cs}),\ \min(0.1,\ \mu_{ces})]$$

式中 μ_C——房屋C级的隶属度；

μ_{cf}——地基基础c级的隶属度；

μ_{cs}——上部承重结构c级的隶属度；

μ_{ces}——围护结构c级的隶属度。

(4)房屋D级的隶属函数的计算式为：

$$\mu_D = \max[\min(0.3,\ \mu_{df}),\ \min(0.6, \mu_{ds}),\ \min(0.1,\ \mu_{des})]$$

式中　μ_D——房屋 D 级的隶属度；

μ_{df}——地基基础 d 级的隶属度；

μ_{ds}——上部承重结构 d 级的隶属度；

μ_{des}——围护结构 d 级的隶属度。

2. 判断房屋的危险性等级

根据房屋地基基础和上部承重结构危险性等级的隶属度和房屋的各危险等级的隶属度，按如下标准确定房屋的危险性等级。

(1) $\mu_{df} = 1$，则为 D 级，房屋为整栋危房。

(2) $\mu_{ds} = 1$，则为 D 级，房屋为整栋危房。

(3) $\max(\mu_A, \mu_B, \mu_C, \mu_D) = \mu_A$，则综合评定结果为 A 级，房屋为非危房。

(4) $\max(\mu_A, \mu_B, \mu_C, \mu_D) = \mu_B$，则综合评定结果为 B 级，房屋为危险点房。

(5) $\max(\mu_A, \mu_B, \mu_C, \mu_D) = \mu_C$，则综合评定结果为 C 级，房屋为局部危房。

(6) $\max(\mu_A, \mu_B, \mu_C, \mu_D) = \mu_D$，则综合评定结果为 D 级，房屋为整栋危房。

(四) 房屋危险性鉴定案例分析

【例】现对一栋框架结构的办公大楼进行房屋危险性鉴定，此楼为 8 开间、3 进深的 10 层大楼。对该楼现场调查和技术分析得到以下资料：该楼有独立柱基 36 个，柱 360 根，主梁 400 根，次梁 360 根，现浇板 480 块，围护结构构件为1 800个。经过房屋查勘技术人员的现场勘测分析，得到以下数据资料：危险基础 1 个，危险柱 20 根，危险主梁 8 根，危险次梁 18 根，危险现浇板 66 块，危险围护结构构件 208 个，试确定该大楼的危险性等级。

【解】 1. 房屋组成部分的危险构件百分数的计算

(1) 地基基础危险构件百分数：

$$P_{fdm} = n_d / n \times 100\% = 1/36 \times 100\% = 2.78\%$$

(2) 承重构件中危险构件百分数：

$$\begin{aligned} P_{sdm} &= [2.4n_{dc} + 2.4n_{dw} + 1.9(n_{dmb} + n_{drt}) + 1.4n_{dsb} + n_{ds}] / \\ &\quad [2.4n_c + 2.4n_w + 1.9(n_{mb} + n_{rt}) + 1.4n_{sb} + n_s] \times 100\% \\ &= [2.4 \times 20 + 2.4 \times 0 + 1.9 \times (8 + 0) + 1.4 \times 18 + 66] / \\ &\quad [2.4 \times 360 + 2.4 \times 0 + 1.9 \times (400 + 0) + 1.4 \times 360 + 480] \times 100\% \\ &= 6.02\% \end{aligned}$$

(3) 围护构件中的危险构件百分数：

$$P_{esdm} = n_d / n \times 100\% = 208/1\ 800 \times 100\% = 11.56\%$$

2. 房屋组成部分危险性等级的确定

(1) 地基基础危险构件百分数 $P_{fdm} = 2.78\%$，因为 $0 < P_{fdm} < 5\%$，故其危险性等级为 b 级；

(2) 承重构件中危险构件百分数 $P_{sdm} = 6.02\%$，因为 $5\% < P_{sdm} < 30\%$，故其危险性等级为 c 级；

(3) 围护构件中危险构件百分数 $P_{esdm} = 11.56\%$，因为 $5\% < P_{esdm} < 30\%$，故其危险性

等级为 c 级。

3. *房屋组成部分危险性等级隶属度计算*

(1)房屋组成部分 a 级的隶属度计算：

因为 $P_{fdm}=2.78\%>0$，所以地基基础危险性 a 级的隶属度 $\mu_{af}=0$；

因为 $P_{sdm}=6.02\%>0$，所以承重结构危险性 a 级的隶属度 $\mu_{as}=0$；

因为 $P_{esdm}=11.56\%>0$，所以围护结构危险性 a 级的隶属度 $\mu_{aes}=0$。

(2)房屋组成部分 b 级的隶属度计算：

因为 $P_{fdm}=2.78\%<5\%$，所以地基基础危险性 b 级的隶属度为 $\mu_{bf}=1$；

因为 $5\%<P_{sdm}=6.02\%<30\%$，所以承重结构危险性 b 级的隶属度为 $\mu_{bs}=(30\%-6.02\%)/25\%=0.959\ 2$；

因为 $5\%<P_{esdm}=11.56\%<30\%$，所以围护结构危险性 b 级的隶属度为 $\mu_{bes}=(30\%-11.56\%)/25\%=0.737\ 6$。

(3)房屋组成部分 c 级的隶属度计算：

因为 $P_{fdm}=2.78\%<5\%$，所以地基基础危险性 c 级的隶属度为 $\mu_{cf}=0$；

因为 $5\%<P_{sdm}=6.02\%<30\%$，所以承重结构危险性 c 级的隶属度为 $\mu_{cs}=(6.02\%-5\%)/25\%=0.040\ 8$；

因为 $5\%<P_{esdm}=11.56\%<30\%$，所以围护结构危险性 c 级的隶属度为 μ_{ces} · $(11.56\%-5\%)/25\%=0.262\ 4$。

(4) 房屋组成部分 d 级的隶属度计算：

因为 $P_{fdm}=2.78\%<30\%$，所以地基基础危险性 d 级的隶属度为 $\mu_{df}=0$；

因为 $P_{sdm}=6.02\%<30\%$，所以承重结构危险性 d 级的隶属度为 $\mu_{ds}=0$；

因为 $P_{esdm}=11.56\%<30\%$，所以围护结构危险性 d 级的隶属度为 $\mu_{des}=0$。

4. *房屋危险性等级隶属度的计算*

(1)房屋 A 级隶属度的计算：

$$\mu_A=\max[\min(0.3,\ \mu_{af}),\ \min(0.6,\ \mu_{as}),\ \min(0.1,\ \mu_{aes})]$$
$$=\max[\min(0.3,\ 0),\ \min(0.6,0),\ \min(0.1,0)]=\max(0,0,0)=0$$

(2)房屋 B 级隶属度的计算；

$$\mu_B=\max[\min(0.3,\ \mu_{bf}),\ \min(0.6,\ \mu_{bs}),\ \min(0.1,\ \mu_{bes})]$$
$$=\max[\min(0.3,\ 1),\ \min(0.6,\ 0.959\ 2),\ \min(0.1,\ 0.737\ 6)]$$
$$=\max(0.3,\ 0.6,0.1)=0.6$$

(3)房屋 C 级隶属度的计算：

$$\mu_C=\max[\min(0.3,\ \mu_{cf}),\ \min(0.6,\ \mu_{cs}),\ \min(0.1,\ \mu_{ces})]$$
$$=\max[\min(0.3,\ 0),\ \min(0.6,\ 0.040\ 8),\ \min(0.1,\ 0.262\ 4)]$$
$$=\max(0,0.040\ 8,0.1)=0.1$$

(4)房屋 D 级隶属度的计算：

$$\mu_D=\max[\min(0.3,\ \mu_{df}),\ \min(0.6,\ \mu_{ds}),\ \min(0.1,\ \mu_{des})]$$
$$=\max[\min(0.3,\ 0),\ \min(0.6,\ 0),\ \min(0.1,\ 0)]$$

$$= \max(0,0,0) = 0$$

(5)判断房屋的危险性等级：由 $\max(\mu_A, \mu_B, \mu_C, \mu_D) = \max(0, 0.6, 0.1, 0) = 0.6 = \mu_B$；$\mu_{df} = 0 \neq 1$；$\mu_{ds} = 0 \neq 1$，根据房屋危险鉴定标准，评定该大楼危险性等级为B级，即为危险点房。

六、危险房屋的处理

根据《城市危险房屋管理规定》，对危险房屋一般分为如下四种情况处理：

(1)观察使用：对于经过一定安全技术处理后还能短期使用的房屋，经维修后可以使用，使用期间需进一步进行安全观察。

(2)处理使用：对于通过采取维修技术措施后，能排除危险的房屋，经维修后可使用。

(3)停止使用：对于无维修价值、暂时不便拆除且又不危及其他房屋和他人安全的房屋，则停止使用。

(4)整体拆除：对于无维修价值又对其他房屋和公众构成威胁的危险房屋，则应将其全部拆除。

第三章　地基与基础的维修与养护

第一节　地基与基础的主要构造形式

基础的类型较多,按基础所采用的材料和受力特点分,有刚性基础和非刚性基础;依据构造形式分,有条形基础、独立基础、井格式基础、筏形基础、箱形基础等。

基础构造形式的确定随建筑物上部结构形式、荷载大小及地基土质情况而定。一般情况下,上部结构形式直接影响基础的形式,但当上部荷载增大,且地基承载能力有变化时,基础形式也随之变化。主要构造形式有以下几种。

一、条形基础

当建筑物上部结构采用砖墙或石墙承重时,基础沿墙身设置,多做成长条形,这种基础称为条形基础或带形基础,见图 3-1。条形基础是砖石墙基础的基本形式。

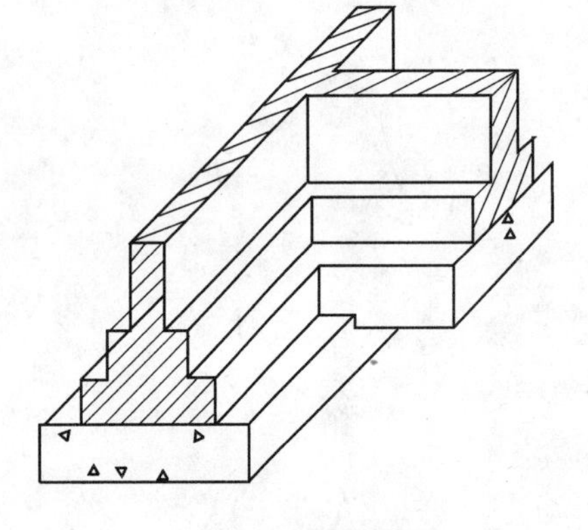

图 3-1　条形基础

二、独立基础

当建筑物上部结构采用框架结构或单层排架及门架结构承重时,其基础常采用方形或矩形的单独基础,这种基础称为独立基础或柱式基础,见图 3-2(a)。独立基础是柱下基础的基本形式。当柱采用预制构件时,则基础做成口形,将柱子插入并嵌固在杯口内,这种基础称杯形基础,见图 3-2(b)。

当框架结构处在地基条件较差的情况时,为了

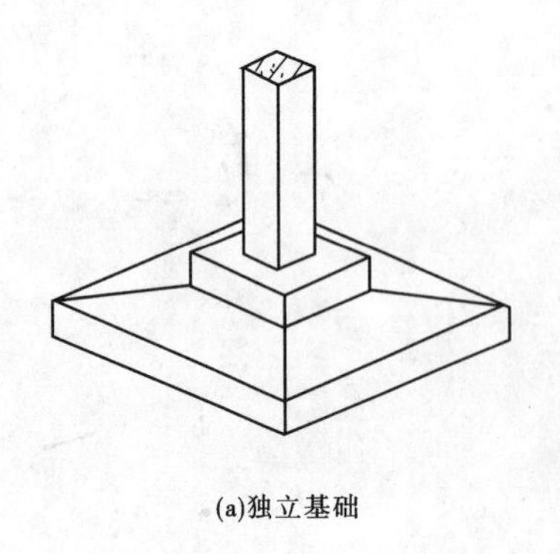

(a)独立基础

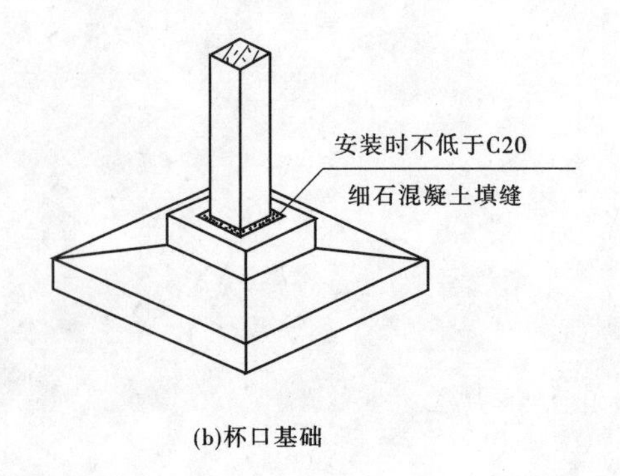

(b)杯口基础

图 3-2　独立柱式基础

提高建筑物的整体性，常将柱下基础纵、横方向连接起来，做成十字交叉的井格基础，又称十字带形基础，见图 3-3。

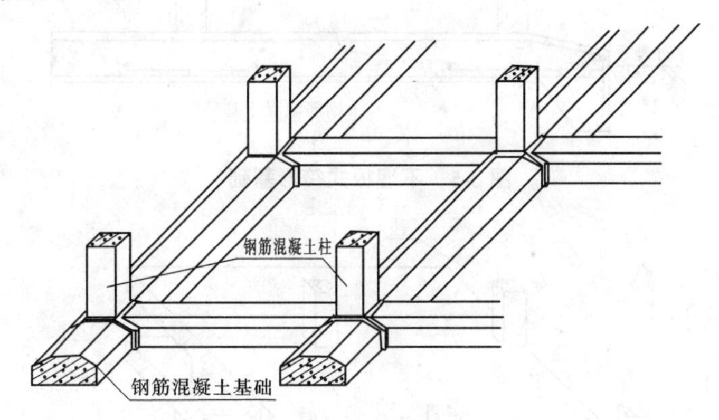

图 3-3　井格式基础

三、筏形基础

当建筑物上部荷载较大、而所在地的地基又比较软弱，采用简单的条形基础或井格式基础已不能适应地基变形的需要时，常将墙或柱下基础连成一片，使整个建筑物的荷载承受在一块整板上，这种满堂式的板式基础又称筏式基础。筏式基础有平板式和梁板式之分。图 3-4 为梁板式筏形基础。图 3-5 为不埋板式筏形基础。不埋板式基础是在天然地表上，将场地平整并碾压密实后，在较好的持力层上，浇筑钢筋混凝土平板而成的建筑物的基础。这种基础大大减少了土方工程量，适宜于较软弱且均匀的地基情况，特别适宜于 5～6 层整体刚度较好的居住建筑中。

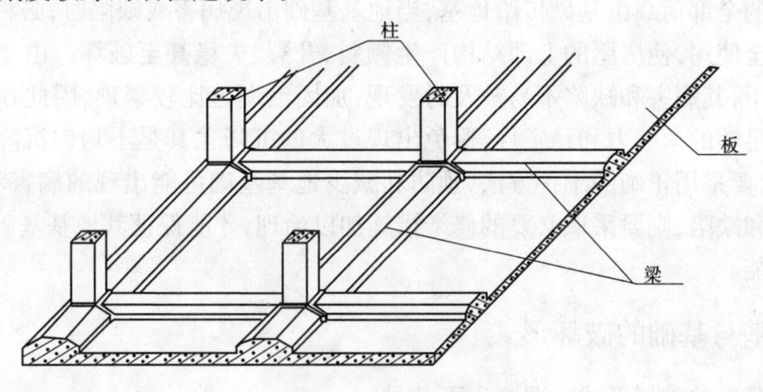

图 3-4　梁板式筏形基础

四、箱形基础

箱形基础是由钢筋混凝土的底板、顶板和若干纵横墙组成的空心箱体的整体结构，见图 3-6。基础的中空部分可用作地下室。

箱形基础整体空间刚度大，有利于抵抗地基的不均匀沉降，适用于高层建筑或在软弱地基上建造的重型建筑物。

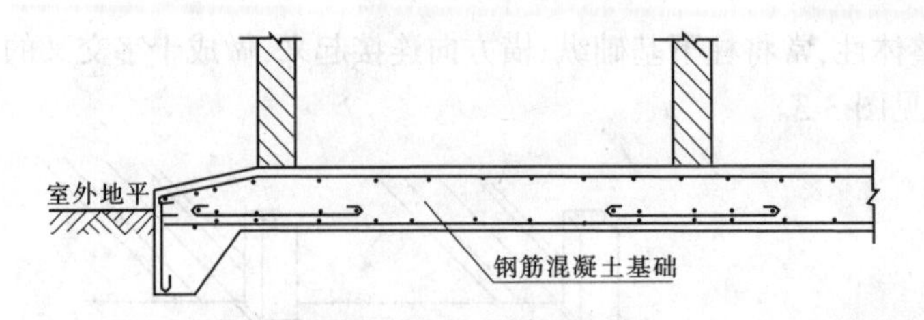

图 3-5　不埋板式筏形基础

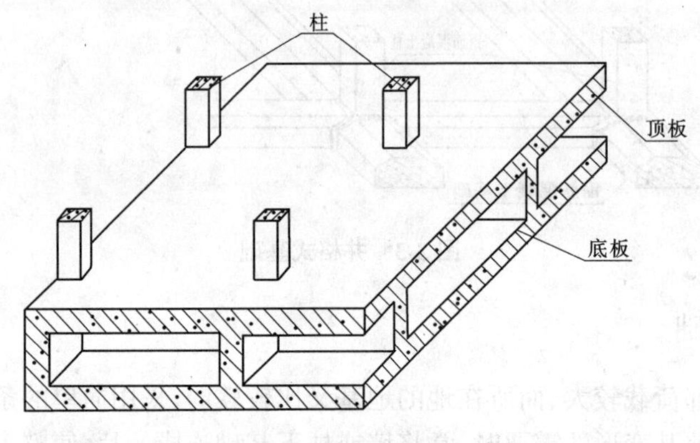

图 3-6　箱形基础

此外,还有壳体基础等不同形式的基础。

第二节　地基与基础的破坏形式与成因

建筑物的全部荷载由基础传给地基,当地基基础出现病害或缺陷时,必将影响到整个建筑物的安全使用,使房屋的上部结构产生倾斜、开裂、失稳甚至破坏。由于地基基础隐蔽于地面以下,其病害和缺陷不易被及时发现,加固治理也比较繁琐,因此在设计中要保证地基具有足够的承载力和稳定性,避免出现过大的沉降尤其是不均匀沉降。在房屋的使用过程中,要采用正确的维护方法,预防和减少地基基础可能出现的病害和缺陷;而一旦出现病害和缺陷,则要采取必要的修缮措施加以治理,才能保证其地基基础的安全并发挥其使用功能。

一、地基与基础的破坏形式

地基与基础的破坏形式主要有以下几种:

(一)地基承载力不足而失稳

当地基的承载能力小于基础传来的平均压应力时,地基的变形会急剧增加,地基土会发生剪切破坏而失稳,甚至发生整体滑移。如地基土的承载力良好或一般甚至是较低,而相对埋置深度 d/b(d 为基础埋深,b 为基础宽度)小时,基础下的地基土会沿某一曲线或其软弱层发生整体滑动,导致建筑物倾斜、倒塌、地面隆起;如地基土为松砂或软土,地基土因剪切破坏而大量下沉,建筑物基础连续下沉并竖向切入土中。

(二)地基发生不均匀沉降和过大的沉降而失稳

地基过大的不均匀沉降对房屋基础或上部结构的间接作用会使房屋的墙、柱开裂，房屋倾斜甚至破坏。图 3-7 为几种地基不均匀沉降造成房屋墙体开裂的情况。建筑物因地基不均匀沉降而发生损坏的例子很多，我国苏州市的虎丘塔是宋代的青砖建筑，1980 年塔尖已偏离原中心线 2.31m，在底层塔身发现了许多裂缝，成了病险建筑(图 3-8)，不得不进行维修，在顶层拆除重建，以平衡塔的重心。

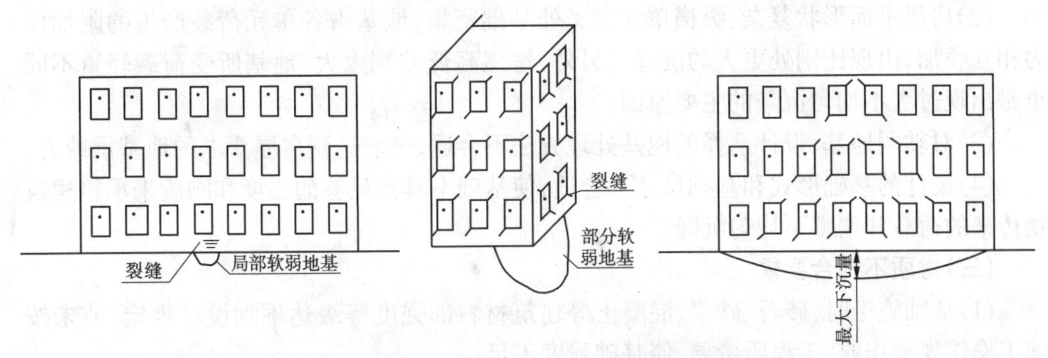

图 3-7　几种地基不均匀沉降造成房屋墙体开裂

当地基发生过大沉降时，如房屋上部结构的整体性好、地基沉降也均匀时，房屋上部结构和基础不至于发生破坏，但必然使室内地坪凹陷，穿过基础或墙体的排水管断裂，发生变形。对于一般结构，若发生变形，会影响建筑物的使用和外观形象，故对地基的总变形要加以控制。地基发生不均匀变形是造成大多数建筑物地基破坏的根源。地基的不均匀变形将导致结构中产生过大的次生应力而使建筑物出现不同程度的破坏。

图 3-8　虎丘塔立视图

(三)地基的强度、刚度不够

地基的强度和刚度实际上反映了基础承受荷载的能力和抵抗变形的能力，强度和刚度不足将使基础无法有效地向地基传递荷载，并使基础出现不同程度的破损、断裂、失稳等破坏。

综上所述，地基基础的破坏形式主要在强度破坏和变形破坏两方面，对于已建的房屋，由于各种原因而使地基基础发生上述破坏形式时，都将引起建筑物出现不同程度的倾斜、位移、开裂、扭曲，甚至倒塌现象。

二、地基与基础产生破坏的成因

对于已建房屋建筑出现上述地基基础破坏的主要原因有以下几个方面：

(一)地基软弱

地质勘探不准确,未能查清土层分布情况,尤其未查清持力层下软弱下卧层、局部软弱土、墓穴、古井、坑洞,施工时未做相应处理或处理不彻底。

(二)设计不合理

(1)地基持力层选择不当,土层分布不均匀,地基承载力不足,软弱下卧层未经验算,导致地基发生强度破坏或不均匀沉降。

(2)房屋平面形状复杂,纵横单元交叉处基础密集、地基中各单元荷载产生的附加应力相互叠加,出现比别处更大的沉降。另外,房屋高低差别太大,地基所受荷载轻重不同也是出现过大不均匀沉降的主要原因。

(3)对软弱地基,设计选择的地基处理方法不合适,未能达到房屋要求的地基承载力。

(4)设计的基础形式和基础尺寸不合适,使基础不具备足够的强度和刚度来承担建筑物传来的荷载和调整不均匀沉降。

(三)材质不符合要求

(1)基础施工时,砖石、砂浆、混凝土等建筑材料的强度等级达不到设计规定,或未按施工操作规程作业,工程质量差,使基础强度不足。

(2)当基础位于有害介质侵入的地段,因材料选择不当,又无必要的防护措施,使基础受到腐蚀,强度迅速下降。

(3)地基加固时,选用的材料、施工方法或施工质量达不到设计和规范的技术要求,使得地基加固效果不满足设计要求。

(4)基坑开挖后敞露过久,持力层土受人为或自然环境影响而扰动,破坏了土的天然结构,导致地基土强度下降,沉降加大。

(四)上下水管道渗水,引起地基湿陷

在湿陷性黄土地区,当房屋附近地下埋设的上下水管道安装处理不当,接口不严,或缺乏维修,长期漏水渗入地基,会导致地基发生湿陷变形,使房屋开裂、变形甚至倒塌破坏。

(五)养护修缮不及时,地表水渗入地基

房屋四周的散水坡、排水沟、道路等,长期失修破坏而渗水,部分墙根处或贴近墙根处坑洼不平,经常积水而渗入地基,地基土因湿度增加而松软、湿陷、膨胀或冻胀,从而出现过大的不均匀沉降。

(六)新建房屋的影响

(1)对靠近原有建筑物基础修建的新基础,当基础埋深超过原有基础的底面,且两基础之间的距离小于两相邻基础底面高差的1～2倍,又没有采取适宜的支护措施时,施工时易使原有建筑物的基底土受到扰动,导致地基土的强度下降,地基失稳。

(2)新旧建筑物基础靠得很近,相邻端基础下地基附加应力重叠,使原有建筑物产生附加沉降。

(3)若相邻基础开挖时降水,降水效果不好,将会使临近建筑物基础下的土粒流失,甚至淘空基础,导致建筑物开裂。

(4)基础的打桩施工,或回填土夯实,若不采取任何养护措施,会影响临近建筑物的

安全。

(七)使用管理不善

不经鉴定,随意改变房屋的使用性质,使房屋承受比原设计大的荷载,导致地基的附加应力增大;房屋加层改造,而又未进行合理的设计验算;基础附近地面堆积重物,使地基产生过量不均匀沉降,甚至会因地基强度不足而失稳。

(八)基础埋设深度不当

在季节性冻胀地区,基础建造在冻结深度以内,且四周未考虑防冻措施,位于冻胀区内的基础受到的冻胀力如大于地基以上的荷载,基础就有被抬起的可能,土层解冻融陷,建筑物就随之下沉。地基土的冻胀与融陷一般是不均匀的,容易导致建筑物开裂破坏。

第三节 地基与基础的病害鉴定

一、地基基础病害的鉴定方法

当发现因地基基础破坏而出现房屋开裂、变形、倾斜等现象时,应查清其破坏的原因。其方法一般有以下几种:

(一)查阅原有工程地质勘察报告

通过查阅原有工程地质勘察报告,弄清现场地质条件的持力层、下卧层和岩基的性状和埋深、不良地质现象、地基土的物理力学性质、地下水位及其变化和补给情况;还可对照工程事故特征,看其是否与地质条件相对应,并判断地质资料的可靠性。

(二)复核原有建筑物的设计图纸

复核原有建筑物的设计图纸的目的是为了了解房屋的结构、构造和受力特征。包括:荷载分布、结构刚度和整体性、基础形式、受力状况与构造等。若为不良地质条件,还应查明是否作了必要的设计处理、处理是否恰当、考虑是否周密,有时可能需要重新验算。

(三)检查施工记录及竣工技术资料

通过检查施工记录及竣工技术资料,了解施工过程中发生的实际情况,包括是否按图施工、现场变更内容、隐蔽工程验收记录、材料检验报告、曾遇到的施工技术方面的问题与解决方法、施工期间降水排水以及雨雪影响等。

(四)搜集沉降与裂缝实测资料

应搜集的沉降与裂缝实测资料,包括有荷载与时间变化的实测资料。从中掌握工程沉降、开裂的主要部位及严重程度,并判定工程沉降是否在继续发展及其发展速度,从而了解事故危害的程度。

(五)查明建筑物的使用及周围环境情况

查明建筑物的实际使用情况是否符合设计要求,查明建筑场地地下水位的升降、地面排水条件的改变及建筑物或周围给排水管道渗漏情况,查明临近建筑物的修建和相邻基坑的开挖、支护及增减荷载、振动等情况的影响。

(六)补充勘察

当对地质勘察资料有疑问或地质勘察资料不完整、不详细时,为了查明地基破坏的原因，须进行补充勘察，尤其对沉降差异大、开裂、倾斜严重的部位，应进行重点勘察。

二、地基基础的鉴定标准

地基基础出现下列情况之一时应进行加固处理：

(1)地基因滑移、承载力严重不足或因其他地质原因，导致不均匀沉降，引起结构明显倾斜、位移、裂缝、扭曲等，并有继续发展的趋势。

(2)地基因相邻建筑物增大荷载、自身加层增大荷载或因其他人为因素导致不均匀沉降，引起结构明显倾斜、位移、裂缝、扭曲等，并有继续发展的趋势。

(3)基础老化、腐蚀、酥碎、折断，引起结构明显倾斜、裂缝、扭曲等。

第四节 地基与基础的加固方法

地基与基础的加固是处理地基基础病害、缺陷的一种措施。加固的具体方法要视出现问题的主要原因而定，一般可以采取地基加固、基础加固和地基基础综合加固的方法。通过地基加固可以提高地基承载力，稳定和制止地基及上部结构变形的发展；通过基础加固则可以恢复或提高基础的强度、刚度和耐久性，消除可能产生房屋过大不均匀沉降的不利因素。在房屋修缮工程中，地基基础加固是在建筑物存在的情况下进行的，施工比较困难，既要保证施工质量，又要保护上部结构的安全。因此，在选择加固方案时，应根据工程具体情况，从经济上、技术上和施工条件上作可行性比较分析后，加以选定。

一、地基的加固

(一)灌浆法加固

灌浆法的实质是用气压、液压或电化学原理，把某些能固化的浆液注入各种介质的裂缝或孔隙，以改善地基的物理力学性质。适用于砂及砂砾石地基、黏性土地基及湿陷性黄土地基。目前比较常用的浆液有水泥浆液和水玻璃浆液。

水泥浆液是指以水泥为主剂，掺以其他外加剂(如速凝剂、缓凝剂、膨胀剂等)的灌浆材料。常用水泥为标号不低于325号的普通硅酸盐水泥，也可根据具体情况选用其他品种的水泥。水灰比大都为0.6～2.0，常用1.0。

水玻璃浆液是指以水玻璃(硅酸钠)为主剂，另加入胶凝剂(如氯化钙)以形成凝胶的灌浆材料。这种化学加固方法称为硅化灌浆。有些胶凝剂(氯化钙)与主剂的反应速度很快，它们须和主剂在不同的灌浆管或不同的时间内分别灌浆，称双液硅化法；另一些如碳酸氢钠等与主剂反应速度较慢，可与主剂混合在一起同时灌注，称单液硅化法。

灌浆法注浆孔的布置应能使地基应力扩散范围内不能满足沉降和承载力要求的地基土得到加固。布置方式有单排布置和双排布置。

注浆压力是按不会使地表产生变化、邻近建筑物不受影响的前提下可能采用的最大压力。一般每米深度的压力为20kPa以下，而最大容许注浆压力可取土的自重压力的2倍。

在考虑注浆顺序时，宜对建筑物分段施工，每段部位也应由疏到密，对称均匀施工，严禁分块集中,连续注浆。加固时,可按先室外,后室内;先倾斜大,后倾斜小的原则施工。对沉降大的一侧,可采用逐渐加密法灌浆。在双排地段,先灌外侧,后灌内侧。在深度方向的注浆顺序有三种:①从孔底向上依次提升注浆管;②由上向下边压入注浆管边注浆;③在土层上方先部分注浆形成一个顶盖,而后将注浆管下到孔底,再从孔底向上注浆的方法。一般采用第一种施工方法较方便。

地基灌浆加固见图 3-9。

(二)高压喷射注浆法

高压喷射注浆法就是利用钻机把带有喷嘴的注浆管钻进至土层的预定位置后,以高压设备使浆液成为 20MPa 左右的高压流从喷嘴中喷射出来,冲击破坏土体,并使浆液与土混合,经过凝结,固化形成加固体。高压喷射注浆的主要材料为水泥,对于无特殊要求的工程,常用 325 号或 425 号普通硅酸盐水泥。根据需要可适量加入速凝、悬浮或防冻等外加剂和掺合料。水泥浆液的水灰比可取 1.0~1.5,常用 1.0。

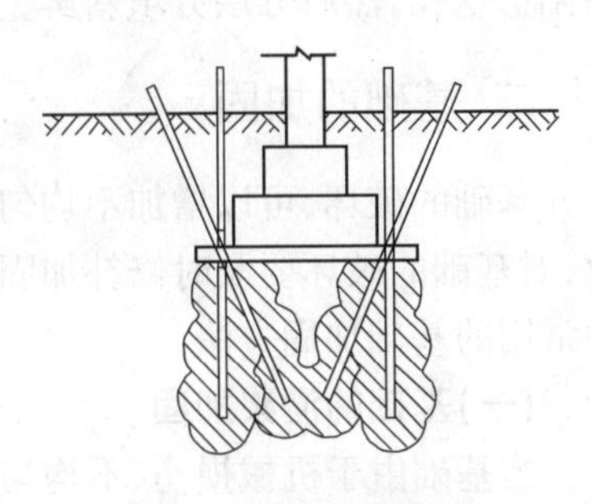

图 3-9 地基灌浆加固

高压喷射注浆法按注浆形式分为旋转喷射(旋喷)和定向喷射(定喷)。一般地基加固常用旋喷,在地基中形成圆柱状加固体,即旋喷桩。

高压旋喷成桩是加固已有建筑物地基的主要方法之一。主要适用于砂类土、黏性土和淤泥及人工填土等软弱地基。一般对黏性土标准贯入试验击数小于 5,对砂性土小于 10,超过上述限度,则可能影响成桩的直径,应慎重考虑。旋喷桩加固地基时,桩心之间的距离以旋喷桩直径的 2~3 倍为宜,这样可充分发挥土的作用,布孔形式可按工程需要而定。

(三)石灰浆加固

石灰浆加固适用于膨胀土地基的加固,以石灰浆压灌入黏土的裂缝层里,呈片状分布。石灰浆同周围土层起离子交换作用后,形成硬壳层,硬壳层随时间增长而加厚。从而改变了基土的性质和结构,消除了土的胀缩变形,使膨胀土地基趋于稳定。

灌浆孔一般沿房屋四周布置,其范围不小于外墙面以外 2m,分 1~3 排布置。压浆孔距应根据渗透半径进行布置,一般为 1.5m。

生石灰要求块灰占 70%,在施工前 3~5d 充分水解,用孔径 1mm 筛过滤,水灰比 1:0.67 为宜。

施工时,先用钻机钻孔,钻到预定深度后将注浆管插入孔中,从上至下分层进行灌浆。第一层一般深 1.2m,以后每层递增 0.6m。分层深度亦可根据压浆机压力大小确定,以能使浆液易于均匀渗入土层为限。灌注压力一般应控制在 1.5~3.0MPa。压浆时以灌到沿地面裂缝冒出石灰浆为止。灌浆结束后,应立即用非膨胀性素土回填,并夯实。

(四)灰土挤密桩

灰土挤密桩广泛应用于地下水位以上、一般黏性土、湿陷性黄土及杂填土的地基加固,其加固地基的原理在于桩成孔过程中土的挤密。桩孔沿基础四周布置 2~3 排,桩径 150~300mm,桩深视加固深度而定,一般在 10m 以内,桩距应选用 2.5~3d(d 为桩径)。成孔方式有打钢管桩成孔、静压钢管桩成孔,成孔后用 2:8 或 3:7 灰土逐层填实。

(五)石灰挤密桩

石灰挤密桩是应用于华东、华北、西北地区的加固软黏、湿陷性黄土及杂填土的桩型,加固原理在于桩成孔过程中土的挤密。生石灰投入后的吸水与胀发及生石灰反应生成熟石灰过程中的升温这一过程,使得桩周土体得到脱水并挤密,减少了孔隙比。

石灰桩加固房屋地基的施工方法,类似于灰土挤密桩,采用打入或压入成孔,也可用洛阳铲挖孔,然后分层夯填新鲜生石灰。

二、基础的加固

基础的破坏,可以增加不均匀沉降,而且可以导致上部结构的破损、变形和开裂。因此,对基础的破坏要及时修补加固,以消除对地基和上部结构的不利因素。这里仅介绍几种常用的基础加固方法。

(一)基础的灌浆加固

当基础由于机械损伤、不均匀沉降、冻胀或由于施工期间的缺陷、使用期间有害介质的侵蚀影响等原因引起开裂或损伤时,可采用灌浆法加固基础。

常用灌浆材料有水泥浆或环氧树脂等。水泥浆的稠度一般视基础破损情况和要求渗流的情况,调制为1:(1~10)(水泥:水)。

施工时,可用风钻钻孔,孔径应比注浆管直径大2~3mm,注浆孔的倾角一般不超过60°。孔位按梅花形排列,间距50~100cm,对单独基础每边打孔不应少于2个。成孔后,按顺序插入注浆管,灌浆压力可取0.2~0.6MPa,一般能形成直径为0.6~1.2m的坚固有效的加固体,水泥浆的用量约为加固基础体积的25%~36%。灌浆时当注浆管提升至地表下1.0~1.5m深度范围内而浆液不再下沉时,即可停止灌浆,见图3-10。

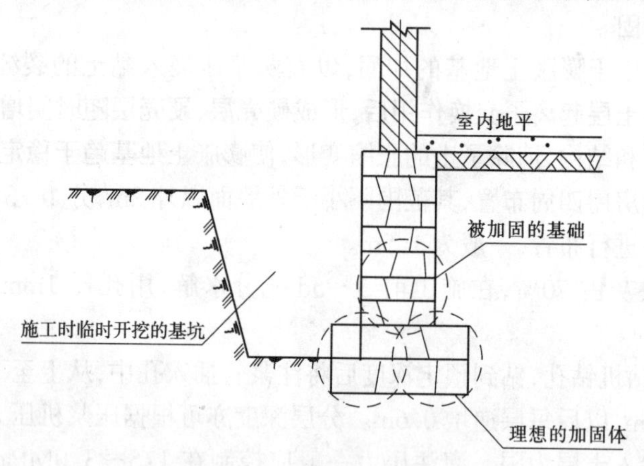

图3-10　水泥粘结加固基础

(二)刚性基础扩大基础受力面积的加固

对地基局部软弱或荷载集中,沉量较大的基础段落,适当地扩大其基础面积,就可相应地减轻该段地基单位面积的压力,减小沉降量,从而使基础的不均匀下沉得到稳定。

1.在原基础上加混凝土套

采用混凝土套加固条形基础,见图3-11。新浇捣的混凝土强度等级不得小于原混凝土强度等级或 C15。其上部宽度不得小于 100mm，且加大后的基础必须满足混凝土刚性角 α 的要求。施工时应按 1.5～2m 长度划分成许多单独区段分别进行施工，决不能在基础全长上挖成连续的地槽或使地基土暴露，以免导致饱和土从基底下挤出，使基础产生很大的不均匀沉降。

2. *扩大基础底面积的加固*

在原基础的底部加大底面积，见图 3-12。在施工时要分段进行(否则会影响到原基础的稳定)，加设临时支撑，卸掉加固部位基础上的部分荷载，然后从基础两侧开挖坑槽并将扩大加固部位基底下的基土掏空，按设计长、宽、厚度浇捣混凝土，其底部布置双向受力钢筋，浇筑的混凝土高出原基础的底面，以保证新、旧基础联结牢固。待加固部分的混凝土达到规定强度等级后，对旧基础及上部结构裂缝用水泥砂浆嵌补，方可拆除临时支撑。

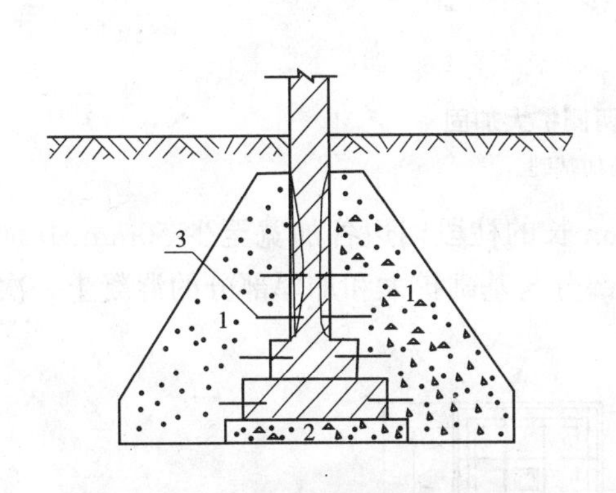

图 3-11　刚性基础的混凝土加固

1—新浇混凝土套；2—原刚性基础；3—锚固钢筋

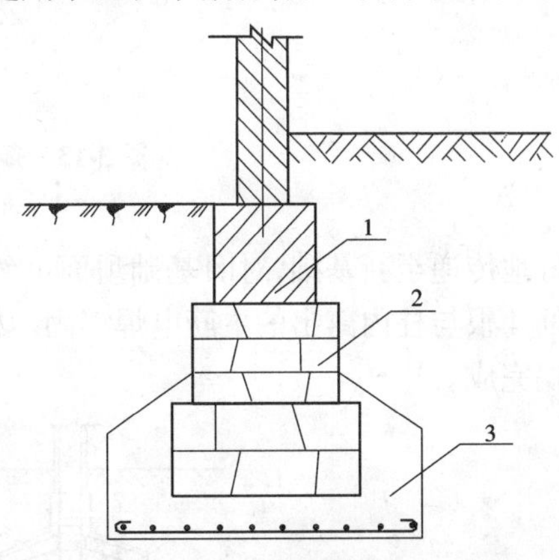

图 3-12　扩大基础底面积的加固

1—原有圈梁；2—原有毛石基础；3—扩大加固部分

3. *条形基础两侧扩大加固*

墙体保持原样，其下条形基础从侧面扩大加固的方法，如图 3-13。两侧扩大面积和配筋具体情况经过计算确定。加宽部分混凝土新基础的顶面可与墙身大放脚齐平。在地面以下，新基础的顶部，沿加宽范围内，按一定间距(1.2～1.5m)加建横穿墙身的钢筋混凝土挑梁，使墙身一部分荷载通过挑梁传递至加宽部分基础上，从而新旧部分共同工作。挑梁可与加宽部分混凝土基础一并浇捣。挑梁可按倒悬臂梁进行设计，加宽部分新基础可按以挑梁为支座的连续倒梁进行设计。为保证加宽部分长度方向的强度，至少应配置上下各 2ϕ10 的纵向主筋。当受偏心荷载时，亦可只从原基础的一侧进行加宽。

(三)钢筋混凝土柱下独立基础的扩大加固

柱下独立基础的加固方法见图 3-14，加固扩大后的基础，要满足抗剪切和抗弯矩的要求。为了保证新旧基础联结牢固和施工质量，增加的厚度不宜少于 150mm。施工时将地面以下、靠近基础顶面处的柱段四边的混凝土保护层凿除，露出柱内主筋，同时亦将旧基础四侧边的混凝土凿除，露出基底的钢筋端部，并将基础顶面混凝土凿毛。扩大和加厚部分的顶部，按构造要求设架立筋，并与基底原主筋端部电焊固定。在每边加宽的底部配置受拉主筋，其配筋量不少于按旧基础断面的单位含筋量(cm^2/m)进行折算的需要量(cm^2)，且钢筋直径不小于 12mm，间距不大于 200mm，根数不少于 2 根。为保证柱荷载

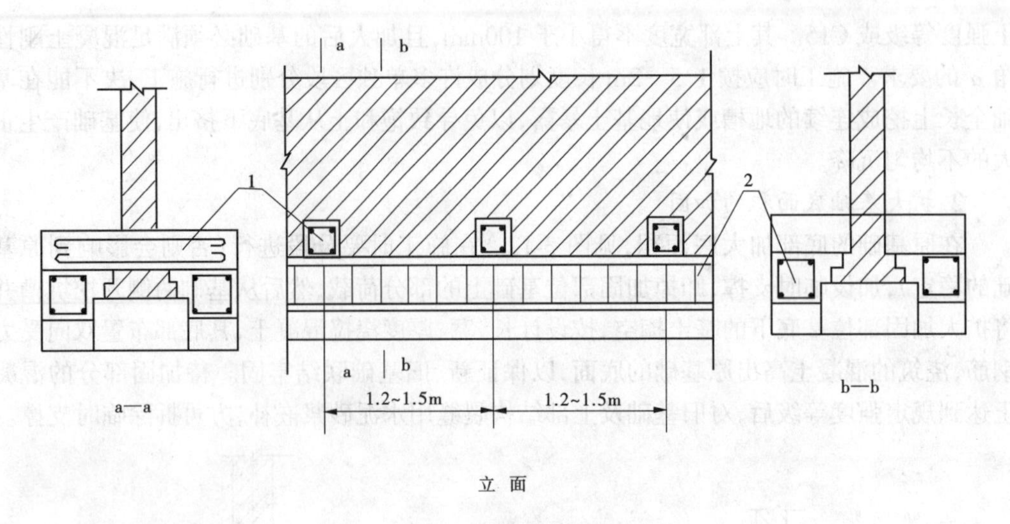

图 3-13　条形基础两侧扩大加固

1—挑梁；2—新加基础

很好地传递至新基础，对旧基础顶面上约 650mm 长的柱段四边各加宽至少 50mm，并加插筋 4 根与柱内露出的主筋电焊牢固。柱加宽部分与基础扩大和加厚部分的混凝土一次浇捣完成。

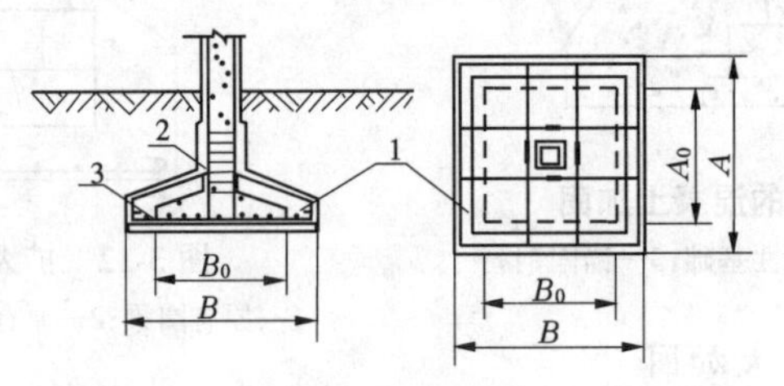

图 3-14　柱下独立基础扩大加固示意图

1—加宽加厚部分混凝土；2—新加钢筋焊于原主钢筋上；
3—焊于基底钢筋上

(四)钢筋混凝土条形基础

墙下钢筋混凝土条形基础的扩大加固，可比照柱下独立基础的方法进行。当旧基础宽度不需扩大而原有板厚及配筋不能满足强度要求时，可适当加大旧基础肋宽，进行加固补强。肋宽加大部分的厚度要满足抗剪及抗弯要求，且新加部分的净厚不宜少于100mm。肋(或墙体)左右两侧新加宽部分的顶部，按 1.0～1.5m 间距，横穿墙身，横穿处断面不宜小于 250mm×200mm，上下各配置不小于 2ϕ8 的连贯构造钢筋，使新旧部分能可靠地联成一体，见图 3-15。

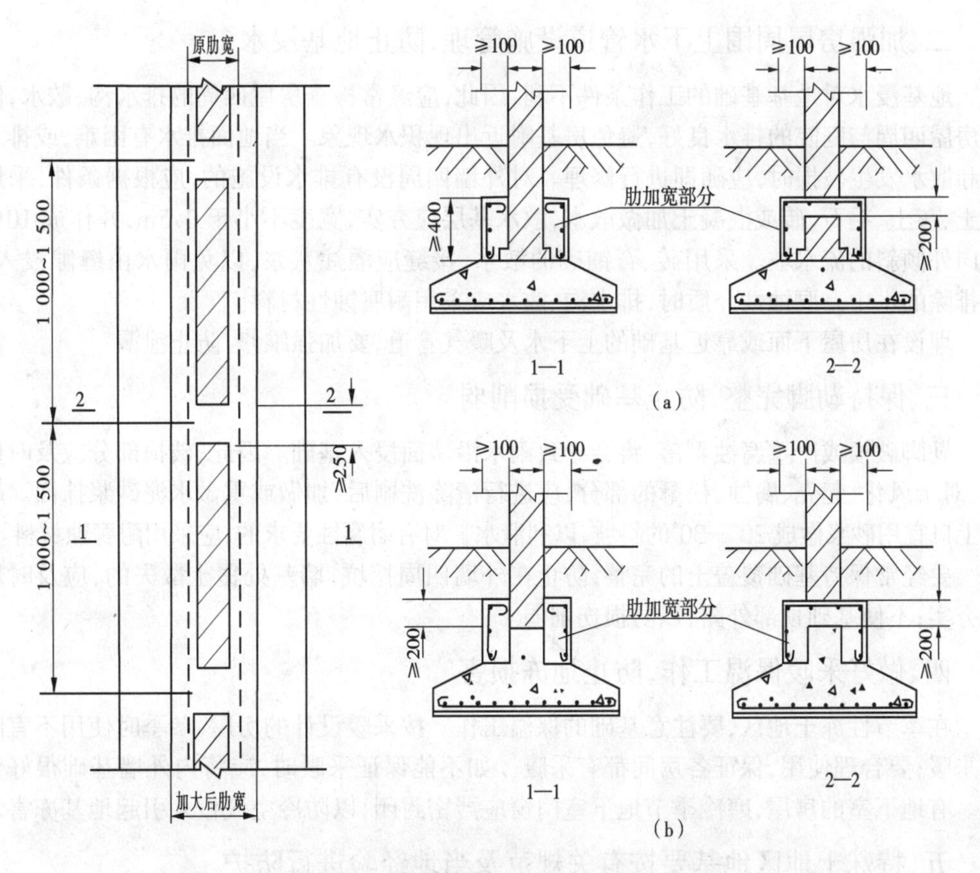

图 3-15　钢筋混凝土条形基础加固补强(单位:mm)

(a)无筋条形基础;(b)带筋条形基础

第五节　地基基础的养护

地基基础一般都可隐蔽于地下,发生病害不易于发现和治理。如果在建筑物的日常使用和管理中,认真做好地基基础的养护工作,及时预防和消除产生病害的自然或人为因素,使其经常保持良好状态,可以大大减少地基基础发生病害的可能性。各类地基基础的日常养护应做好如下几方面的工作。

一、坚持正确使用,避免大幅度超载

上部结构使用荷载,大幅度超过设计荷载,或者由于在基础附近的地表面大量堆载,都会使地基的附加应力相应增大,从而产生附加沉降。由于超载和堆载的不均匀性,附加沉降往往是不均匀沉降、或者造成基础向一侧倾斜的后果,即使对沉降已经稳定的地基,在没有经过鉴定、未取得超载依据、未经过设计确定,或未采取有关措施前,也都应禁止出现大幅度超载现象。因此,应对日常使用情况进行技术监督,维护正确使用,防止对地基基础不利的超载现象产生。

二、加强房屋周围上下水管道设施管理，防止地基浸水

地基浸水对地基基础的工作条件不利，因此，应经常检查房屋四周的排水沟、散水，保持房屋四周与庭院的排水良好，避免房基附近出现积水现象。当地面排水有困难，或排水沟和散水发生破损时，应随即进行修理。对外墙四周没有排水设施的，应根据条件，采用黏土、灰土、毛石、砖或混凝土加做散水，散水基层应夯实，宽度不小于0.5m，并作成10%的向外倾斜的流水坡。采用砖、石铺砌的散水，接缝应灌注灰浆，以免雨水由缝隙浸入。当排除的水中有腐蚀性介质时，排水沟、散水应采用耐腐蚀性材料。

埋设在房屋下面或靠近基础的上下水及暖气管道，要加强维修，防止泄漏。

三、保持勒脚完整，防止基础受损削弱

勒脚破损或严重腐蚀剥落，将会导致雨水沿墙面浸入基础。因此，破损部分应及时修复，对于风化、起壳、腐蚀、松酥的部分，应进行清除洗刷后，加做或重做水泥砂浆抹面。勒脚上口宜用砂浆做成20°～30°的斜坡，以利泄水。对有耐腐蚀要求的，应采用耐腐蚀材料。

要经常保持基础覆盖土的完整，防止在外墙四周挖坑，墙基处覆土散失的，应及时培土夯实；不使基础顶部外露，以防损伤削弱。

四、做好采暖保温工作，防止地冻损害

在季节性冻土地区，要注意基础的保温工作。按采暖设计的房屋，冬季时使用不宜间断采暖；要合理使用，保证各房间都有采暖。如不能保证采暖时，应将内外墙基础很好保温。有地下室的房屋，寒冷季节地下室门窗应严密封闭，以防冷空气侵入引起地基冻害。

五、特殊土地区地基要按有关规范及当地经验进行防护

对于季节性冻土、湿陷性黄土、膨胀土等特殊土地区地基上的房屋，除了做好上述各项日常养护工作外，还要结合自身的特点，按照有关规范及当地维护经验进行保养。

(一)季节性冻土地区的防护要求

(1)采暖设计的房屋，在采暖季节使用时不应间断采暖，要保证各房间的正常采暖。当不能保证采暖时，要采取相应措施对内外墙基础做好保温。

(2)有地下室的房屋，寒冷季节地下室门窗应严密封好，以防冷空气侵入地下室引起基础冻害，而在其他季节则要经常打开门窗，使地下室有良好的通风，防止墙体受潮等。

(二)湿陷性黄土地区的防护要求

由于湿陷性黄土具有湿陷性，建在湿陷性黄土地区的房屋建筑，常由于对地基基础的防护不周而发生湿陷变形，所以对湿陷性黄土地区还要做好以下几方面的特殊防护工作：

1.基本防水

不能随意在地面及房屋四周泼洒废水；要保证房屋建筑周围排水畅通，不允许有积水现象；不得在房屋建筑周围规定范围内种菜(非自重湿陷性黄土地区规定5m，自重湿陷性黄土地区规定10m)；不得在建筑物周围10m以内随意开挖地面。如因施工或修理必须开挖地面时，要求提前做好防范，避免一些地面水流入坑中，施工后要及时处理好地面。

2.防漏水

寒冷地区，冬季对水管采取防寒保温措施，以防冻裂；每年供暖前要求对暖气管道进行

系统检查,如冬季暖气管道出现事故停用时,要把管道中的存水放尽,以防管道被冻裂而影响地基土;经常检查上、下系统管道有无漏水、是否畅通,发现漏水,应立即切断,及时维修。

3.防降水

每年雨量大的季节,要对房屋附近的一些排水设施等进行必要的检查,消除一些不利于排水的隐患,使在大量降雨时,排水畅通,避免雨水泛滥。还要经常对房屋建筑进行沉降观测及地下水位观测,发现沉降有异常时,应及时进行各方面检查,并及时进行必要的维修与管理。

(三)膨胀土地区的防护要求

由于膨胀土具有遇水膨胀,缺水收缩的特性,所以建在膨胀土地区的房屋建筑在使用期间要减小地基土中含水量的变化,以便减小土的胀缩变形。具体应做好以下几方面的防护工作:

1.合理种植树木

房屋附近不宜种植吸水量大和蒸发量大的树木,因这类树木会使房屋建筑地基失水,出现地基下沉。应根据树木蒸发能力和当地气候条件等,在保证树木和房屋之间合理距离的前提下,合理选种树木,这样既可以绿化环境,有利于人类健康,又不会因种树而影响建筑物地基。

(1)树木种类的选择。树木种类的选择主要是根据树木的蒸发能力、各地的气候条件和地下水补给精况综合考虑选择的,一般宜选择树干较矮和根系较浅的树种。如一些落叶树,浅根的常绿树。

(2)种植部位。树木种植部位要合理,否则也会给房屋建筑地基带来病害。一般灌木或浅根树离房屋建筑 3m 以外种植为宜;乔木 5m 以外种植为宜;高大的常绿树,在远离房屋建筑 20m 以外可成片种植。

房屋周围为裸露地面情况时,应尽量多种植些草皮、绿篱等,以减少太阳对土壤的辐射。从而减少地基土水分的蒸发。

(3)定期修剪。为更好地做好膨胀土地区房屋建筑地基基础的防护工作,对周围树木、草皮、绿篱等要定期修剪,以限制其长得过高。旱季要给树木培土浇水,必要时对一些年代久的树木定期更新。

2.在房屋建筑周围做好宽散水

宽散水不仅其宽度要比一般散水大(宽度通常采用 2~3m),且有保温隔热层及不透水的垫层。因此,它具有防水保湿和保温、隔热的作用。许多实例说明,宽散水的制作质量直接影响防治效果,其做法必须严格按下列要求:

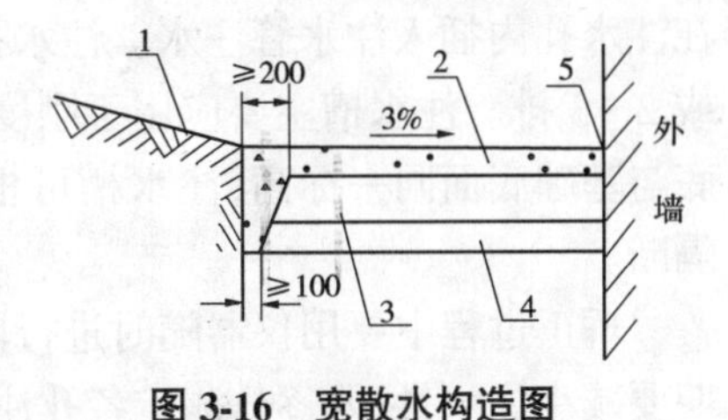

图 3-16 宽散水构造图

1—室外地坪;2—面层;3—保温隔热层;4—垫层;5—变形缝

(1)面层厚 8cm(可能行驶机动车时,宜不小于 10cm),C15 混凝土随捣随抹面,其外边缘应局部加厚。

(2)保温隔热层厚 10~20cm,采用 1:3(质量比)石灰焦渣或其他做法。

(3)垫层厚 10~15cm,采用三合土或 2:8(质量比)灰土等不透水材料。

宽散水坡度及与墙交接处缝内填料与普通散水相同。宽散水构造如图 3-16 所示。

第六节　基础倾斜的矫正技术

在实际工程中，由于地基土分布不均匀、邻近建筑物附加应力扩散、特殊土地基局部浸水及基础承受偏心荷载等，都将导致房屋建筑整体向一侧倾斜，不仅影响房屋建筑的正常使用，还可能危及建筑的安全。对于上部结构整体完好、整体刚度又较大的房屋建筑，采用一些矫正技术以使整个房屋建筑的不均匀变形趋于均匀，达到纠倾的目的。

常用在倾斜反侧加荷、浸水、掏土等方法，增加反侧地基的沉降量。具体应用的方法有以下几种。

一、浸水法和加压法矫正

对于湿陷性黄土地基的一些高耸构筑物和刚度较大的建筑物。由于地基局部浸水，往往使基础产生不均匀沉降，从而导致建(构)筑物倾斜，为防止意外，一般应对建(构)筑物进行倾斜矫正。

倾斜矫正中可利用湿陷性黄土遇水湿陷的特征，采用浸水、加压或浸水加压同时进行的方法进行矫正。具体方法选择应根据沉降量较小一侧地基土平均含水量决定。当地基主要受力层范围内湿陷性黄土的平均含水量(质量分数)低于16%，而湿陷系数 $\delta_s > 0.05$ 时，宜采用浸水矫正的方法；当黄土的平均含水量(质量分数)超过23%，而 $\delta_s < 0.03$ 或没有湿陷性时，宜采用在基础一侧进行加压矫正法；当黄土的含水量或湿陷性介于上述二者之间，或倾斜率较大时，可采用浸水和加压综合的矫正法。这些矫正方法施工简单，费用较低，而矫正效果又好。我国应用这些方法解决了不少工程事故，取得了较好的经济效果，并积累了丰富的实践经验。

(一)浸水矫正法

1.概述

在浸水矫正施工前，要根据主要受力层范围内土的含水量及饱和度，预估所需浸水量，然后分阶段将水注入地基中，注水时可通过注水孔或注水槽进行。注水孔孔径为10～30cm，孔深深至基底以下0.5～1.0m，并在孔内填透水性大的砂石至基础底部，而后在注水孔内插入注水管注水。注水孔间距一般取0.5～1.0m，在基础倾斜反侧可布一排或2～3排。注水槽主要应用于刚度较大的建筑物的倾斜矫正，槽宽一般为40～50cm，槽底与基础底面同一标高，注水槽可根据矫正建筑物的倾斜情况分段设置，中间可用隔板隔断。

矫正过程中要用仪器随时进行监测，防止矫正速度过快，矫正先期注水量可大些，后期要减小注水量，要逐日测定各孔注水量，并做好记录。结合建(构)筑物顶部位移及基础沉降速率，随时调整各期注水量，使基础底部能够均衡地恢复水平位置。

为防止施工中发生意外，对高耸构筑物一般在顶部或2/3高度处设置3～6根钢缆绳，缆绳与地面成25°～30°，并根据矫正速率逐渐将倾斜一侧缆绳放松，另一侧收紧。

2.工程实例——兰州市某厂试验楼浸水矫正

兰州市某厂试验楼为三层混合结构，房屋地基土为Ⅲ级自重湿陷性黄土，湿陷性黄土厚达15.2m,分级湿陷量为53.0cm,自重湿陷量为47.0cm。由于房屋地基受水,使房屋产生向东北方向整体倾斜,最大沉降差超过50.1cm,局部倾斜最大在西山墙部位,达34.7‰。房屋长高比为1.7,现浇钢筋混凝土楼面及屋面,钢筋混凝土条形基础,所以房屋的刚度较大,整体性也较好,裂缝只是在西山墙上出现一条。为防止裂缝发展,纠正整体倾斜,决定采用浸水法处理事故。

对房屋地基浸水采用注水槽注水。注水槽沿房屋基础两侧分段注水,为纠正该房屋,在地基中共注水400t,施工期近100d。在注水施工过程中,基础各部位沉降正常,上部结构及基础没有出现新的裂缝。矫正完工后观测剩余沉降差最大为18.0cm,局部倾斜值为12.3‰～12.5‰(在山墙部位处),沉降趋于均匀,已基本达到了预期的矫正效果。

(二)加压矫正法

1.概述

建在湿陷性黄土或软弱土等不良地基上的建(构)筑物,当产生不均匀沉降后,会引起倾斜现象,可采用简易而又快速见效的加压矫正法来纠正基础倾斜。

加压矫正法是在建(构)筑物沉降较小的一侧上部结构上或基础上加荷载,适当增加这一侧的沉降,来减小不均匀沉降。

在加压矫正前应事先查明基底处压力大小以及压缩层范围内土的压缩性质,根据要纠偏值的大小,估算所需要的压缩量。而后根据房屋建筑地基土的性质,计算上述压缩量所需要的附加应力增量,并算出所需加的荷载量。

荷载一般宜采用铁块或钢锭等一些重物。加压前还要验算建(构)筑物基础的强度是否满足,如不满足应先进行加固基础后再加压。所要施加的荷载应分级施加,刚开始加压时,每天施加1～2级,以后便逐渐减慢加荷速度,后期3～5d加1级,加荷速率还要根据纠偏速率不断调整。

2.工程实例——西安机瓦厂烟囱加压纠倾

西安机瓦厂高55m的砖烟囱,烟囱直径9.2m,基础埋深为2.57m,地基为Ⅱ级非自重湿陷性黄土,基底以下为新近堆积黄土,厚度为6m,而其下为比较致密的马兰黄土,地基土承载力为120kPa。新近堆积黄土的平均物理力学性质指标如表3-1所示。

表3-1　场地土的物理力学性质指标平均值

E	γ(kN/m³)	ω(%)	ω_L(%)	ω_P(%)	I_p	δ_s	$\alpha_{1\text{-}2}$(MPa^{-1})
1.03	16.3	21.6	27.6	17.4	10.2	0.044	0.84

烟囱由于地基受水而往西南方向倾斜93.4cm,地基土的含水量增加到24.7%,为有效地纠正烟囱倾斜,采用加压矫正法。

加压矫正时,在倾斜反侧半圆范围内用铁块加荷,为保证不出意外,在东、北、东北方向拉设3根钢丝绳。加压之前并对砖基础用钢筋混凝土加固,如图3-17所示。

整个施工过程在基础上共加了重1 623kN的铁块,分25个荷载等级施加。经上述矫正后烟囱已基本恢复原位,效果良好。

有时只加压矫正速度较慢,且效果不明显。可采用加压的同时并对其下局部地基土

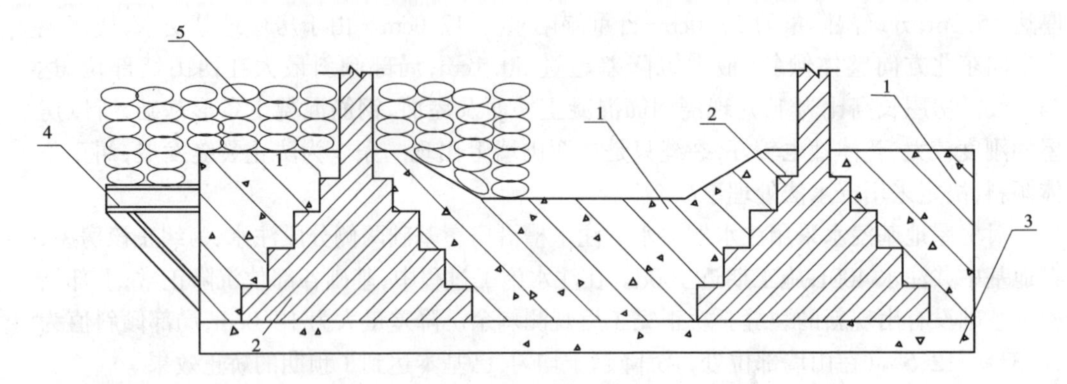

图 3-17　加压装置示意图

1—用钢筋混凝土加固的基础;2—原砖基础的大放脚;3—C7.5 素混凝土垫层;4—钢筋;5—荷载块

进行振捣,以加速反侧地基土的沉降,同时对倾斜一侧进行撑顶,以保证沉降按设计要求而得到控制。振捣的目的是使地基土在振动力的作用下,呈流塑状态,能显著下降。土体趋于密实,孔隙率降低,沉降则会明显加速。

振捣时采用插入式振动棒,在施振地基土中巡回振捣。布置的振点要均匀,振动棒的插入深度应随沉降量要求而定。振捣的时间也要严格控制,不能太长。

(三)浸水与加压矫正法

1.概述

有时为了加快矫正速度,提高矫正效果,或当倾斜较大,单采用浸水法难以使建(构)筑物恢复垂直位置时,可采用浸水与加压相结合的方法矫正。

浸水与加压矫正法的施工方法基本与上述两种矫正法相同,但在注水量及荷载量的估算方面应考虑相互影响。

2.工程实例——兰州市某医院锅炉房烟囱基础浸水加压矫正法

兰州市某医院锅炉房烟囱,高 29m,筒身与基础都为钢筋混凝土整体浇筑,基础直径 7m,基础埋深 3.5m,地基土为Ⅲ级自重湿陷性黄土。由于地基局部浸水产生湿陷,使烟囱向锅炉房方向倾斜,倾斜率较大。决定采用浸水与加压矫正法。

首先在基础沉降较小的一侧布置 5 个注水孔,注水孔分别采用 1.0m×0.4m、0.6m×0.4m 及直径为 0.3m 的不同截面。成孔后在孔底处铺 30cm 厚石子,然后在注水孔内插入注水管注水,共注水77 900kg,分三个阶段进行。在注水过程中用浮标控制水位,并在注水的同时向烟囱浸水方向地面均布施加 500kN 荷载。共矫正倾斜值超过 33cm,矫正后至今历时多年,一直正常使用,效果良好。

二、排(掏)土纠倾法

排(掏)土纠倾法是指抽(掏)砂(土)、钻孔取土、穿孔取土纠倾等方法的技术总称。用以对建(构)筑物的整体或局部纠倾。

(一)掏土法

在倾斜反侧方向的基础底面下,局部掏挖并取出适量基土,使倾斜反侧基础的沉降量相对加大,从而使整体结构的沉降趋于均匀,达到纠倾的目的。这种方法工具简单,施工方便,工程量小,投资少,并对邻近建筑物不会有不良影响。

掏土法使用的工具主要有小铁铲、小锄或大齿铁锯,其握柄可用钢管任意接长。

施工时事先根据倾斜方向轴线的偏斜情况确定基土需掏挖的区域位置,而后从确定的掏挖区底边缘开挖施工坑道,坑道宜按倾斜轴线对称布置,其宽度取决于掏土方法,一般为2～3m,长度根据工作需要而定。然后从基础底面下,沿基础边缘向中心逐步掏挖一定数量的基土,使这部分的基土形成削弱区。掏土时可以采用把削弱区内基底下一定厚度的基土逐步全盘掏出的方法;或采用把削弱区内的基底下的基土掏挖成沟道,沟道与沟道间保留适当宽度的基土的掏挖方法;或者采用上述两种方法的综合掏挖法。随着削弱区的逐渐形成,基础倾斜反侧沉降逐渐增大,从而使倾斜逐步得以矫正。

(二)钻孔取土纠倾法

软黏土的特性是强度低而变形大,如果控制加荷速率,则可以提高地基承载力和减小地基变形;如果加荷速率过大,有可能使地基进入不排水的剪切状态,从而产生较大的塑性流动使基底软土侧向挤出,不但增大了地基变形,有时甚至会导致地基剪切破坏。而钻孔取土纠倾法就是利用基底软土侧向挤出这样的原理来调整变形和倾斜的。

例如:上海钢铁一厂开坯车间的露天跨东端三个柱基,基础埋深为2.1m,基础的底面尺寸为4.3m×2.8m,基底下约有1m厚的黄褐色黏土,其下都是淤泥质黏性土,地下水位在-1.2m的深度。因跨内放有大量钢坯,柱基有不同程度的倾斜,采用钻孔取土纠倾法来矫正倾斜。

为了增大柱的附加压力,以利于钻孔后土从侧向挤出,钻孔前在柱基上均匀加荷50kPa,使基底附加压力达70kPa,接近地基土的比例极限。钻孔布置在基础外侧四周,离基础边缘距离3cm,钻孔中心距10cm左右,钻孔深度分别采用基底1.4m、1.0m和0.7m,钻孔采用外径40mm的手摇麻花钻以及外径70mm的手摇螺旋钻。钻孔后,由于孔壁附近产生了应力集中因而造成了部分土体的侧向挤出。与此同时,在整个基础范围下的土体中,由于边界条件的改变应力重新分布,使整个基础都有附加下沉,而外侧下沉大于内侧下沉,取得了倾斜调整的效果。

(三)穿孔取土法

含有瓦砾的人工杂填土,经长时间压密后,固结程度大有改善,如果只削弱少量基底支承面积,瞬时塑性变形是不可获得的,而短期浸水也不能使其“软化”。因此,必须适量地削弱原有支承面积,急剧增加其所受的附加应力,才能使局部区域产生塑性变形。地基穿孔纠倾就是在基底下采用穿孔掏土和冲水扩孔的施工措施,对建筑物进行纠倾的。

穿孔用的主要工具有榔头、耙子、软水管、手摇水泵、冲水扩孔用的射水头、手电筒等。

穿孔取土法施工步骤如下:

(1)清理场地,创造穿孔条件;

(2)标出穿孔位置,安置观测装置等,并备好堵洞用的石渣材料;

(3)进行穿孔,先穿通约20cm×20cm的洞孔再逐渐由孔壁扩孔,孔距为50cm;

(4)对于瓦砾含量较少的填土,为进一步提高穿孔工效,进行冲孔扩孔,孔径易于控制;对于瓦砾含量多的填土,作用不大;

(5)经沉降观测已基本满足扩孔要求的孔洞均填以石渣。

实践证明，采用“穿孔取土纠倾”消除建筑物的沉降差异，效果很好，且施工简便，费用低。目前，排(掏)土纠倾法已发展到“沉井排土纠倾”和“地基深层冲孔纠倾”等纠倾措施，但施工要求加强变形量测和控制变形速率，切忌矫枉过正。

第四章　结构工程的维修与养护

第一节　房屋结构工程的主要类型

结构是建筑物的承重骨架,是建筑物赖以存在的主要条件。建筑材料和建筑技术的发展决定着结构形式的发展,而建筑结构形式的选用对建筑物的使用以及建筑物的形式又有着极大的影响。

大量民用建筑的结构形式,按照其建筑物的使用规模、构件所用材料及受力情况的不同而有各种类型。

(1)按照建筑物使用性质和规模不同,可分为单层、多层、大跨和高层。单层和多层建筑物的主要结构形式又可分为墙承重结构、框架承重结构。墙承重结构是指由墙体来作为建筑物承重构件的结构形式;框架承重结构则主要由梁、柱、板作为建筑物承重构件的结构形式。大跨建筑物常见的结构形式有拱结构、桁架结构以及网架、薄壳、拱板、悬索等空间结构形式。

(2)按照建筑物所用材料不同,又有混合结构、钢筋混凝土结构和钢结构之分。①混合结构是指在一座建筑中,其主要承重结构分别采用多种材料制成,如砖与木、砖与钢筋混凝土、钢筋混凝土与钢等。这类建筑物中,目前以前两种居多,加上它主要以砖墙为主体,故习惯上又称为砖混结构,是多层建筑的主要结构形式。混合结构的特点是可根据各地情况,因地制宜,就地取材,降低造价。②钢筋混凝土结构是指建筑物的主要承重构件均采用钢筋混凝土材料制成。由于钢筋混凝土的骨料亦可就地取材,耗钢量少,加之水泥原料丰富,造价亦较便宜,防火性能及耐久性能好,而且混凝土构件既可现浇,又可预制,为构件生产的工厂化和机械化提供了条件。所以钢筋混凝土结构是发展较广的一种结构形式,也是我国目前高层建筑所采用的主要结构形式。③钢结构则是指建筑物的主要承重构件用钢材制作的结构。它具有强度高,构件重量轻,且平面布置灵活,抗震性能好,施工速度快等特点。由于我国钢产量不多,且造价高,因此目前主要用于大跨度、大空间以及高层建筑中。随着钢铁工业的发展,钢结构在建筑上的应用会逐步加大。此外,目前轻型冷轧薄壁型材及压型钢板的发展,也使得钢结构在低层及多、高层建筑的围护结构中得以广泛应用。

第二节　房屋结构工程的损坏形式和原因

一、砖砌体结构的破坏形式及主要原因

(一)砖砌体裂缝及产生的原因

砖砌体裂缝是比较普遍的破坏现象之一。砌体上产生裂缝后,会影响建筑物的美观,

有的还会造成建筑物的渗漏等病害,有的建筑物的强度、刚度、稳定性和整体性也将受到不同程度的削弱。裂缝产生的原因很多,分析起来也很复杂,根据砌体受力情况,可以把裂缝分成两类:一类为非受力裂缝,即裂缝的产生不是由于砌体承受荷载造成的,如沉降裂缝,温度裂缝;另一类为强度裂缝,即砌体受荷载作用后因砌体强度不足而直接引起砌体开裂。

1.沉降裂缝

基础的不均匀沉降,改变了砌体下支承反力的分布,在砌体内产生新的附加内力。砖砌体抗压强度大,而抗拉及抗剪强度小,所以在拉应力或剪应力作用下易产生裂缝。基础沉降产生的裂缝以斜向和竖向裂缝较多,也有水平裂缝。斜裂缝一般是在窗口的两对角处,在紧靠窗口处缝宽较大,向两边和上下逐渐缩小,其走向一般由沉降小的一边向沉降较大的一边逐渐向上发展。竖向裂缝多产生在纵墙的顶部或底层窗台上。墙顶的竖向裂缝是由于墙的两端沉降大、中间沉降小而产生的反向弯曲使墙体上端形成受拉而产生的,缝宽往往上端较大,向下逐渐缩小。水平裂缝常出现在窗间墙上,往往是每个窗间墙的上方两对角处成对出现,这是由于沉降单元的上部受到水平推力顶住后,窗间墙上受到较大的水平剪力而引起砌体的破坏;沉降大的一边裂缝在下,沉降小的一边裂缝在上,裂缝宽度都是靠窗口处较大,向窗间墙的中部逐渐缩小。

2.温度裂缝

温度裂缝以正八字形斜裂缝和水平裂缝居多,常见的有墙顶两端1~2开间的斜裂缝和檐口下三皮砖处的水平裂缝(以砖混结构屋面为多),其主要原因是砖和混凝土材质膨胀系数不同。外纵墙(高大空旷,中间为钢筋混凝土柱承重的半框架)房屋常会出现水平裂缝,其裂缝内宽外窄,连同壁柱一起横向断裂。其主要原因是屋面升温产生伸缩变形,在墙顶形成水平推力;若非预应力屋架,由于下弦伸长,使砖墙柱受到水平推力,都会产生水平裂缝。

另外墙角下倒八字裂缝或檐口下竖向裂缝,是由于在寒冷地区,长墙无伸缩缝产生倒斜裂或竖裂;或地基收缩不大,墙体向内缩短倾斜而造成开裂。

温度变形引起砌体结构开裂是极其普遍现象,它和地基不均匀沉降裂缝最大的区别在于前者出现在房屋顶部向下延伸,而后者出现在房屋底部向上伸展。

3.振动裂缝

振动开裂有机器振动和地震冲击振动之分。前者常在砌体的薄弱部位(如门窗洞口四角)呈不规则开裂。这种裂缝不同于地基沉降裂缝,由于强烈的机器振动(包括房屋四周打桩和开挖)致使墙体砂浆酥散、砌块松动,承载力受到一定的影响。后者是地震冲击波产生的交叉裂缝和斜裂缝,一般在砌体结构的墙体和柱上,其破坏程度与地震烈度有关。

4.强度裂缝

砖砌体强度裂缝是指砖砌体强度不足及荷载作用直接引起砌体开裂的裂缝。这类裂缝常发生在砌体直接受力部位,而且其破坏形式与荷载作用力引起的破坏形式相一致。常见砖砌体产生裂缝主要有以下几种形式:当砌体承受轴心受压、偏心受压时因强度不足而出现的垂直裂缝和斜向裂缝;当砌体局部受压(如大梁底以下),由于砌体的不均匀受力，会在某一局部砌体或应力比较集中的几层砖上出现压裂缝，即垂直的或倾斜的裂缝；当砌体轴心受拉，会沿着砌体的灰缝产生垂直裂缝或斜裂缝（如首层的窗洞口较大，又无地梁时，常在窗台中间出现垂直裂缝）；大偏心受压砌体，一部分截面受拉，另一部分截面受压，使砌体出现竖直压裂和水平拉裂；砌体受弯矩作用或受到水平剪力作用时引起水平裂缝。强度裂缝的出现，说明荷载引起构件内应力已接近或达到砖砌体相应的破坏强度，应及时检查、鉴定，采取有效措施处理。

（二）砖砌体腐蚀及产生原因

砖砌体的腐蚀，一般表现在墙面产生粉化、起皮、酥松和剥落等现象，这种破坏从表层逐渐向砌体深度发展，削弱墙体，降低结构强度，不仅会影响房屋建筑的美观，严重时会导致坍塌事故。产生砌体腐蚀的原因主要有自然界的侵蚀、腐蚀介质的侵蚀和使用养护不当等。

在自然环境中砌体作围护结构时，长期受大自然风、霜、雨、雪的侵蚀，以及因高温、严寒产生的循环胀缩。特别在长期受潮部分和墙体下部，经反复冻蚀后，砌体面层将形成粉状，并不断剥落。地下水常含有溶解性盐类和酸类，对砖砌体亦有侵蚀作用，能破坏砌体结构。自然界中的大气、烟气对砌体亦有不同程度的侵蚀作用。

在使用养护中，如对腐蚀介质的防护措施考虑不周；房屋建筑的檐口、水落管破损等引起墙面潮湿；对已出现的破坏现象未及时修复等，这些都会加速砌体的腐蚀。

二、钢筋混凝土结构常见缺陷及其原因

（一）混凝土的常见缺陷

混凝土常见的缺陷主要有蜂窝、麻面、空洞、露筋、掉角、酥松等现象。施工、使用和维护不当，是混凝土产生缺陷的主要原因。如施工时水质不良，水泥过期或标号不足，砂石含泥量大等都会造成混凝土酥松、强度等级的严重下降；混凝土浇捣不当或漏捣，水灰比选择不合适，会造成严重的空洞、蜂窝、露筋、密实性差等；模板清理不干净、拆模不当会造成混凝土表面麻面、破损等。又如使用不当，并且维护保养不好，使构件遭到碰撞、超载、高温及有害介质侵蚀，而导致混凝土出现掉角、露筋、酥松等缺陷。这些缺陷如不及早修补，任其发展，将影响结构长久使用。

（二）钢筋的锈蚀

钢筋锈蚀会使其断面逐渐减小，并造成和混凝土之间的粘着力降低，影响构件的强度和安全。同时钢筋由于锈蚀而体积膨胀，还会使混凝土保护层破裂甚至脱落，从而降低结构的受力性能和耐久性能。尤其是预应力混凝土梁、板内的高强度钢丝，由于断面小，应力高，一旦发生锈蚀，危险性更大，严重时会导致构件断裂的危险。

钢筋产生锈蚀的原因是多方面的，在正常环境情况下，主要是由于混凝土不密实或有裂缝存在造成钢筋的锈蚀。

混凝土不密实和构件上产生的裂缝，往往是造成钢筋锈蚀的重要原因。尤其当水泥量偏小，水灰比不当和振捣不良时，或者在混凝土浇注中产生露筋、蜂窝、麻面等情况，都给水（汽）、氧和其他侵蚀性介质的渗透创造了有利条件，从而加速了钢筋的锈蚀。此外，由于混凝土内掺加对钢材有腐蚀作用的外加剂，如为提高混凝土的早期强度，在混凝土内

掺入一定量的氯盐，也会加速钢筋的锈蚀。

(三)钢筋混凝土结构的裂缝

钢筋混凝土结构上的裂缝，按其产生的原因和性质，主要可分为荷载裂缝、温度裂缝、收缩裂缝、腐蚀裂缝和其他等五种。

1.荷载裂缝

由于钢筋混凝土结构在荷载作用下的变形而产生的裂缝，称为荷载裂缝。荷载裂缝多出现在构件的受拉区、受剪区或振动严重部位等，并按照不同的受力性质和受力大小而具有不同的形状和规律。现列举两种情况受力构件进行分析：

(1)受弯构件的裂缝。钢筋混凝土受弯构件(梁、板)裂缝常见的有垂直裂缝和斜裂缝两种：垂直裂缝一般出现在梁、板结构弯矩最大的横截面上。如简支梁裂缝在跨中由底开始向上发展，其数量和宽度与荷载大小有关，当荷载增大时，裂缝随着增多和扩大。斜裂缝一般发生在剪力最大的部位，如支座附近，由下部开始，多数沿45°方向向跨中上方发展，是弯矩和剪力共同作用的结果，是斜截面受力的标志。随着荷载的增加，裂缝数量将不断增多和逐渐发展。

对于没有特殊要求的钢筋混凝土受弯构件，使用中受拉区出现一些数量不多、宽度不大的裂缝是允许的(须作具体分析规定)，但为了防止钢筋锈蚀，裂缝应控制在一定限度内，否则，钢筋将因混凝土裂缝而受到侵蚀、生锈以致降低构件的承载能力。

(2)轴心受压构件的裂缝。轴心受压构件如钢筋混凝土柱，在正常情况下不应出现压裂的裂缝，裂缝的出现预示混凝土结构破坏的开始，如发现这种情况，必须及时进行加固处理。

2.温度裂缝

钢筋混凝土结构上的温度裂缝大多由于大气温度的变化，受周围环境高温的影响和大体积混凝土施工时产生的大量水化热等造成。周围气温和湿度出现剧烈变化时，钢筋混凝土梁、板的某些部位会产生裂缝，发生在板上时，多为贯穿裂缝；发生在梁上时，多为表面裂缝。当梁板结构现场施工养护不良时，更易发生这类裂缝。一般裂缝时间为1～3个月内，以后趋于稳定。温度裂缝对建筑结构承载力一般没有影响，但在屋面上常会造成渗漏，影响使用。

3.收缩裂缝

混凝土在水化结硬过程中的体积减小，称之为凝缩。另外，混凝土内部水分的不断蒸发也使体积减小，称之为干缩。此外，混凝土在施工中养护不良，表面干燥过快，而内部湿度变化小，表面收缩变形受到收缩慢的内部混凝土的约束。这三种因素产生的裂缝都称为收缩裂缝。

收缩裂缝的形状有两种，一种是表面的，形成不规则的发丝裂缝，这种裂缝发生在终凝前，如发现早，及时抹实养护，可以消除；另一种裂缝是中间宽两头细，有时均匀分布在两根钢筋之间，并与钢筋平行，这种裂缝一般发生在终凝后。收缩裂缝对结构安全无影响，但能影响钢筋锈蚀，削弱结构耐久性能。

4.腐蚀裂缝

由于钢筋锈蚀而导致混凝土产生的裂缝，称为腐蚀裂缝(见前述钢筋锈蚀的有关内容)。

5. 其他

除了上述裂缝之外,还有因施工不当,如过早拆除支撑模板、模板变形、混凝土浇筑方法不当、施工缝处理不当等引起的施工裂缝;有地基不均匀沉降引起的沉降裂缝;有振动荷载产生的振动裂缝等。

综上所述,裂缝出现的原因是多方面的,实际结构中的裂缝常常不是由单一原因引起的。虽然许多工程出现问题都是从裂缝开始的,但并不是所有的裂缝都影响结构的安全和正常使用。对影响结构安全和有碍正常使用的裂缝,必须对产生裂缝的构件采取加固或其他安全措施,对其他裂缝可视情况进行修补。

第三节　砖石砌体结构的修缮

一、裂缝的修理

砖砌体裂缝的修理,一般都应在裂缝稳定以后进行。否则,即使进行了修补,裂缝仍将继续发展。裂缝是否需要处理以及采用什么修理方法,应从裂缝对房屋建筑的美观、强度、耐久性、使用要求等方面的影响,充分考虑后确定。裂缝细小且对房屋正常使用影响不大时可暂不处理。有的窗台裂缝虽不大,但造成墙面渗漏,影响正常使用;有的裂缝宽而深,不仅影响美观,而且影响到建筑物的强度、刚度和正常使用,这类裂缝就必须进行适当修理,更严重的还要采取加固措施或拆除重砌。

砖砌体上的一般裂缝,可采用以下几种修理方法:

(一)水泥砂浆嵌缝法

用水泥砂浆嵌补已趋稳定的砌体裂缝,是比较经济而又简单的修理方法。修补施工时,先用勾缝刀、刮刀等工具,将缝隙清理干净,然后用1∶3水泥砂浆或比原砌体砂浆提高一个强度等级的水泥砂浆,将缝隙嵌实,亦可用107胶拌入水泥砂浆嵌抹。当缝宽较小时,可用二份水泥、一份苯乙烯二丁酯乳液,配成乳液水泥浆,刷进缝中。嵌缝后,对砌体的美观、使用、耐久性等方面可起到一定作用,但对加强砌体强度和提高砌体的整体性方面,作用不大。

(二)块体嵌补法

砖砌体上较宽的斜裂缝,可采用预制钢筋混凝土块嵌入裂缝处砖墙内,其间距为400~600mm,内外交替放置,斜裂缝凿槽,嵌入107胶、水泥砂浆并抹平。见图4-1。

(三)密封法

裂缝随温度变化而张闭的,宜采用密封法修补。

(1)简单密封。将裂缝的裂口开槽,槽口宽度至少6mm以上。清除裂槽上的污物碎屑。保持槽口干燥,嵌入聚氯乙烯胶泥、环氧胶泥或聚醋酸乙烯乳液砂浆等密封材料。

(2)弹性密封。用丙烯树脂、硅树脂、聚氨酯或合成橡胶等弹性材料嵌补裂缝。方法是沿裂缝裂口凿出一个矩形断面的槽口,槽两侧凿毛,以增加面层与弹性密封材料的粘结力。槽底设置隔离层,使密封材料不直接与底层墙体粘结,避免弹性材料撕裂。槽口宽度

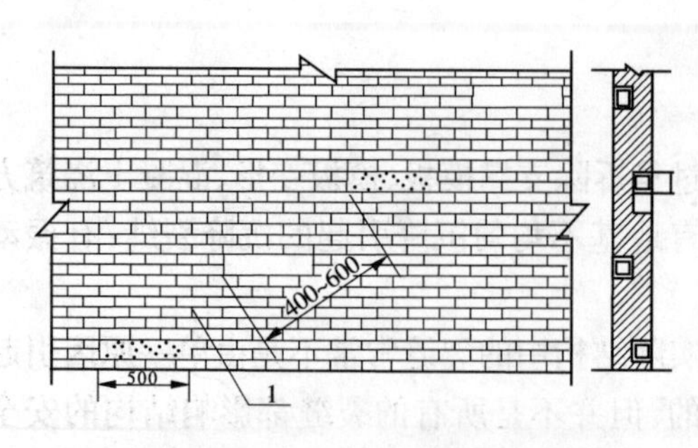

图 4-1　块体嵌补法修补砖砌体裂缝图
1—107 胶水泥砂浆嵌缝

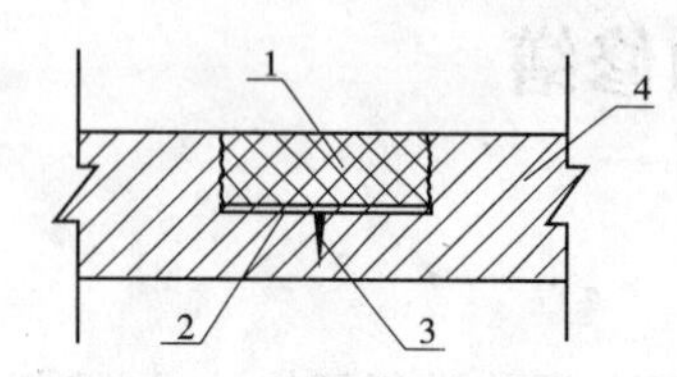

图 4-2　弹性材料密封图
1—弹性密封材料；2—隔离层；3—裂缝；4—墙体

至少为裂缝预期张开量的 4～6 倍，使密封材料在裂缝开口时，不致破坏。见图 4-2。

（四）压力灌浆法

压力灌浆法是将某种水泥浆液用压力灌入裂缝内，把砌体重新胶结成为整体，以达到恢复砌体的强度、整体性、耐久性及抗渗性等的目的。

（1）材料质量要求及配合比。水泥：用 325～425 号普通硅酸盐水泥；砂：用细度模数为 1.6～2.2 的细砂；107 胶：即聚乙烯醇缩甲醛，固体含量 12%，pH 值 7～8；二元乳液：固体含量 50%；水玻璃（硅酸钠）：相对密度 1.36～1.52，模数 2.3～3.3。灌浆的配合比见表 4-1、表 4-2、表 4-3。

（2）机具设备。空气压缩机：压力为 0.4～0.6MPa，容量为 0.6m^3/min；贮浆罐：耐压强度为 0.6MPa，容量约 0.6L；喷枪：喷枪及配合使用的零件。

（3）施工要点。①准备好必要的机具，并对裂缝情况进行检查。对于裂缝在建筑的边缘处，经受不住一定压力的

表 4-1　**灌浆配合比（一）**

浆别	水泥	107 胶	水	砂
稀浆	1	0.2	0.9	
稠浆	1	0.2	0.6	
砂浆	1	0.2	0.6	1

表 4-2　**灌浆配合比（二）**

浆别	水泥	二元乳液	水	砂
稀浆	1	0.2	0.9	
稠浆	1	0.15	0.6	
砂浆	1	0.15	0.6～0.7	1

表 4-3　**灌浆配合比（三）**

浆别	水泥	水玻璃	水	砂
稀浆	1	0.01～0.02	0.9	
稠浆	1	0.01～0.02	0.7	
砂浆	1	0.01	0.6	1

注　稀浆适用于灌宽度为 0.3～1mm 的裂缝；稠浆适用于灌宽度为 1～5mm 的裂缝；砂浆适用于灌宽度大于 5mm 的裂缝。

墙体部分,应采取适当的临时加固措施。②确定灌浆口的位置。裂缝宽度在1mm以下者,灌浆口间距为20~30cm;裂缝宽度为1~5mm者,灌浆口间距为30~40cm;裂缝宽度在5mm以上者,灌浆口间距为40~50cm。③用气动或电动砖墙打眼机,在确定的灌浆口位置打眼,眼深1~2cm,直径为3~4cm。④用具有0.2MPa以上压力的风管清除缝内碎块粉末等杂物,尤应注意清理刚打眼的灌浆口,保证缝内畅通无阻。但切不可用凿子将裂缝处凿开,以防加剧砌体破坏程度。⑤做灌浆口。用长约4cm,直径12.7mm的铁管做心子,放在打好的洞上,然后用1:3水泥砂浆封闭抹平。待砂浆初凝后,轻轻转动心子,然后将其拔出,即做成喷浆口。⑥封缝。内墙面如抹灰层仍完好、没脱皮,则只用麻刀灰或在麻刀灰中掺入少量石膏将缝隙封严即可;如抹灰层已脱落,则须将缝隙两侧各5cm宽的抹灰层铲除,再进行封缝。外观视裂缝宽度,可用水泥砂浆、纯水泥浆或准备灌用的浆液封缝。⑦灌浆前先灌水。把水倒入贮浆罐中,灌注枪对准灌浆口,灌适量的水,以保证浆液畅通。也可将自来水直接对准灌浆口将水灌入。⑧灌浆。将配好的浆液倒入贮浆罐中,开动空气压缩机,灌注枪对准墙面上的灌浆口,自下而上逐步灌注。当灌下面的浆口,浆从上面口流出时,即用橡皮塞将下面口堵住,开始灌上面口。全部灌完待半小时后,要进行第二次补灌浆,灌浆顺序从上往下,必须全部灌严。⑨堵灌浆口。补灌浆完毕后,即用1:3水泥砂浆将灌浆口抹平。

(五)抹灰

抹灰可用作裂缝处理,也可用于砌体表面酥松等缺陷的处理及作为防水、防渗的措施。抹灰时应先清除或剔除墙体上松散部分,用水冲干净后再做抹灰处理。抹灰处理所用灰浆类型应根据墙体部位和抹灰层应起的作用而选用,如选用水泥砂浆、水泥混合砂浆、防水砂浆等。抹灰处理后对砌体的整体性、强度均能起到一定的作用。

(六)喷浆

用喷浆代替抹灰处理裂缝及因受腐蚀而酥松的砌体,具有更好的强度、抗渗性和整体性,特别是对裂缝的处理其效果更佳。

二、砖墙面腐蚀的修理

首先将已腐蚀的墙面,呈酥松的粉状腐蚀层清除干净。可用人工凿除,以钢丝刷清除浮灰、油污和尘土等,然后用压力水冲洗干净。

墙面腐蚀层清除后,要对墙面进行修复。对腐蚀严重已影响砌体强度的墙体应作局部或全部更换。对腐蚀一般的墙面,可根据防腐要求,加抹水泥砂浆、耐酸砂浆或耐碱砂浆面层;或改用沥青混凝土、沥青浸渍砖等修复。

受腐蚀介质侵蚀的墙面应设置防护层。一般墙面受气相腐蚀时,采用水泥砂浆抹灰解决;若腐蚀较严重时,可增涂耐腐蚀油漆或涂料,如醇酸漆、过氯乙烯漆、环氧漆等。

对于遭受液相腐蚀的砖砌墙面,并有冲洗要求时,应加设不低于1m的墙裙;墙裙面层材料可根据腐蚀介质的性质选用耐蚀材料。

三、砖砌体的局部拆除重砌

墙体局部腐蚀严重(截面削弱减少1/5以上)或出现严重的空鼓、歪闪、裂缝等现象,对安全已发生影响者，可采用局部拆除重砌（挖换）的处理方法。补砌的墙身应搭接牢固，咬槎良好，砂浆饱满。掏补用砂浆宜采用 M2.5 砂浆。

对严重腐蚀的多层房屋底部墙体，可采用“架梁掏砌”的方法，采取钢木支撑后，对腐蚀的墙身进行分段拆掏，每段长 1～1.2m，留出接槎，连续进行分段接槎掏砌，直至把腐蚀部分全部掏换干净，掏换部位的顶部水平缝采用坚硬的片材（如钢片）塞紧，并灌足 M5～M7.5 砂浆。

四、砖砌体结构的加固

砖砌体结构的承重构件（墙、柱、过梁、砖拱等）严重开裂、腐蚀、变形，经过鉴定已成为危险构件（见《危险房屋鉴定标准》CJ13—86），应对砖砌体结构进行加固。砖砌体结构的加固应当在技术鉴定和设计后才能进行。下面介绍几种常见的加固方法。

（一）墙、柱强度不足的加固

墙、柱强度不足，加固时应进行强度验算，确定补加承载能力的数值，从而选择加固方案和确定加固断面。其加固方法主要有以下几种：

1. 用钢筋混凝土加固

（1）增加钢筋混凝土套层。在砖柱或砖壁柱的一侧或几侧用钢筋混凝土扩大原构件截面。为了加强新增加的钢筋混凝土与原砖砌体的联系，原砌体各面每隔 1m 高左右加设一个销键，各面的销键要交错设置。套层除了直接参与承载外，还可以阻止原有砌体在竖向荷载作用下的侧向变形，从而提高原砌体的承载能力。见图 4-3。

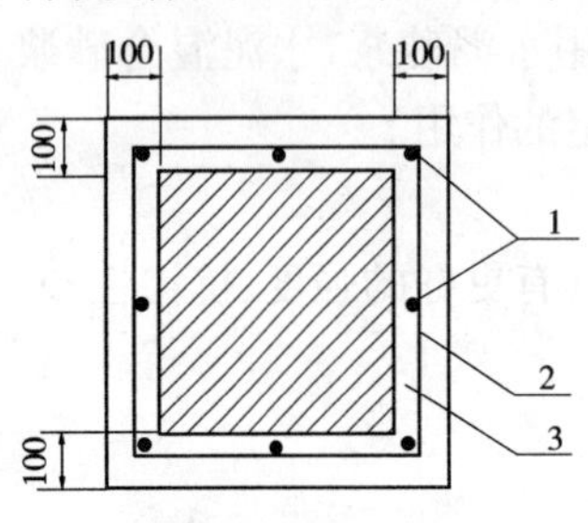

图 4-3 钢筋混凝土套箍加固砖柱（单位：mm）

1—主筋 8ϕ10；2—箍筋 ϕ6@200

（2）增设钢筋混凝土扶壁柱。在砖墙的单侧或双侧增设钢筋混凝土扶壁柱。采用此法加固，由于增大了截面，因此可以使砌体承受较大的荷载，同时对刚度、稳定性不足也能取得明显效果。见图 4-4。

（3）用钢筋混凝土扩大原扶壁柱截面。用钢筋混凝土加固扶壁柱时，常用三面增大截面的形式，见图 4-5。为了使加固的混凝土与原砖砌体结合牢固共同工作，必须设置钢筋拉结，拉结钢筋可用抹灰水泥砂浆、浇混凝土或用角钢与原砌体锚固，如图 4-5 中 1—1 剖面所示。加固混凝土的厚度及配筋，应通过计算确定，但加固混凝土厚度不宜小于 8cm，若按构造配筋其纵向钢筋可采用 ϕ10，间距 100mm，水平筋为 ϕ4～ϕ6，间距 150～200mm。为了确保新旧构件能很好地结合在一起，保证新浇混凝土的质量，施工时砖砌体要提前浇水保持湿润。混凝土的坍落度应稍大，一般以 7～9cm 为宜。新增加的混凝土要与原有梁、板底面结合紧密。

2. 用砌体增大墙、柱截面的加固

独立砖柱、砖壁柱、窗间墙及其承重墙，承载能力不够，但砌体尚未被压裂，或只有轻微裂缝者，可采用扩大砌体截面的方法，达到加固的目的。

其增大截面的方法有：在砖墙上增设扶壁柱，在独立柱、扶壁柱外包砌砖墙等。后增加砌体的断面，应满足补强的需要，所用砖的强度等级与原砌体相同，砂浆强度等级比原

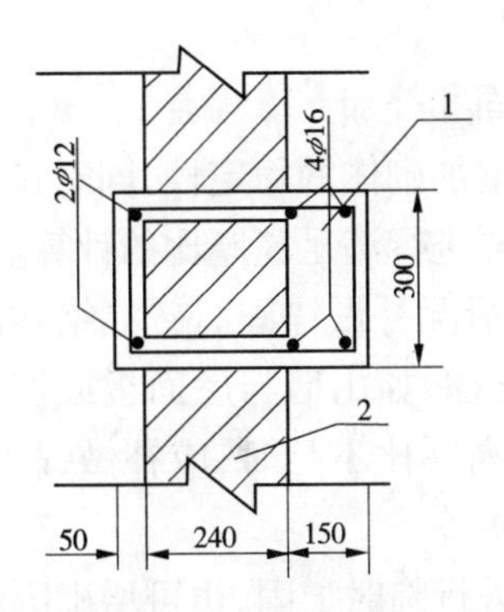

图 4-4 增设扶壁柱加固砖墙

1—现浇 C30 混凝土;
2—墙上每五皮砖凿孔,
孔径 φ30,放入 φ8 钢筋后
用砂浆填满

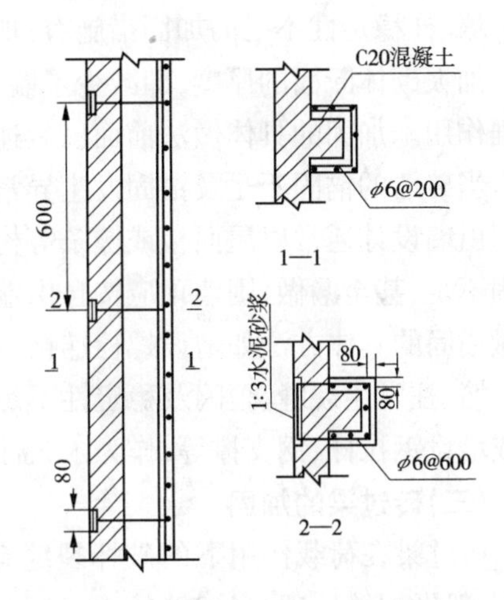

图 4-5 扩大扶壁柱加固砖墙(单位:mm)

砌体砂浆等级提高一级,且不能低于 M2.5,新旧砌体要结合牢固,使其能共同工作,因此,施工时要保证质量,并在新旧砌体之间埋设钢筋,加强相互拉结。断面增大后,如基础不能满足传力构造要求,需相应扩大基础。

3. *用配筋喷浆层或配筋抹灰层加固*

当砌体严重腐蚀,表层深度酥松,及砌体需要的加固断面厚度较小时,可采用配筋喷浆或配筋抹灰的方法进行处理。施工时先将原砌体表层清理干净,绑扎钢筋,提前浇水湿润,然后进行喷浆或抹灰。要注意对喷浆或抹灰层的养护,使其达到应有的强度。

4. *用型钢加固*

型钢加固适用于砖柱、窗间墙。用角钢包住各墙角,角钢之间焊以水平扁钢,组成钢套箍,如图 4-6。当窗间墙较宽时,宜在墙中部加设螺栓拉结,并设竖向扁钢。有美观要求者可抹灰覆盖。

这种加固方法用钢量大,但施工速度快,改变结构几何尺寸小。

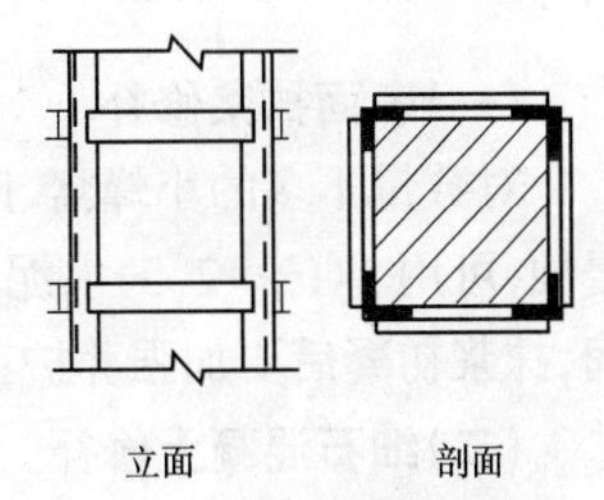

图 4-6 用型钢加固砖柱

5. *托梁换(加)柱加固*

当独立砖柱、窗间墙等承载能力与实际需要相差很大,砌体已严重开裂,有倒塌的危险,采用增大砌体断面补强已不能取得良好的效果时,应采用托梁换柱或托梁换墙的方法加固。

对于独立砖柱,宜采用托梁拆柱重砌,新砌的砖柱截面,应通过计算确定,并应在梁底处加设钢筋混凝土梁垫。

对于窗间墙,根据承受荷载大小及构造情况,可将原墙拆除重砌、增加扶壁柱或扩大原扶壁柱截面;也可拆除部分墙体,另设一根钢筋混凝土柱,其截面尺寸和配筋应通过计算确定。施工时要用支撑将上部结构撑起,并要采用相应的安全措施。旧有砖墙应拆成锯齿形以便新旧结构能很好地联结,同时要相应地增大柱子的基础。

(二)墙、柱稳定性不足的加固

墙、柱稳定性不足的加固措施有:加大断面厚度、加强锚固和补加支撑等。

加大砌体断面的厚度,即减少了墙、柱的高厚比,从而可增加砌体的稳定性,同时具有补强作用。加固的具体做法前面已叙述,并对增强的断面需要进行满足高厚比的计算。

当砖墙的锚固不足及锚固发生异常现象时,应根据具体情况补做锚固。砖混结构的房屋山墙设计通常以屋面板或檩条等构件作为墙顶的水平支撑,如山墙与屋面板或檩条锚固不足,甚至漏做,则墙顶应按自由端验算砖墙的高厚比,高厚比不足时,应补做锚固。补做锚固的具体方法如增设螺栓连接、增加埋设铁件进行焊接等。

墙、柱发生裂缝、歪闪及稳定性不足时,可加设斜向支撑进行临时加固,也可增砌隔断墙或增设钢拉杆、钢支撑等,作为永久性加固。

(三)砖过梁的加固

砖过梁在荷载作用下的破坏裂缝有垂直裂缝和斜向裂缝。当裂缝较小并已趋稳定时,一般做勾缝处理;当裂缝较大、发展较快或荷载很大时,应采取注浆法或其他加固措施。常采用的加固措施有:用现浇钢筋混凝土梁替代;用型钢楔入门窗上水平缝内支承原有过梁;用木制过梁替代和梁底补加钢筋抹灰等。

用现浇钢筋混凝土过梁代替时,要使混凝土与砖墙紧密接触,此法的加固设计概念清楚,但施工复杂。用各种预制梁代替时施工比较方便,预制梁与墙之间的空隙应注意用砂浆填实。木过梁代替和梁底补配筋抹灰的方法,仅用于跨度较小及承载较小的门窗过梁。

过梁替换的施工,应视过梁损坏情况和上部荷载的大小,采取必要的安全措施,如增设临时支撑,或墙内外侧分两次替换等。

第四节　钢筋混凝土和钢结构的修缮

一、混凝土缺陷的修补

(一)表面抹浆修补

对数量不多的小蜂窝、麻面、露筋、露石的混凝土表面,主要是保护钢筋和混凝土不受侵蚀,可用1:(2~2.5)水泥砂浆抹面修补。在抹砂浆前,须用钢丝刷或加压力水清洗湿润,抹浆初凝后要加强养护工作。

(二)细石混凝土修补

对混凝土中较大的蜂窝、孔洞、破损、露筋或较深的腐蚀等,可采用比原混凝土高一个强度等级的细石混凝土嵌填,嵌填后使新老混凝土密切结合。施工前,应先清除修补范围内软弱、松散的混凝土薄弱层和松动的石子,再将结合面凿毛,对缺陷区内钢筋进行检查,做好钢筋的除锈、整修或补配。施工时先用压力水将结合面冲洗干净,在润湿状态下,先抹上水泥浆一层,再分层填入细石混凝土并捣实。为了减少收缩变形,尽量采用干硬性混凝土,水灰比控制在0.5以内。为了加强新老混凝土的粘结,也可在细石混凝土内掺入万分之一水泥重量的铝粉。

(三)环氧砂浆或环氧混凝土修补

缺陷部分亦可根据需要采用环氧树脂配合剂进行局部修补,其优点是强度高、干硬快、抗渗能力强。但由于环氧材料价格较贵,且工艺操作要求高,通常只有在特别需要的情况下才使用。

(四)压力灌浆修补

对于不宜清理的较深、大的蜂窝或孔洞,可采取不清除其薄弱层而用水泥压浆的方法进行补强。首先要检查出混凝土结构的蜂窝、孔洞及不密实的范围,对较薄的构件,用小铁锤仔细敲击,听其声音;对较厚的构件,可做灌水检查,或采用压力水做试验;对大体积混凝土可采用钻孔检查。然后将易于脱离的混凝土清除,用水或压缩空气冲洗缝隙,或用钢丝刷仔细刷洗,务必把粉屑石渣清理干净,然后保持潮湿。施工时,先埋好压浆管,用1:3.5水泥砂浆来固定并养护3d,每一灌浆处至少两根管,管径为25mm,一根压浆,一根排气(水)。水泥浆液的水灰比为0.1~1.1,根据需要可掺入防水剂,或掺入水泥重量的1%~3%的水玻璃溶液作为促凝剂,用砂浆输送泵压浆,压力为0.6~0.8MPa,最小为0.4MPa。在第一次压浆初凝后,再用原埋入的管子进行第二次压浆。压浆完毕2~3d后割除管子,剩下的管子孔隙以水泥砂浆填补。

(五)喷浆修补

喷浆修补是指将水泥、砂和水的混合料,经高压通过喷嘴喷射到修补部位。主要适用于重要混凝土结构物或大面积的混凝土表面缺陷和破损的修补。喷浆法可以采用较小的水灰比,较多的水泥,从而获得较高的强度和密实度。喷射的砂浆层与受喷面之间具有较高的粘结强度,耐久性好,且工艺简单、工效较高,但材料消耗较多,当喷浆层较薄或不均匀时,干缩率大,容易发生裂缝。用于混凝土结构表层缺陷修补的喷浆法,一般是干料法,其工艺流程如图4-7所示。

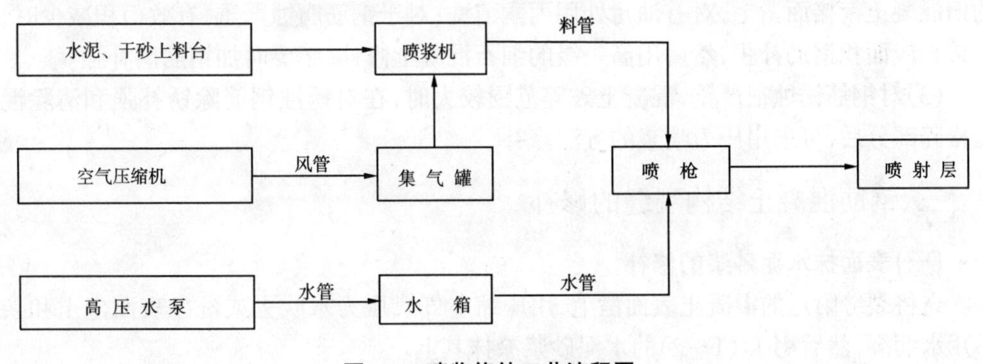

图4-7 喷浆修补工艺流程图

二、钢筋锈蚀的预防和维修

(一)钢筋锈蚀的预防

(1)预防钢筋的锈蚀,要阻止腐蚀介质和水(汽)、氧等侵入混凝土内。因此,对修缮工程的拆改部分要重视做好混凝土的浇筑工作,保证其密实度,这是防止钢筋锈蚀的重要措施之一。施工时要严格按规范要求进行混凝土的施工。在有严重的侵蚀性介质的处所,应适当增加保护层的厚度。对既有的房屋建筑结构，如混凝土质量不良和现场侵蚀性介质比较严重时，可在构件外表面涂抹绝缘层如沥青漆、过氯乙烯漆、环氧树脂涂料等，进行防护。

(2)对于室内有侵蚀性气体、粉尘等介质，或相对湿度较大时，则应采取加强通风的措施，如改善门窗布置，加设机械通风装置等，以消除或减弱它们对钢筋锈蚀的作用。

(3)浇筑钢筋混凝土结构，应严格按施工规范控制氯盐用量，对禁止使用氯盐的结构，如预应力、薄壁、露天混凝土结构等处，则绝不使用，以防止钢筋锈蚀。

(4)在所浇筑的混凝土内加入适量的缓蚀剂，如亚销酸钠等，可以消除或延缓钢筋的锈蚀。

(5)防止杂散电流的腐蚀。首先，应杜绝和减少直流电流泄漏到钢筋混凝土结构中和地下土壤中去，如改善载流设备的绝缘；其次，要提高混凝土构筑物和钢筋的绝缘性能；必要时，可对结构采取阴极保护措施，将被保护物体(金属、钢筋等)通以直流电进行极化，以消除或减少钢筋表面腐蚀电池的作用(这类电化学防护方法，已多用于海洋中的结构或导电性较好的土壤中的构筑物)。

(6)防止高强钢丝的应力腐蚀和脆性断裂。可采用在钢筋表面涂刷有机层(如环氧树脂等)和镀锌的措施，然后再浇筑混凝土。锌保护层较为可靠而不易损伤，并可用在保护薄壁结构的绑扎和焊接配筋网的高强粗钢筋上。

(二)钢筋锈蚀的维修

(1)当钢筋锈蚀尚不严重，混凝土表面仅有细小裂缝，或个别破损较小时，则可对混凝土裂缝或破损处进行封闭或修补。

(2)当钢筋锈蚀严重，混凝土裂缝破裂，保护层剥离较多时，应对结构做认真检查，必要时先采取临时支撑加固，再凿混凝土腐蚀松散部分，彻底清除钢筋上铁锈，将需做修补的旧混凝土衔接面凿毛，对有油污处用丙酮清洗；对于钢筋腐蚀严重，有效面积减少时，应焊接相应面积钢筋补强，然后用高一级的细石混凝土修补，必要时加钢筋网补强。

(3)对钢筋锈蚀很严重，混凝土破碎范围较大时，在对锈蚀钢筋除锈补强和清除混凝土松碎部分后，可采用压力喷浆的方法修补。

三、钢筋混凝土结构裂缝的修补

(一)表面抹水泥砂浆的修补

先将裂缝附近的混凝土表面凿毛，用压缩空气或压力水吹去或洗净表面尘土和杂物后用水润湿，然后用1:(1~2)的水泥砂浆涂抹其上。

(二)环氧树脂配合剂修补

对各种大小的稳定裂缝或不规则龟裂，可分别情况用环氧树脂的各种配合剂进行修补。用于混凝土修补的环氧树脂配合剂有：环氧粘结剂、环氧胶泥、环氧砂浆、环氧浆液等，其配方见表4-4。

在涂刷环氧树脂配合剂前，应先将修补部分的混凝土表面处理干净，去掉油污，并在裂缝部位用丙酮或酒精擦洗；必要时亦可用水清洗，但一定要待混凝土表面干燥后，才能涂刷环氧配合剂。

表 4-4　　　　　　　　　　　　　　**各种配合剂配合比**

配合剂名称	用途	重量比									
		主剂	增塑剂			稀释剂	固化剂	粉料(填料)		细骨料	粗骨料
		环氧树脂 6101 号 (E—44)	邻苯二甲酸二丁酯	煤焦油	环氧氯丙烷	二甲苯或丙酮	乙二胺	石英粉或滑石粉	水泥	砂	石子
环氧浆液	压灌用浆液	100	10			30～40	8～12				
环氧粘结剂	封闭裂缝	100	(10) 25			(40～60)	8～10				
	用作修补的粘结层	100				15	10				
环氧胶泥	固定灌浆嘴封闭裂缝	100	10～25				8～12	(0) 100～250	(100～250)		
	涂面及粘贴玻璃布	100	10			30～40	10～12	25～45			
	修补裂缝、麻面、露筋、小块脱落	100	30～50				8	(0) 300～400	(250～450)		
环氧砂浆	修补表面裂缝	100	10～30				10		200～400	300～400	
	修补蜂窝	100	20				8		150	650	
	修补大蜂窝、大块脱落	100		50			8～10		200	400	
环氧混凝土	修补大蜂窝	100	30		20		10		100	300	700

注　表中()内数字为亦可选用的配比数据。

对宽度在 0.1mm 以下的发丝裂缝或不规则龟裂，可用环氧粘结剂涂抹封闭，防止渗水或潮气侵入。对于 0.1～0.2mm 宽的裂缝可用环氧胶泥(如环氧水泥)修补。对 0.2mm 宽以上的裂缝用环氧胶泥或环氧砂浆修补。采用环氧砂浆修补裂缝见图 4-8。

(三)化学压浆修补

将化学浆液以一定的动力压灌入裂缝。常用的化学浆液有：环氧树脂浆液、甲凝(主剂为甲基丙烯酸甲酯)浆液、丙烯酰胺浆液等。甲凝的可灌性好，可灌入 0.05mm 宽的缝隙中，但具有怕水、怕氧的缺点。环氧树脂浆液可用于 0.1mm 宽以上的裂缝中。

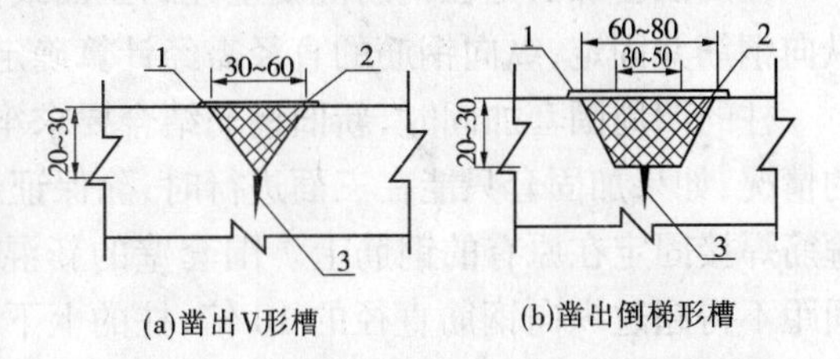

图 4-8　混凝土裂缝扩缝并用环氧砂浆修补示意图

1—环氧粘结剂；2—环氧砂浆；3—裂缝

在房屋建筑构件裂缝的修补上，目前采用环氧树脂化学浆液较普遍。此外也可用水泥压浆法修补较大的裂缝(如宽度大于1mm的裂缝)。

(四)表面喷浆修补

喷浆修补是在经凿毛处理的裂缝表面，喷射一层密实而且强度较高的水泥砂浆保护层来封闭裂缝的一种修补方法。(可参考前述有关内容)

(五)表面粘贴修补

用胶粘剂把玻璃布或钢板等材料粘贴在裂缝部位的混凝土面上，达到封闭裂缝目的的一种修补方法。

四、钢筋混凝土结构的加固

当钢筋混凝土构件成为危险构件时，应当对其进行加固。危险构件鉴定标准见《危险房屋鉴定标准》CJ13—86。

钢筋混凝土构件的加固，应在通过对构件或结构的变形、裂缝的检查和观测，对其使用状态和周围环境的调查，以及对有关资料的验算、分析、查找问题关键的基础上进行。加固方法应力求经济合理、简易可靠，使加固后的构件或结构恢复正常使用功能。

(一)梁的加固

由于混凝土缺陷或钢筋锈蚀而使抗弯、抗剪强度减弱或刚度不足的梁，可以采用增焊钢筋、加大梁高或梁宽、包套的加固方法，恢复梁的承载能力。对抗弯强度减弱不大的梁，一般只需取掉保护层，在纵向主筋下面焊上一定数量的附加钢筋，重做保护层即可。对抗弯或抗剪强度减弱幅度较大的梁，则需加大梁高或梁宽与梁高同时加大，并相应地增加附加钢筋。对缺陷严重，质量差的梁，可采取三面或四面包套新的钢筋混凝土套层的方法进行加固，此时大部分或全部荷载由新的套层承担。

(二)板的加固

板的加固可采用增加板厚或增设支点，减小板跨的方法来加固。通过增加板厚，提高板的抗弯强度、增大板的刚度；通过增设板跨支点，减小板跨，改变板的支承方式，来减小板中的弯矩，提高板的承载力。

(三)柱的加固

柱的加固常采用设置围套层或型钢加固的方法。

1.柱的围套加固

柱的围套加固是在钢筋混凝土柱的三面或四面加设钢筋混凝土套层，套层内需设置纵向钢筋并固定，纵向钢筋的直径需经计算确定。

柱的四周围套加固时，新旧钢筋结合要求牢靠，补强效果可靠，适用于原柱损坏严重的情况；如果加固套只能在三面进行时，除保证新旧混凝土的良好结合外，还应将补加的箍筋焊接固定在原有的钢筋上。围套壁的新混凝土厚度不应少于50mm，围套内箍筋的间距不得超过纵向钢筋直径的10倍，柱的上下端围套与楼板或基础联结处的50cm范围内，箍筋应加密，其间距为纵向钢筋的5倍。柱子可沿全高加固，也可在受力过大或受到局部损坏的部位进行局部加固，其加固截面单侧或双侧增厚一般不小于100mm，局部加固时围套层两端要伸过破坏区段不小于50cm。

2. 柱的型钢加固

柱的型钢加固是用型钢沿柱的四周套箍加固。用型钢套箍加固，可以提高构件的刚度和承载力，同时也可以防止裂缝的继续扩大。加固时采用等边或不等边角钢并用扁钢或小角钢作连接，焊成钢套箍紧密包围在钢筋混凝土柱外面，与钢筋混凝土柱共同工作。型钢加固的优点是加固快，构件截面增大不多，工作安全可靠，补强效果好。

第五节　房屋结构的养护

一、砖砌体结构的养护

砖砌体结构养护工作有以下几个方面：

(1)定期检查，加强对砌体结构受潮和受腐蚀情况的观测和监视，查明原因并及时采取措施。

(2)房屋的给排水设施要保持完好，不渗不漏，发现问题及时修复；对潮湿房间的防水面层及屋面防水面层的损坏也应及时修理。

(3)保持室外场地平整和排水坡度，防止建筑物周围积水。

(4)禁止在墙上随意开洞，又不加防护措施，使墙体结构受侵蚀，减弱其承载能力。

(5)发现地基基础发生损坏，出现不均匀沉降时要及时进行加固处理，以免造成结构损坏或扩大损坏。

(6)屋面架空隔热层、保温层、屋面柔性分格缝发生损坏要及时修复，减少和稳定温度裂缝发展。

(7)避免使用房屋时不按设计要求，随意超载，若要改变房屋用途或改造应先进行验算，并进行必要的加固处理。

二、钢筋混凝土结构的养护

钢筋混凝土结构的养护要做好以下几方面的工作：

(1)对混凝土结构的变形缝、预埋件、给排水设施等的使用情况，应进行定期检查。发现腐蚀、渗漏、开裂和垃圾杂物积污等情况要及时处理。对在混凝土结构上任意开凿孔洞的，要及时制止。对易受碰损的混凝土部位，应增设必要的防护措施。

(2)钢筋的混凝土保护层损坏要及时修补，以防钢筋锈蚀。若房屋室内外环境中存在侵蚀性介质，可在构件表面涂抹耐腐蚀层如沥青漆、过氯乙烯漆、环氧树脂涂料等进行防护。

(3)做好对屋面隔热层、保温层、室外排水设施以及地基基础等的维护工作，发现问题及时处理，避免和减小由此产生的对结构的不利影响。

(4)房屋的使用应满足设计要求，不得随意改变用途、超载甚至对结构进行改造。

第五章　楼地面工程的维修与养护

第一节　楼地面工程的主要形式

房屋的楼地面根据面层材料和施工方法的不同可分为：现浇类、镶铺类、涂料类和木地面等类型。楼地面起到保护楼地层结构，改善房间使用质量和增加美观的作用。与墙面装饰不同的是它与人、家具、设备等直接接触，承受荷载并经常受到磨损、撞击和洗刷，比墙面装饰层有更高的要求。

现浇类楼地面包括水泥砂浆、细石混凝土楼地面及现浇水磨石楼地面。

水泥砂浆楼地面又称水泥地面，一般是用普通硅酸盐水泥、砂子在现场配制抹压而成。它有双层和单层做法。双层做法是在楼地面基层上，先以15～20mm厚1∶3水泥砂浆为底层，再以5～15mm厚1∶1.5或1∶2水泥砂浆抹面、压光；单层做法是先在基层上抹素水泥浆一道做结合层，然后直接抹15～20mm厚1∶2或1∶2.5水泥砂浆。双层做法可减小由于材料干缩产生裂缝的可能性。

细石混凝土楼地面的做法是把拌制好的混凝土现浇在基层上捣实抹光而成。它具有强度高、干缩值小、地面整体性好等优点。但厚度较大，一般为30～40mm。

现浇水磨石楼地面均为双层构造。其做法是先在基层上抹约20mm厚的水泥砂浆打底、找平，然后浇10～12mm厚水泥石子浆面层，养护3～6d以后用磨石机磨光，打蜡保护。见图5-1。

图5-1　水磨石地面

1—3mm厚玻璃条（金属条）；2—现浇水泥石膏浆

3—1∶1水泥砂浆

镶铺类楼地面是用瓷砖、锦砖、水泥砖以及预制水磨石板、大理石板、花岗岩板等铺筑在基层上而成。用陶瓷类铺贴的地面构造如图5-2所示。

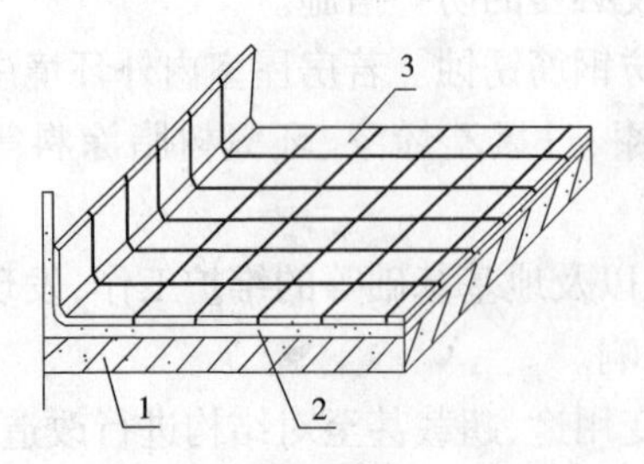

(a)缸砖或瓷砖地面

1—结构层；2—水泥砂浆结合层；3—缸砖面层

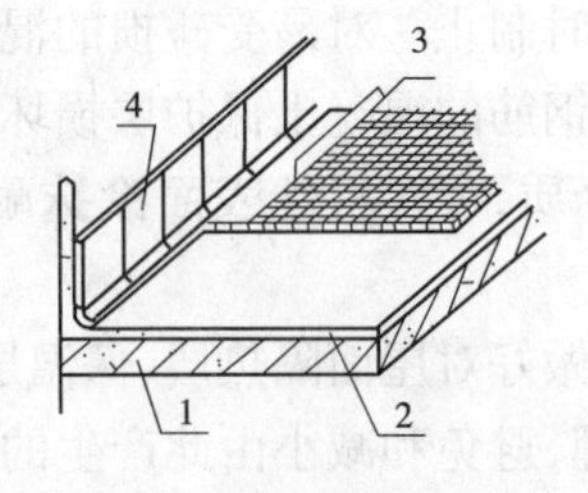

(b)陶瓷锦砖地面

1—结构层；2—水泥砂浆结合层；3—牛皮纸；4—瓷砖踢脚

图5-2　陶瓷类地面

涂料类地面是把涂料(如地板漆)直接涂布在水泥地面上,但漆膜易破损、脱落,比较少用。

空铺木地板在地层和楼层的做法不同。在地层时要设空铺地层,即在地层面上砌地垅墙(或砖垛),设沿游木,架设木龙骨,然后做木地面(图 5-3)。在楼层上空铺木地板,一般不设地垅墙,其他做法与在地面上空铺木地板相同。

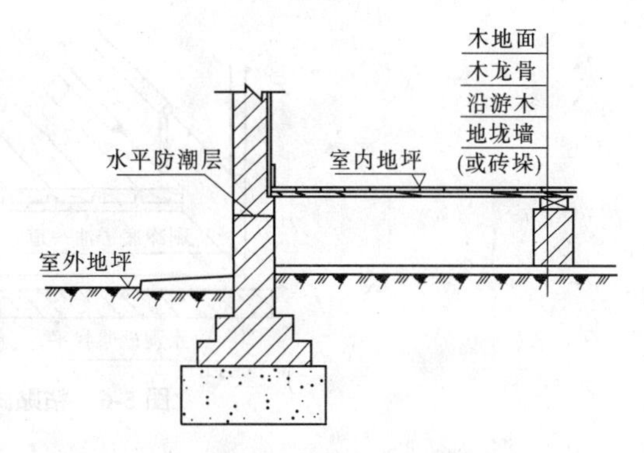

图 5-3　地层空铺木地板

实铺木地面是直接在实体基层上铺设地板。先将木龙骨借预埋在结构层中的 U 形铁件固定或用铁丝扎牢,再在龙骨上铺钉单层长条木板(图 5-4)或 45°斜铺木板,然后按设计图案拼铺硬木面板(图 5-5)。龙骨截面一般为 50mm×50mm,中距 400mm,每隔 800mm 左右设横撑一道。地层地面为了防潮,须在垫层上刷冷底子油和热沥青各一道。为使地面下空间保持干燥,应作通风处理,常在踢脚板上设通风口,与龙骨空间相通。

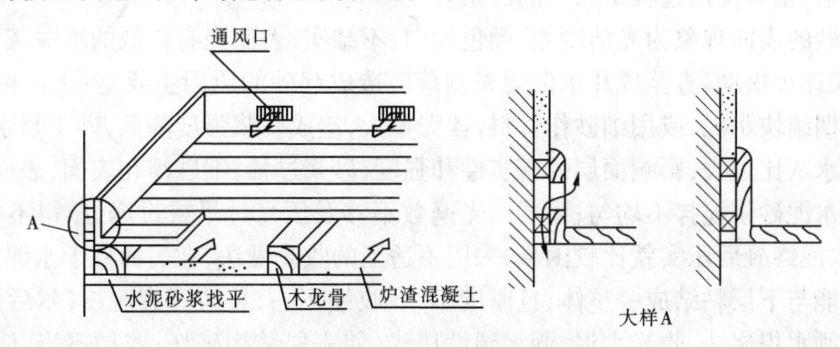

图 5-4　木龙骨单层地面

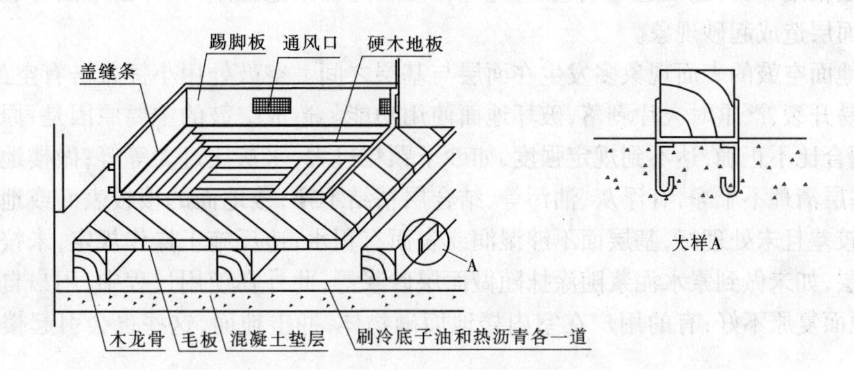

图 5-5　木龙骨双层地面

硬木地面也可直接粘贴在结构层或垫层的找平层上,施工方便。粘结剂以用专用胶粘剂为宜(图 5-6)。

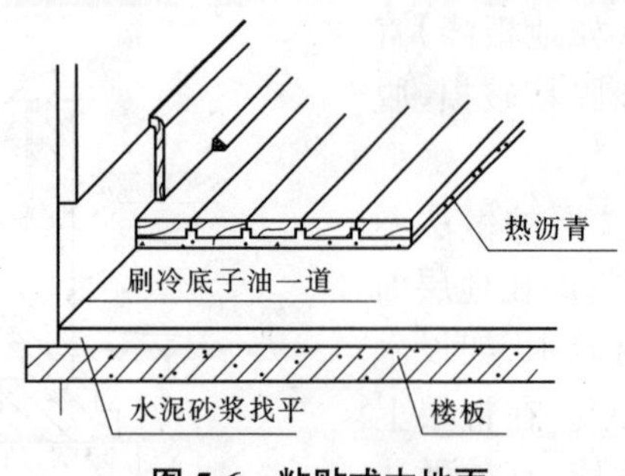

图 5-6 粘贴式木地面

第二节 水泥砂浆地面的维修

一、水泥砂浆楼地面的损坏形式及产生原因

水泥砂浆楼地面常见的损坏的主要形式有起砂(粉)、空鼓和开裂。产生的原因有施工方面的因素,也有使用过程中人为的因素。

地面起砂的表面现象为光洁度差、颜色发白、不结实,表面先有松散的水泥灰,随着走动增多,砂粒逐步松动,直至成片水泥硬壳剥落。造成起砂的原因主要是:水泥标号不足或使用了过期结块水泥,或用细砂作骨料,含泥量大,造成砂浆强度降低,砂子与水泥胶结差,易起砂;水灰比过大,影响面层的密实性和强度,砂浆过稀,细砂浮在表面,表面强度降低,易起砂;水泥砂浆搅拌不均匀;面层压光遍数不够及压光过早或过迟,压得不实,强度降低,如在水泥终凝后压实就比较困难;采用不适当的收光做法,在表面撒干水泥粉,使表面水泥浆不能与下层粘结成一整体,且厚度不一、收缩不一,导致开裂脱皮,尔后起砂;采用不适当的洒水提浆法,收光太迟,洒水硬性压光,使表层结构破坏;养护不当,使水泥砂浆迅速干燥,强度降低或骤然收缩,面层龟裂及起砂;底层的找平层砂浆强度太低,致使面层和底层粘结不良,造成起壳或起砂;此外在使用过程中拖拉重物、冲击地面等也都会损坏地面面层造成起砂现象。

楼地面空鼓的表面现象多发生在面层与基层之间。空鼓处用小锤敲击有空鼓声,受力时容易开裂,严重时大片剥落,破坏地面使用功能。造成空鼓的主要原因是:原材料质量差,配合比不正确,达不到规定强度,如砂子颗粒过大,水灰比过大等等;做楼地面的面层前,基层清理不干净,有浮灰、油污等,结合层粘结不牢;楼地面的楼板表面或地面垫层平整度较差且未处理好,基层面不够湿润或表面有积水;违反施工操作规定,未按要求做好保护层,如未做到素水泥浆随涂抹随做面层砂浆等;此外在使用过程中,用户自行改造房屋,地面复原不好;有的用户在室内楼地面砸物体,冲击地面,这些也会引起楼地面的空鼓。

楼地面裂缝的现象多发生在楼板支座、板缝之处,产生裂缝的主要原因是:地基基础不均匀沉降,楼板支座产生负弯矩,使楼地面产生裂缝;楼板的板缝处理粗糙,降低了楼板的整体性,使楼面产生裂缝;大面积的水泥砂浆抹面,没有设置分格缝,使楼地面产生收缩裂缝;原材料质量低劣,如水泥标号低或失效等使楼地面产生裂缝;使用不当,如在楼地面上劈柴、锤打、堆放重物等，使楼地面产生裂缝。

二、水泥砂浆楼地面的维修

水泥砂浆楼地面出现起砂、空鼓和开裂，会影响房屋的美观和正常使用，如果是厨房、卫生间还会出现积水、渗漏等问题，因此要及时进行维修。

（一）起砂的维修

修理时如面层起砂的面积较小时，先把起砂部分铲除，清理出坚硬的表面，重做水泥砂浆面层。如面层起砂的面积较大时，可做一层107胶水泥浆面层，其具体做法为：首先将面层浮砂清除干净，并用水湿润；其次底层刮一遍胶浆，胶浆的配合比为水泥∶107胶＝1∶0.25，加水适当调至胶状，用刮板刮平；其三是待底层胶浆初凝后，刷面层胶浆2～3遍，每刷一遍面胶之前，经打磨平整光滑，面层胶浆的配合比为水泥∶107胶＝1∶0.25，加水适量；其四是面层终凝后，进行养护。当起砂情况较重时，可用钢丝刷将起砂部位的面层清刷干净，用水充分湿润后抹107胶水泥浆，其配合比可选107胶∶水泥∶中砂＝1∶5∶2.5，厚度以3～4mm为宜，抹好待砂浆终凝以后，覆盖锯末洒水养护7d。如起砂较轻可用107胶水泥浆涂抹，按107胶∶水泥＝1∶2的配合比拌和后，第一遍涂刷厚0.5mm左右，第二天再涂刷第二遍厚1～2mm，然后覆盖锯末洒水养护7d。

（二）空鼓的维修

对局部空鼓、开裂现象，修补时应将损坏部位的灰皮，用锋利的錾子剔除掉，并将四周凿进结合良好处30～50mm，剔成坡槎，用水冲洗干净，补抹1∶2.5水泥砂浆。如厚度超过15mm时，应分层补抹，并留出3～4mm深度，待砂浆终凝后，再抹3～4mm厚107胶水泥砂浆面层，并用铁抹子压光。待面层终凝后覆盖锯末洒水养护。如整间楼地面普遍空鼓开裂时，应铲除整个面层，将基层面凿毛，按水泥砂浆楼地面的施工要求重做。

（三）开裂的维修

伴随空鼓出现的开裂，按空鼓的维修方法进行；对于由于地基基础不均匀沉降引起的裂缝，应先整治地基基础，再修补裂缝；对预制板板缝出现的裂缝，可将板缝凿开，适当凿毛清理干净，在板缝内先刷纯水泥砂浆，然后浇灌细石混凝土，面层抹水泥砂浆压平压光；对于一般的裂缝，可将裂缝凿成V型，用水冲洗干净后，用1∶(1～1.2)的水泥砂浆嵌缝抹平压光即可。对于大面积裂缝，且影响使用的面层应铲除重做，具体方法如下：首先铲除有裂缝的面层，清扫干净，并用水浇湿润；其次是在找平层或垫层上刷1∶1水泥砂浆一道，然后用1∶3的水泥砂浆找平，挤压密实，使新旧面层接缝严密；三是待找平后，撒1∶1干水泥砂子，随撒随压光，一次成活；四是待面层做好后，当用指甲在面层上刻划不起痕时，浇水养护。

（四）水泥砂浆地面维修的质量要求

(1)水泥砂浆的强度和密度符合设计要求。

(2)面层和基层结合牢固。用小锤轻击检查，在一个检查范围内出现空鼓不应多于两处，每处空鼓的面积不应大于400cm^2。

(3)水泥砂浆面层表面洁净，无裂纹、麻面、起砂等现象。

(4)作局部修补时，新旧水泥砂浆面层交接处应密实、结合牢固、平顺。

(5)地漏及泛水处维修后坡度符合设计要求，不倒泛水，无渗漏，无积水，与地漏、管道结合处严密平顺。

(6)平整度等偏差应小于表5-1的允许值。

表5-1　水泥砂浆面层的允许偏差和检验方法

项　目	允许偏差(mm)	检验方法
表面平整度	4	用2m靠尺和楔形塞尺检验
踢脚线上口平直度	4	拉5m长线，不足5m拉通线尺量检验
格缝平直度	3	拉5m长线，不足5m拉通线尺量检验

第三节　水磨石楼地面的维修

一、水磨石楼地面的损坏形式及原因

现浇水磨石楼地面的损坏形式主要表现为地面裂缝、表面光泽度差和细洞眼多、分格条及其周围石子显露不清不均、分格块死角空鼓等。

现浇水磨石地面产生裂缝的原因主要有：①地面回填土没有夯实、基层过冬时受冻未融陷使地面产生裂缝。②基础的大放脚顶面离室内地面较近，造成垫层厚薄不均匀，楼地面受荷载作用或温度变化较大而产生裂缝。③楼地面的基层清理不干净，预制混凝土楼板的板缝和端头板缝浇灌不密实，楼板的整体性和刚度较差，当楼地面承受过于集中的荷载时而产生裂缝。④楼地面的暗敷电线管线过高，管线周围的砂浆固定不好，造成楼面的水磨石面层开裂。

现浇水磨石地面产生光泽度差和细洞眼多的原因主要有：①铺设水磨石地面时使用刮尺刮平，由于水泥石子浆中石子成分较多，如果用刮尺刮平，则高出部分的石子被刮尺刮走，出现水泥浆和石子分布不均匀的现象，影响楼地面表面的光泽度。②磨光时磨石规格不齐，使用不当。水磨石楼地面的磨光遍数一般不应少于三遍(俗称“二浆三磨”)，但是在施工中，金刚石砂轮的规格往往不齐，对第二遍、第三遍的磨石要求重视不够，只要求石子、分格条显露清晰，而忽视了对表面光泽度的要求。③打蜡前未涂刷草酸溶液除去楼地面表面的杂物或将粉状草酸撒于楼地面表面干擦，未能使草酸涂擦均匀和面层洁净一致，使楼地面表面光泽度较差。④当磨光过程中出现面层洞眼空隙时，未能采取有效的补浆措施，从而影响楼地面的光洁度。⑤在使用过程中，由于堆垛物品过多，搬运物品的方法不当等原因，损坏楼地面的面层。

现浇水磨石地面产生分格条及其周围石子显露不清不均的原因主要有：①面层水泥石子浆铺设厚度太厚，超过分格条较多，使分格条难以磨出，显露不清。②铺好面层后，磨石不及时，水泥石子面层强度过高，使分格条难以磨出，显露不清。③第一遍磨光时，所用的磨石号数过大或磨光时用水量过大，使磨损量过小而不易磨出分格条，显露不清。④分格条粘贴操作方法不正确。由于用来粘贴分格条的砂浆过高过多，当其达到一定强度后

再铺设面层的水泥石子浆时，石子就不能靠近分格条，所以磨光后，分格条周围就没有石子，出现局部的纯水泥面层。⑤滚筒的滚压方法不当，仅在一个方向来回碾压，与滚筒碾压方向平行的分格条两边不易压实，容易造成浆多石子少的现象。

二、现浇水磨石楼地面的缺陷的维修与防治

水磨石楼地面由于是带水作业，对周围环境有一定影响，维修起来比较麻烦，因此要尽量避免由于施工原因造成的损坏。在施工时，要严格按水磨石楼地面的施工要求进行，施工中造成的损坏尽量在投入使用前修补好。在使用过程中发现地面损坏而影响正常使用，必须进行修补时，可以参照前述水泥砂浆楼地面的维修方法，进行局部或全部铲除地面重做，但材料的选择应与原地面相同，特别是彩色地面尤其要注意。水磨石面层的修补施工也要严格按照水磨石楼地面的施工要求进行。

(一)现浇水磨石地面裂缝的维修

当现浇水磨石地面产生较小的裂缝不影响使用时，可不修缮；当裂缝较宽且影响使用时，先分析产生裂缝的原因和做好方案，再铲除损坏的面层，最后按照以下方法修缮：①清扫干净垫层，并洒水湿润。②在垫层上镶嵌玻璃或铜质分格条。③刷素水泥浆一道作为结合层。④铺摊水泥石子浆[水泥∶石子＝1∶(2～3)]，厚10～15mm；在分格条两旁及交角处须铺平拍实，铺摊高度超过分格条1～2mm。⑤在水泥石子浆上均匀地撒一层较粗的纯石子，拍平作为水磨石的面层。⑥当面层干硬(1～3d)后就可以磨光。磨光的具体步骤是：先用40～60号粗砂轮磨石磨第一遍，边浇水边磨，磨到露出的石子均匀；再用80～100号细砂轮磨石磨一遍，并用清水冲净；最后擦一层水泥浆把砂眼堵严，把掉落的石子补平，24h后浇水养护；5d以后，用150～180号砂轮磨石磨第三遍，磨完后再用220～280号油石磨光，用清水冲净。

(二)现浇水磨石地面表面光泽度差和细洞眼多的防治

(1)铺设水磨石面层时，如出现局部过高，应用铁抹子或铁铲将高出的部分挖出一部分，然后用铁抹子将周围的水泥石子浆拍齐抹平。

(2)打磨时，磨石规格应齐全，对外观要求较高的水磨石楼地面，应适当提高第三遍的油石号数，并增加磨光遍数。

(3)打蜡之前，应涂擦草酸溶液(按重量比热水∶草酸＝1∶0.35)，并用油石打磨一遍后，用清水冲洗干净。禁止采用撒粉状草酸后干擦的施工方法。

(4)当磨光过程中出现洞眼空隙时，禁止使用刷浆的施工方法(因刷浆法仅在洞眼上口有一层薄层浆膜，打磨后仍是洞眼)，应用干布蘸上较浓的水泥浆将洞眼擦实。擦浆时，洞眼中不得有积水、杂物，擦浆后要有足够的时间等条件进行养护。

(5)在使用过程中，注意采用正确的方法堆垛和搬运物品。严禁直接在楼地面表面上推拉物品，以免物品摩擦楼地面，影响楼地面的光泽度。

(6)对于表面粗糙，光泽度差的水磨石楼地面，应重新用细金刚砂轮磨石或油石打磨一遍，直至表面光滑为止。

(7)现浇水磨石地面的洞眼很多时，应重新用擦浆的方法补浆一遍，直至打磨后清除洞眼为止。

(三)现浇水磨石地面分格条及其周围石子显露不清的防治

(1)控制面层水泥石子浆的铺设厚度,虚铺高度一般比分格条高出5mm为宜,待用滚筒压实后,则比分格条高出约1mm,第一遍磨完后,分格条就能全部清晰外露。

(2)现浇水磨石楼地面施工前,应准备好一定数量的磨石机。第一遍磨光(应注意磨光速度与铺设速度协调)应用磨石号数小的粗金刚砂磨石,以加大其磨损量。同时,磨光时应控制浇水的速度,浇水量不应过大,使面层保持一定浓度的磨浆水。

(3)正确掌握分格条两边砂浆的粘贴高度和与水平方向的夹角(砂浆高度约为分格条高度的2/3,且做成与水平方向成30°的斜坡),并粘贴牢固。

(4)用滚筒滚压时,应在两个方向反复碾压。如果碾压时发现分格条周围的浆多石子少,应立即补撒石子,尽量使石子密集,再反复碾压。

(5)如果磨光时间过迟或铺设厚度过厚而难以磨出分格条时,可在砂轮下撒些粗砂,以加大其磨损量,既加快磨光速度,又容易磨出分格条。

(四)现浇水磨石地面维修的质量要求

(1)材料的强度、密度应达到设计要求。

(2)面层与基层结合牢固,无空鼓。

(3)表面光滑,无裂纹、砂眼和磨纹,石粒密实、显露均匀;颜色图案一致,不混色;分格条牢固、顺直和清晰。

(4)作局部修补时,新旧面层交接处应牢固,结合密实、平顺,图案、花纹吻合。

(5)地漏和泛水坡度符合设计要求,不倒泛水,无积水,与地漏、管道结合处严密平顺。

(6)水磨石面层的偏差不超过允许值。水磨石面层的允许偏差见表5-2。

表5-2　　水磨石面层的允许偏差和检验方法

项目	允许偏差(mm)		检验方法
	普通水泥石	高级水泥石	
表面平整度	3	2	用2m靠尺和楔形塞尺检验
踢脚线上口平直度	3	3	拉5m长线,不足5m拉通线尺量检验
格缝平直度	3	2	拉5m长线,不足5m拉通线尺量检验

第四节　板块楼地面的维修

板块地面是指利用板材或块材铺贴而成的地面。按地面材料不同有大理石和花岗岩等石板地面、釉面砖和陶瓷锦砖等陶瓷板块地面、水泥花阶砖板块地面、塑料地板砖地面、木板块地面等。本节介绍除木地板以外的其他板块地面,木板块地面在下一节单独介绍。

一、板块楼地面的损坏形式及产生原因

用大理石、花岗岩、预制水磨石块、釉面砖、水泥花阶砖、陶瓷锦砖及塑料地板砖等铺贴而成的板块楼地面是传统的地面做法,当铺贴施工不善或使用不当时,会使板块地面产

生缺陷和损坏。板块地面缺损的形式主要表现为板块面料与基层空鼓、面砖松动、开裂及相邻两板高低不平整和错缝等。

面层与基层出现空鼓、面砖松动的主要原因有:①基层处理不善。如基层残留泥浆、浮灰或积水造成隔离;或基层湿润不充分;水泥浆涂刷不均匀。②预制板块背面原有的隔离剂(层)没有完全刷除;应湿润的釉面砖、水泥花阶砖铺贴前没有浸水湿润,或没有充分湿润;也有一边施工,一边把面砖浸水,砖上明水未干就进行铺贴,明水会起隔离作用。③水泥砂浆配比不当,砂浆或干或稀,均能使面砖粘结不牢。④陶瓷锦砖铺贴前没有用毛刷蘸水刷去表面灰尘。⑤大理石、花岗岩、预制水磨石块铺贴时结合层砂浆过薄、结合层砂浆不饱满。⑥塑料地板未作除蜡处理,涂胶不匀或有漏涂之处。

贴面砖(板)出现各种裂缝的主要原因是空鼓造成的,另一个原因是面砖(板)本身质劣所致。

相邻两板产生高低不平整、缝宽不均匀、板块错缝的主要原因有:①贴面砖(板)本身不合格,有翘曲或规格尺寸不一。②铺贴操作不当。如铺贴面(板)砖时施工时未严格按挂线标准对缝,没有控制好平整度,造成接缝高低不平,缝宽过大,缝隙不均匀等。③粘结层砂浆拌和不均匀,致使局部不密实,在受力后产生沉降差,造成高低不平。④铺贴后过早上人行走或踩踏或堆物品,甚至造成板块松动。

二、板块楼地面的维修

板块楼地面出现以上损坏形式会影响地面的美观和正常使用。空鼓还会造成板块受力不匀而断裂。

对于空鼓、松动的面砖一般维修的方法是将其全部拆除重铺或更换新的面砖。对于大面积或较大面积的地面出现的各种开裂,一般采用重铺新的板块来处理;若是小面积的开裂,可用掺 107 胶的白水泥浆或高分子密封材料嵌补裂缝。若是基层的问题,应该铲除面料对基层重新处理。维修时应根据不同面料严格按施工要求进行。应当注意的是更换面料时,应与原面料的质量、规格、色彩、图案相一致,否则会影响美观,最好在施工时能保留一部分板块面料以备以后维修时使用。

当接缝高低差过大或缝宽不均匀时,应检查是施工操作不当,还是砖不合格,针对原因进行修复。修复方法是先掀起要返修的面砖(板),凿除原粘结层,刷洗干净后,用水泥砂浆或专用粘合剂(如陶瓷砖粘合剂)铺贴与原规格相同的新面砖(板)。

板块楼地面维修的质量要求:①维修用板块、砖的品种及质量符合设计要求。②面层与基层的结合必须牢固,无空鼓。③表面洁净,图案清晰,色泽一致,接缝均匀,周边顺直,板块无裂纹、掉角和缺楞等缺陷。④当对局部板块(砖)拆换时,新板块(砖)的品种、规格应尽量与原有的一致。⑤地漏和泛水的坡度符合要求,不倒泛水,无积水,与地漏、管道结合处严密牢固,无渗漏。⑥板块楼地面面层的偏差应不超过允许值。表 5-3 是建筑工程质量检查标准所规定的预制水磨石、大理石、花岗岩板块地面层的允许偏差和检验方法。

表 5-3　　　　板块楼地面面层的允许偏差和检验方法

项目	允许偏差(mm)				检查方法
	高级水磨石板	普通水磨石板	大理石板	花岗岩板	
表面平整度	2	3	1	1	用 2m 靠尺楔形塞尺检验
格缝平直度	3	3	2	2	拉 5m 长线,不足 5m 拉通线尺量检验
接缝高低差	0.5	1	0.5	0.5	用钢直尺和楔形尺检验
踢脚线上口平直度	3	4	1	1	拉 5m 长线,不足 5m 拉通线尺量检验
板块间隙宽度	2	2	1	1	尺量检验

第五节　木地面的维修

一、木地板楼地面的损坏形式及产生原因

木地板楼地面经长期使用常有损缺,主要表现形式为面板松动、起拱和开裂、磨损;木龙骨腐朽或被白蚁蛀蚀;粘结的木地板剥离等。这些缺陷将造成渗水、漏灰,严重影响使用效果。其他损缺如杉木地板面磨损严重,板的厚度减薄,节疤外露;洋松木地板节疤较大,由于长期使用,油脂挥发,造成节疤脱落,木筋外露,楼地板软囊挠度大而断裂。也有由于受潮致使木地板腐烂,或因木地板长期堆放重物造成下沉。

木地板松动、起拱的主要原因有:①木龙骨含水率高(大于 18%),木材容易产生干缩,造成面板松动或起拱。②面层木板本身因材质不高在受潮膨胀时使面板松动或起拱。③木龙骨、面板未经防潮、防腐处理。④钉地面板的钉子钉得不牢固(钉子斜钉比较牢固)。⑤用粘结剂粘结的木地板,因粘结剂老化失效造成面板松动。

木地板的损坏原因主要是由于潮湿腐烂、白蚁蛀蚀及人为破坏。对于粘结的木地板,由于粘结剂受潮或老化脱胶,使面板脱壳,也可因木地板变形拉脱粘结层,使面板松动或脱壳,影响使用。

二、木地板的维修

(一)木地板松动、起拱的维修

若因木龙骨变形引起面板松动,应把面板拆下,矫正或更换翘曲变形的木龙骨;如是因地面长期受潮引起面板松动、起拱,除更换或加固面板外,还应改善防潮条件才能治本;未设通风孔或通风道堵塞的,应增设通风孔或清理通风通道,使木地板下通风畅顺。

(二)面板损坏的维修

木面板如有扭曲变形、严重磨损等,应换新面板,并同时检查面板下龙骨有无损坏。若小面积有开裂或孔眼,或更换面板有困难时,可用油漆石膏腻子或高分子密封胶嵌补,表面涂上聚氨酯漆覆盖。

架空地板的龙骨端部轻微腐烂，椽木腐烂，引起地板下沉时，应先绑接好龙骨头子，并加以樽实，再用千斤顶将地龙骨升至原位，并加以垫实。必要时加托牵杠，增加刚度。如地龙骨腐烂严重，可用预制钢筋混凝土龙骨代替。如出风洞已封没，应予以恢复；通风量不够时，有条件的可增开或放大原出风洞，尽量使下面的空气对流。当地板损坏普遍严重，地垅内空间不大时，可拆除地板，填平地垅，改铺水泥地坪。

（三）木龙骨的维修

木龙骨端部进墙部分，因受潮而腐烂时，应先将龙骨临时支撑，然后锯去其损坏部位，用两块铁夹板加固，每块夹板的厚度大于6mm，高度与龙骨相同，进墙部分应涂水柏油，防止腐烂。也可用木夹板加固，其截面应与龙骨同规格。

若木龙骨端头开裂损坏，可加铁箍绑扎。

龙骨跨度过大，或间距过大，由于荷载的作用引起楼地面翘曲变形过大者，可在两根龙骨之间增加一根龙骨，以减少原有龙骨的荷载，增加楼板的刚度。如条件许可，也可采用增加牵杠的加固方法，即将龙骨下挠部分用千斤顶顶升到原来的水平位置，在龙骨的跨中底部加一根牵杠，以缩短龙骨的跨度和增加楼地板的刚度。

木龙骨腐朽断裂时，可采取加龙骨的办法处理，即在原木龙骨旁加一根木龙骨。如腐朽严重或有白蚁蛀蚀，应更换新龙骨。

搁板材料质量差，如洋松节疤大，或节疤在受拉区时，当楼板层长期受荷，使用年久，则木材发脆，收缩不一致，木节与木构件产生分离，造成龙骨的断裂。在维修中一般采取如下处理方法：加龙骨（在原龙骨边上加上一根与原龙骨相同截面的木材）；换龙骨（拆除原龙骨，换上新龙骨）；绑接龙骨（用与原龙骨截面相同的木料或铁制夹板夹紧原龙骨）。

椽木腐烂，造成龙骨下沉时，楼地面会发生倾斜。在维修中需垈平龙骨，拆除腐烂的椽木，换上新木料或用砖镶砌，使楼地面平整。

（四）粘结地板脱壳的维修

把松动、脱壳的面板掀开，用有机溶剂将基层和木板上粘附的粘胶及附着物擦洗干净，基层用掺入白乳胶水泥浆腻子补嵌平整。腻子配合比为水泥：聚醋酸乙烯乳胶（白乳胶）：水=100:20:40。待腻子干燥后，涂上粘结剂，把原面板（或换新面板）粘结牢固。铺贴板条时需用力与邻近的木板条挤压严密，并及时用胶皮刮子刮掉挤出的胶液，补好后重新将地板面刨平、刨光，涂刷地板漆和打蜡。

（五）木地面维修的质量要求

（1）木材的材质和铺设时的含水率必须符合《木结构工程施工及验收规范》（GBJ206—83）的有关规定。

（2）龙骨、下层板和垫木等必须做防腐处理。木龙骨安装必须牢固、平直，其间距和稳固方法必须符合设计要求。

（3）各种木质板面层必须钉牢固无松动，粘结牢固无空鼓。

（4）木地板面层应刨平磨光，无刨痕、毛刺等；图案应清晰，油漆面层颜色均匀一致。

（5）长条木地板面层缝隙严实，接头位置错开，表面洁净。拼花木地板面层接缝对齐，粘、钉严实，缝隙宽度均匀一致，洁净无溢胶。

（6）面层的偏差不超过表5-4的允许值。

表 5-4　　长条、拼花硬木地板面层的允许偏差和检验方法

项目	允许偏差(mm)				检验方法
	木龙骨	松木长条板	硬木长条板	拼花木板	
表面平整度	3	3	2	2	用2m靠尺楔形塞尺检验
踢脚线上口平直度	—	3	3	3	拉5m长线,不足5m拉通线尺量检验
板面拼缝平直度	—	3	3	3	拉5m长线,不足5m拉通线尺量检验
缝隙宽度不大于	—	1	0.5	0.2	尺量检验

第六节　楼地面的养护管理

搞好楼地面的养护管理工作,对于保证房屋的使用功能、延长房屋使用寿命和保持房屋的美观都有重要意义。在日常养护管理工作中应做好如下几点:

(1)房屋建筑管理部门应向用户进行宣传、教育,使之懂得对楼地面保养的一般知识,并制定相应的制度,共同遵守执行。当用户对楼地面加以改造时,应加以指导,以避免施工不当造成楼地面的损坏。

(2)建立健全技术档案,做好技术检查工作。房屋的技术资料是研究建筑技术状态,确定维修养护的依据,包括设计、施工资料、历年检查病害记录、使用情况等,应装订成册,为以后的修缮管理提供可靠的数据。通过对房屋楼地面进行经常性检查、重点检查和年度检查,可以及时发现房屋的病害状态、病害原因,及时进行养护和修缮,防止病害的进一步发展,保证房屋楼地面的使用功能。

(3)保持上下水管道不漏不堵。房屋的上下水管道应经常保养,使其处于良好的状态,防止管道漏水。发现管道漏水要及时进行修理或先暂停使用,不能耽误时间。厨厕间地漏易被堵塞,应经常疏通,以避免造成室内积水,渗入地板。

(4)保持室内通风良好,避免室内受潮。楼地面及基层经常受潮,特别是首层地面由于地下潮湿容易上升而受潮,对有些楼地面有一定损害。如水磨石在空气中湿度过大时有凝结水发生;木地板则容易受潮腐烂。因此在日常使用中应经常保持室内通风,保持楼地面及基层干燥。

室内使用空调,不要把室内温度降到空气露点(或以下),否则会有大量露水凝结在地面、墙壁等部位,使其严重受潮。

(5)不要在楼地面上随意敲击、敲打物体,拖拉重物。在楼地面层上随意敲击、敲打物体,会使楼地面空鼓、开裂、破损,拖拉重物会出现起砂或破坏面层,应避免重物撞击或在楼地面上拖拉重物。

(6)经常保持楼地面面层的清洁。经常抹擦楼地面,保持干净卫生。对于水磨石、木地板、大理石等楼地面还需定期打蜡,对陈旧的木地板要重新油漆。这样楼地面才能经久耐用,保持美观。

(7)做好白蚁防治工作。对于木地板要做好对白蚁的防治工作。对飞入室内的白蚁要及时消灭。使房屋清洁,保持通风干燥,消除白蚁的生长条件。必要时可以在木地板下喷洒或涂刷防白蚁的药剂。对木地板出现的裂缝、破损要及时修补,以防白蚁进入繁殖。

(8)及时进行小修小补。在正常使用情况下,楼地面总会发生一些小的损坏。如楼地面局部起砂、空鼓、微裂缝等等,都应及时修复。否则,损坏程度会越来越严重,影响生产、生活的正常进行。同时,要注意季节的变化,及时做好防寒、防暑、防雷、防漏、防火等方面的检查和保养。并通过定期和不定期地全面检查,用户保修和联系办法,及时发现问题进行修复,以保持楼地面经常处于良好的使用状态。

第六章　门窗工程的维修与养护

门和窗都是建筑中的围护构件。门在建筑中的作用主要是交通联系,并兼有采光、通风之作用;窗的作用主要是采光和通风。另外,门窗的形状、尺寸、排列组合以及材料,对建筑物立面效果影响很大。门窗还要有一定的保温、隔声、防雨、防风沙等能力。在构造上,应满足开启灵活、关闭紧密、坚固耐久、便于擦洗、符合模数等方面的要求。

建筑物的门按开启方式可分为平开门、弹簧门、推拉门、折叠门,以及转门、翻门、升降门、卷帘门等形式;按所用材料的不同,可分为木门、钢门、塑料门、铝合金门和全玻璃门等数类。建筑物的窗,按开启方式的不同,可分为固定窗、平开窗、转窗、推拉窗等;按所用材料的不同,可分为木窗、钢窗、铝合金窗、钙塑窗、玻璃钢窗等数类。此外,还可按功能的特殊性,把建筑物的门窗分为保温节能门窗、防火门、隔烟门、防盗门、隔声门窗等。

一般门的构造主要由门框和门扇两部分组成。门框由上槛、中槛和边框等组成,多扇门还有中竖框。门框由上冒头、下冒头和边梃等组成。为了通风采光,有的门上部设有亮子,有固定、平开及上、中、下悬等形式,其构造同窗扇。门框与墙间的缝隙常用木条盖缝,称门头线,俗称贴脸。门上还有五金零件,常见的有合页、门锁、插销、拉手、停门器和风钩等。

窗主要由窗框和窗扇两部分组成。窗框一般由上框、下框、中横框、中竖框及边框等组成,窗扇由上冒头、中冒头、下冒头及边梃组成。依镶嵌材料的不同,有玻璃窗扇、纱窗扇和百叶窗扇等。窗扇与窗框用五金零件连接,常用的五金零件有合页、风钩、插销、拉手及导轨、滑轮等。窗框与墙的连接处,为满足不同的要求,有时加有贴脸、窗台板、窗帘盒等。

本章介绍常见的木门窗、钢门窗以及铝合金门窗的修缮与养护。

第一节　木门窗的维修

用木材制作木门窗,有很悠久的历史,且目前仍在使用。用优质木材制作的门窗比较耐用,若用劣质或没有经过干燥定型的木材制作门窗,容易因木材受潮而产生变形或腐朽等缺损。以下介绍木门窗常见的损坏形式及维修方法。

一、木门窗的损坏形式及产生的原因

(一)门窗倾斜和下垂

表现为不带合页的一侧下垂,四角不成直角;门扇一角接触地面,或门扇和门窗的截口不吻合,造成开关不灵。造成门窗扇倾斜下垂的原因主要是:

(1)制作时榫眼不正,装榫不严。

(2)门窗扇本身胀缩或受压变形所致,尤其是含水率高或未经干燥定型处理的木材做

成的门窗更容易出现此缺陷。或是门窗框受压倾斜变形,带动门窗也受压变形。

(3)使用中利用窗扇挂重物,造成榫头松动、下垂变形;或是固定合页的木螺丝松动,门窗在自重下发生倾斜;或合页安装误差大,使上下合页中心不在同一铅垂线上,造成门窗倾斜和下垂。

(二)弯曲或翘曲

表现为平面内的纵向弯曲,有的是门窗框弯曲,有的是门窗的边弯曲,使门窗变形开关不灵。或者门窗扇纵向和横向同时弯曲,而形成翘曲,关上门窗,四周仍有很大缝隙,而且宽窄不匀,使得插销、门锁变位,不好使用。造成门窗弯曲和翘曲变形的主要原因有:

(1)门窗过高、过宽,而选用的木材断面尺寸太小,承受不了经常开关门窗的扭力,日久变形。

(2)木材含水率超过了规定的数值。制作时木材潮湿,干燥后引起不均匀收缩,径向、弦向干缩的差异使木材改变原来的形状,引起翘曲、扭曲等变形。

(3)选材不适当。制作门窗的木材有迎风面,这部分木材易发生边弯、弓形翘曲等。

(4)当成品重叠堆放时,底部没有垫平。露天堆放时,表面没有遮盖,门窗框受到日晒、雨淋、风吹,发生膨胀或干缩变形。

(5)制作时门窗的质量低劣,如榫眼不正、开榫不平整、榫肩不方、五金规格偏小且安装不当等。

(6)在使用时,门窗的油漆粉化、脱落后,没有及时养护,使木材含水量经常变化,湿胀干缩,引起变形。

(7)受墙体压力或其他外力影响造成门窗翘曲。

(三)缝隙过大

门窗与框的缝隙和门窗扇对口处缝隙过大,容易进风进雨。造成的原因有:

(1)制作时质量不符合要求,留缝过大。

(2)修理时把木材刨去太多。

(3)制作时木材太湿,而后发生干缩变形。

(四)走扇

表现为门窗在没有外力的推动时,会自动转动而不能停在任何位置上。造成的原因有:

(1)门窗框安装不垂直,门窗扇也随之不能处于垂直状态。

(2)安装合页用的木螺丝顶帽大,或螺丝顶帽没有完全拧入合页,两面合页上的螺丝帽相碰。

(3)门窗扇变形,使框与扇不合槽,经常碰撞。

(五)腐朽劈裂

门窗木料易发生腐朽的部位是框、扇接近地面的部分,以及框与墙壁接触部分和棱条边的榫头。造成的原因有:

(1)地面潮湿,或擦洗地面时洒水过多,经常溅到门的下部。

(2)室内通风不良,空气潮湿。

(3)由于门窗油漆脱落,玻璃腻子不牢固有裂缝,水分浸湿木材。

(4)由于制作时木材不干,在干缩变化中木材纤维之间发生脱离而引起裂缝。

二、木门窗的维修

(一)门窗扇倾斜、下垂的维修

修理下垂面开关不灵活的门扇时,可先将下垂一侧抬高,恢复平直,再在门窗扇的四角榫槽的上下口处楔入硬木楔,挤紧即可。对于下垂严重的门窗扇,应卸下后找好平直方正,再在榫槽内加楔或加铁三角拉结牢固,重新安装使用。

如因门窗框、扇的木材干缩使榫头松动造成门窗下垂,需把门窗框、扇拆下修整,在榫头上涂木工胶(聚醋酸乙烯乳胶,俗称白乳胶)后拼装,用加涂木工胶的木楔把榫头楔紧(不能用铁钉装),或再加铁三角拉结牢固后重新装上。

如因合页的木螺丝松动,可更换大号合页或增加合页来修复,门扇以用三块为宜。如更换合页不便,可在原拧木螺丝的孔洞楔入涂有木工胶的木条,待木工胶干固后,再把木螺丝重新装上拧实。

(二)门翘曲变形的维修

(1)使用门窗矫正器进行矫正。矫正时,先卸下门窗扇,将矫正器搭在门窗扇的对角上,通过拧紧矫正器的螺栓,施加压力,对门窗扇进行矫正。矫正后门窗扇对肩的冒头与边框连接处会出现浅裂缝,应用硬木楔沾胶楔入缝内并挤紧,再卸下矫正器。

(2)用手工矫正。对于翘曲不太严重的门窗扇,卸下后,平放在工作台或硬地面上,用力将翘高的两对角往下压平,此时另两对肩处会出现裂缝,用硬木楔沾胶楔入缝内并挤紧。

(3)若加压不能使翘曲的门窗恢复平整,应更换新的门窗。

(三)门窗扇走扇的维修

(1)门窗扇竖立不直,向外倾斜使门窗走扇时,可将门窗扶直,如倾斜不大,可将上面的合页稍向外移,下面的合页稍向内移,使门窗扇处于垂直状态,即可不再走扇。

(2)因合页上的木螺丝帽不平引起的走扇,更换合适的木螺丝钉,使螺丝拧进至螺丝帽紧贴合页即可解决。

(四)门窗边框局部糟朽、损坏的维修

对于门窗边框的局部糟朽、损坏,可以采取接边、接榫等拼接接补的方法进行修理。修理时把门窗扇卸下并去掉玻璃,把需要修补的边框拆下锯去糟朽、损坏部分,按照修补锯掉部分的形状和尺寸,做好接补的木料(接槎处最好用斜槎),用胶拼贴上,并用去掉钉帽的铁钉打入补接的联接处,最后刨平与原边框一致,再把整扇门窗拼装整齐,此门窗扇即可继续使用。门窗框如有糟朽、损坏也可用此法进行修补。

(五)窗扇糟朽、损坏的维修

窗扇糟朽、损坏,可不拆窗扇而换新棱条。抽换时先将旧棱锯掉拿走,把原榫眼清理干净或在附近重新打眼,按原样配好新棱条,并将其一端两侧锯开,长度约为1/4棱条,锯下的榫皮切断保留,将新棱条一端(被锯开的一端)先插入立框的榫眼内,然后再倒退入另一边立框的榫眼内。榫眼加木楔固定,并将锯下的棱条皮镶贴到原位,对抽换部分刮油腻子并进行油漆防腐处理。

(六)门窗缝隙过大的维修

门窗因材质收缩等原因造成缝隙过大,但原木质良好及变形不显著时,可用质地良好的木条补边,并刨平整,重新刷漆翻新。

(七)木门窗维修的质量要求

(1)木门窗框、扇制作尺寸必须准确,榫槽、榫头嵌接应严密;裁口划线、割角、倒棱和坡口应平直;表面应光洁平整,不应有刨痕、毛刺和锤印。

(2)门窗安装应垂直、方正、牢固,框与墙的接触面应刷防腐剂。

(3)门窗开关应灵活,留缝均匀,关闭严密;五金槽应深浅一致,边缘整齐;小五金安装必须牢固,位置正确;木螺丝不得残缺。

(4)维修后的木门窗、扇必须牢固,连接平贴严密;安装后不上碰、咬边、下擦。

(5)安装的偏差不超过表 6-1 的允许偏差值。

表 6-1　　木门窗安装允许偏差值

项目		允许偏差(mm)		检验方法
		Ⅰ级	Ⅱ级	
框的正、侧面垂直度		3		用 1m 托线板检查
框对角线长度差		2	3	尺量检查
框与扇、扇与扇接触处高低差		2		用直尺和楔形塞尺检查
门窗扇对口和扇与框间留缝宽度		1.5~2.5		用楔形塞尺检查
工业厂房双扇大门对口留缝宽度		2~5		用楔形塞尺检查
框与扇上缝留缝宽度		1.0~1.5		用楔形塞尺检查
窗扇与下坎间留缝宽度		2~3		用楔形塞尺检查
门扇与地面间留缝宽度	外门	4~5		用楔形塞尺检查
	内门	6~8		用楔形塞尺检查
	卫生间门	10~12		用楔形塞尺检查
	厂房大门	10~20		用楔形塞尺检查
门扇与下坎间留缝宽度	外门	4~5		用楔形塞尺检查
	内门	3~5		用楔形塞尺检查

第二节　钢门窗的维修

钢门窗的的用量,目前在我国仅次于木门窗,它具有料型小、挡光少、强度高、能防火等优点,但也有易生锈的缺点。

钢门窗料型分为实腹式和空腹式两大类型。实腹钢门窗所用型材是由热轧生产的专用型钢,目前我国钢门窗采用的实腹型钢为 25mm、32mm 和 40mm 三种规格(截面高度)。民用建筑窗料多用25mm和30mm的规格,门料多用32mm和40mm的规格。钢门窗的规格已有标准化系列。实腹钢窗构造形式见图6-1。空腹钢门窗是用低碳带钢经冷轧、焊接而成的异型管状薄壁型材制成,因壁薄不耐锈蚀,其使用受到一定限制。

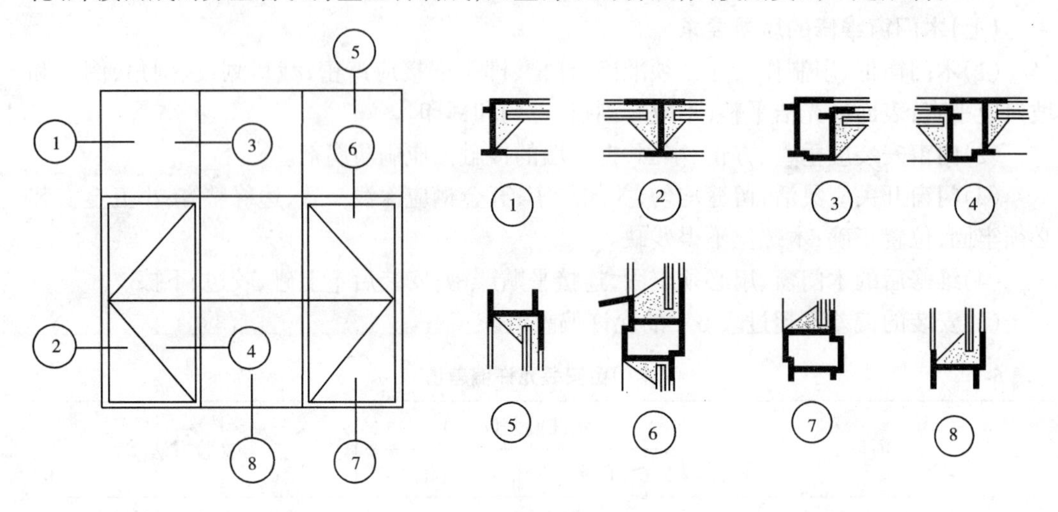

图6-1 实腹钢窗构造形式

一、钢门窗的损坏形式及原因

普通钢门窗的常见损坏形式有翘曲变形而致开关不灵或关闭不严密、锈蚀、配件残缺不全、破损,露缝透风,断裂损坏等。造成钢门窗损坏的主要原因有:

(1)制作质量(所用材料和制作工艺)有缺陷,造成门窗框、门窗扇的翘曲或刚度不足;或搬运时摔碰扭伤、焊接马虎造成虚焊、脱焊而导致损坏。

(2)安装门窗时施工操作不规范,致使框与墙壁结合不够密实、不牢固,在使用时边框松动,框与墙壁之间产生缝隙,不但造成渗漏,还加速了门窗的锈蚀。

(3)钢门窗在制作时没有对钢材作防锈处理,或防锈处理质量低劣,使门窗防锈蚀性能差,或缺乏日常养护等均容易使门窗锈蚀受损。

(4)五金配件不全,或不合规格,容易松脱丢失,又修补不及时,使门窗无法关紧,产生变形或门窗玻璃破裂等现象。

(5)未及时进行油漆防护,或油漆时除锈不彻底,或螺钉拧进的深度不够。

(6)在使用过程中,人为因素如敲击、撞击或装窗口式空调机时破坏原结构及缺乏经常性养护等造成门窗损缺。

二、钢门窗的维修

(1)门窗松动、翘曲时,应将锚固铁脚的墙体凿开,将铁脚取出,检查是否完好。铁脚损坏的应焊接好,并将门窗矫正好并用木楔固定,墙洞清理干净洒水湿润后,用高标号水泥砂浆把铁脚重新锚固,并填实墙洞。待砂浆强度达到要求后,撤去木楔,用1∶2.5水泥砂浆把门窗框与墙壁间的缝隙修补好。钢窗与周边的嵌缝,见图6-2,依此法嵌缝可防止缝隙渗漏。

(2)对断裂损坏部位可按原截面型号,用电焊接换。翘曲或损坏严重的门窗扇,应卸下进行矫正,焊接后再重新安装。如无法矫正,应更换。

(3)门窗的各种配件应定期上油,螺丝部分亦应定期拧下除锈上油。配件残缺,要修复或补缺。

(4)对于螺丝深度不够而造成窗扇关闭不严的应将螺丝钉退下,用丝锥将原孔重新套钻一次,把螺丝孔清理干净,然后再拧上螺钉,钉帽不得突出表面,保证窗扇关闭严密。

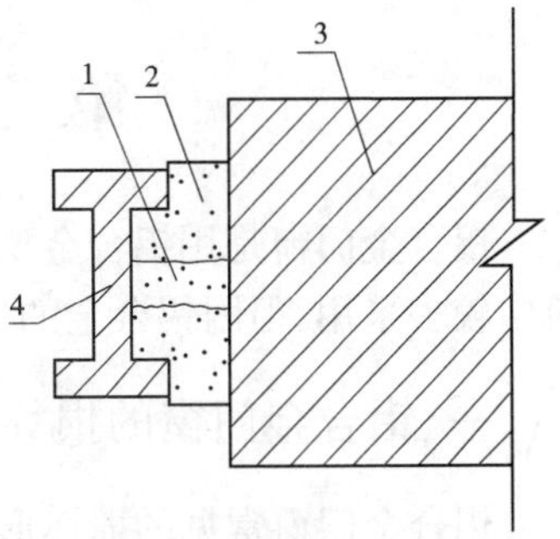

图 6-2 钢窗周边的嵌缝

1—头道水泥砂浆嵌缝;2—二道嵌缝;3—墙体;4—钢窗立框

(5)对被锈蚀的钢门窗,视其严重程度可局部或全部翻新。翻新时应用钢丝刷把锈蚀刷除至露出光亮金属为止,再用汽油把表面揩抹干净,即涂刷防锈漆作底层,次日再涂面漆。每隔数年,把门窗油漆翻新一次,是防止锈蚀的有效方法。

(6)嵌玻璃的油灰开裂、脱落时,应及时处理。先把旧油灰全部清除,洗净油污渍及残留油灰,选用优质油灰或丙烯酸建筑门窗密封胶等重新嵌填。窗玻璃破裂更换的操作与上述相同。

(7)钢门窗维修的质量要求:①钢门窗及其附件的质量符合设计要求和有关标准规定。②钢门窗安装必须牢固;预埋铁件的数量、位置、埋设方法符合设计要求。③钢门窗扇安装后应关闭严密、开关灵活,无阻滞、回弹和倒翘。④钢门窗的附件齐全,安装位置正确、牢固,启闭灵活。⑤钢门窗框与墙体间的缝隙填嵌饱满密实,表面平整,嵌填材料、嵌填方法符合设计要求。⑥钢门窗维修安装的偏差不应超过表 6-2 所示允许偏差值。

表 6-2　钢门窗安装的允许偏差值

项目		允许偏差(mm)	检验方法
门窗框两对角线长度差	≤2 000mm	5	用钢卷尺检查
	>2 000mm	6	用钢卷尺检查
窗框扇配合间隙的限值	合页面	≤2	用 2×50 塞片检查,量合页面
	执手面	≤1.5	用 1.5×50 塞片检查,量框大面
窗框扇搭接量的限值	实腹窗	≥2	用钢针划线和深度尺检查
	空腹窗	≥4	用钢针划线和深度尺检查
门窗框(含拼樘料)正侧面垂直度		3	用 1m 托线板检查
门窗框(含拼樘料)的水平度		3	用水平尺和楔形塞尺检查
门无下槛时,内门扇与地面留缝限值		4~8	用楔形塞尺检查
双层门窗内外框梃(含拼樘料)的中心距		5	用钢板尺检查

第三节　铝合金门窗的维修

铝合金门窗是用铝合金型材制成,不但美观精致,且密闭性优于木、钢门窗,现房屋建筑中较多采用,但因铝合金的导热系数比钢更高,保温性能差,在寒冷地区较少采用。

一、铝合金门窗的损坏形式及产生原因

铝合金门窗常见的损坏形式有门窗框和门窗扇变形、铝材表面污染或被腐蚀、密封材料老化、紧固件松动、脱落及过度磨损等。产生的原因如下:

(1)门窗框扇的变形。铝材本身的硬度较小,虽然门窗的型材已经考虑到这一缺陷,在型材截面形状上使门窗框有一定的强度和刚度,倘若门窗在安装前受到挤压或碰撞,或在安装施工时没有找正急于固定,以及在塞侧灰时没有进行分层塞灰,造成铝合金门受到挤压,均可能使门窗不够方正甚至折曲,形成使用缺陷。变形的门窗或滑槽部位容易磨损严重。

(2)铝材很容易被酸、碱和盐类腐蚀,这是铝金属的化学性质所决定的。所以制造门窗的铝材均经过表面处理,使铝材表面形成一层比较坚硬,较耐腐蚀的氧化膜。但在使用过程中,如氧化膜破损,露出铝金属,就容易被腐蚀。在铝门窗使用安装过程中,铝制品表面受到化学物质的侵蚀,表面受到污染,脏物痕迹无法清除,形成门窗外观的缺陷。

(3)铝合金门窗的密封使用胶带(用粘合剂粘牢)、密封材料等,这是为了保证门窗的气密性。但这些密封、粘合材料随着使用时间会磨损、老化,出现密封材料剥落或脱落。

(4)铝合金门窗的紧固部件松动、脱落,也会造成开关不灵。

(5)由于使用不当,养护不良,造成门窗的过度磨损等。

二、铝合金门窗的修理

(1)对于门窗框扇的变形,应予矫正,严重时应拆下进行维修,无法矫正的应局部或全部更换。

(2)对于表面的污浊应及时擦拭干净,并检查有无被腐蚀。安装时,应将铝合金门窗进行包裹,避免施工过程中的污染。对于受到腐蚀性物质侵蚀的,应视腐蚀性的严重程度进行修补或更换。一般腐蚀较轻时,应在清洁干净后,用细度较小的细砂布仔细进行磨光,涂一层聚氨酯清漆。对完好的铝合金表面涂一层聚氨酯清漆,可把铝合金表面封闭,对防腐蚀比较有效,且该漆为浅黄色、透明,涂上后不影响美观。当腐蚀严重而产生孔蚀时,要拆除更换掉带有孔蚀的构件。

(3)对于密封部位,若是由于密封材料的老化、裂缝或磨损而造成部分出槽或脱落,应更换有损伤的密封材料。更换时把该部位清理干净,除去油污、选用优质胶粘剂重新粘合。另外,若是由于密封材料的剥离而造成的露缝,应在剥离部位涂上粘结材料再粘贴好。

(4)对于附件、螺丝的松动、脱落等,松动应及时拧紧,脱落要进行更换或重新装配上。

(5)发现门窗框与墙体接合处有渗漏,应及时修复,以避免损坏进一步扩大。

(6)铝合金门窗维修的质量要求:①铝合金门窗及其附件的质量符合设计要求和有关规定。②安装牢固,防腐处理和预埋件数量、位置、埋设连接方法符合设计要求。③框与墙体间缝隙填嵌饱满密实,表面光滑无裂缝,填塞材料及填塞方法符合设计要求。预埋件的埋设位置、埋设件的品种及数量要做好隐蔽记录。④门窗框开启灵活,关闭严密,定位准确,扇与框搭接量符合设计要求。⑤门窗维修后表面清洁,无明显划痕、碰伤;密封胶表面平整光滑,厚度均匀。⑥铝合金门窗安装的偏差不超过表 6-3 所示的允许偏差值。

表 6-3　　铝合金门窗安装允许偏差值

<table>
<tr><th colspan="2">项　目</th><th>允许偏差(mm)</th><th>检验方法</th></tr>
<tr><td rowspan="2">门窗框对角线长度差</td><td>≤2 000mm</td><td>2</td><td rowspan="2">钢卷尺检查量里角槽口</td></tr>
<tr><td>＞2 000mm</td><td>3</td></tr>
<tr><td rowspan="2">门窗框(含拼樘料)垂直度</td><td>≤2 000mm</td><td>2</td><td rowspan="2">用托线板检查</td></tr>
<tr><td>＞2 000mm</td><td>2.5</td></tr>
<tr><td rowspan="2">门窗框(含拼樘料)水平度</td><td>≤2 000mm</td><td>1.5</td><td rowspan="2">用水平尺和楔形塞尺检查</td></tr>
<tr><td>＞2 000mm</td><td>2</td></tr>
<tr><td colspan="2">门窗扇与框或相邻扇立边平行度</td><td>2</td><td rowspan="2">用钢板尺检查与基准线比较</td></tr>
<tr><td colspan="2">门窗横框标高</td><td>5</td></tr>
<tr><td colspan="2">门窗框扇搭接宽度差</td><td>1</td><td rowspan="2">用深度尺或钢板尺检查</td></tr>
<tr><td colspan="2">同樘门窗相邻窗横端角高度差</td><td>2</td></tr>
<tr><td rowspan="2">门窗扇启闭力</td><td>面积≤1.5m²</td><td>≤40N</td><td rowspan="2">用 100N 弹簧测力计检查
启闭 5 次,取平均值</td></tr>
<tr><td>面积＞1.5m²</td><td>≤60N</td></tr>
<tr><td rowspan="3">地弹簧门</td><td>门窗对口缝或扇与框之间竖、横缝留缝限值</td><td>2～4</td><td rowspan="2">用楔形塞尺检查</td></tr>
<tr><td>门扇与地面间隙留缝限值</td><td>2～7</td></tr>
<tr><td>门扇对口缝关闭时平整</td><td>2</td><td>用深度尺检查</td></tr>
<tr><td colspan="2">双层门窗内外框、梃(含拼樘料)中心距</td><td>4</td><td>用钢板尺检查</td></tr>
</table>

第四节　门窗的养护管理

做好门窗的日常养护工作,不但有利于保证其使用功能和保持美观,而且对延长使用年限起着决定作用,故应对门窗的养护管理给予足够的重视。门窗的养护管理应着重做好以下几个方面的工作:

(1)经常检修,保证使用。门窗在使用中经常开关,是房屋的易损构件,常会发生开关不灵、缝隙过大、小五金配件丢失或损坏等问题。这些小问题如不及时进行处理,会使损坏进一步扩大而影响美观、使用。因此,对于用户报修的门窗项目要及时安排检查和处理,同时物业管理单位或房屋建筑管理部门也要主动定期对门窗进行检查,及时提出维修项目和维修计划,安排修理。

(2)做好防潮和防寒工作。保证门窗的正常工作状态,夏季屋内不进水,冬季不进冷风,保持室内干燥,防止潮湿,对延长门窗的使用年限关系极大。因此,对于门窗缝隙、关闭不严和玻璃损坏等都要及时进行修理,以防进水进风,影响正常使用,且对门窗材料造成腐蚀。

(3)定期进行油漆。对钢木门窗进行油漆不只是为了美观,更重要的是保护门窗不受潮湿和雨水的侵蚀,防止腐蚀。当门窗漆膜局部脱落时应及时进行补油,补油尽量和原油漆保持一致,以免妨碍美观。当门窗油漆达到油漆老化期限时,应进行全部重新油漆。一般期限为木门窗 5~7 年油饰一次,钢门窗 8~10 年油饰一次。对处于恶劣环境的门窗,应缩短重新油饰的间隔期限。

(4)铝合金门窗易变形和被酸、碱等化学物质侵蚀,要加强对铝合金门窗的保护,使其免受外力的破坏、碰撞,禁止带有腐蚀性的化学物质与其接触。

(5)物业管理和房屋建筑管理人员要对房屋建筑用户进行保护门窗方法的宣传工作,使用户自觉地正确使用和保护门窗。

第七章　房屋装饰工程的维修与养护

房屋装饰包括外装饰、内装饰、顶棚、楼地面及门窗装饰等方面的内容。按装饰材料和施工方法的不同,可分为抹灰工程、块料饰面工程、涂料工程、刷浆工程和裱糊工程等。

房屋的装饰不但增加房屋的美观,创造良好的环境,还能起到隔热、隔音、防潮及减缓外界环境对房屋的侵蚀,延长房屋的有效使用年限的作用。

随着社会的进步、生活水平的提高,以及新型材料的不断出现,使得对装饰工程的要求日趋多样化、装饰标准越来越高。由于楼地面、门窗工程已在前几章介绍,本章只就墙面、顶棚等装饰的有关抹灰工程、油漆工程、刷浆工程、裱糊工程、吊顶工程、花饰安装等工程的维修与养护的一般方法作以介绍。

第一节　抹灰工程的维修

抹灰是把砂浆涂抹在建筑物的墙面、顶棚、楼地面等部位基面之上,起到保护和装饰的作用。按使用材料和装饰效果不同,可分为一般抹灰和装饰抹灰两大类。一般抹灰的灰浆常用的有水泥砂浆、混合砂浆及纸筋灰等。装饰抹灰的种类很多,如水刷石、干粘石、斩假石、拉毛灰及彩抹灰等。虽然它们的装饰效果各不相同,但其抹灰层的损坏现象及维修方法基本相同。

一、抹灰工程的损坏形式及产生原因

墙面一般抹灰是由多层组成:普通抹灰由底层和面层组成;中级抹灰由底层、中层和面层共三层组成;高级抹灰除有底层和面层外,中间可有数层,视要求而定。抹灰层的底层是把砂浆抹在基层上,要求粘结牢固及平整(起到初步找平的作用);中层主要起找平和传递荷载的作用,要求平整、表面粗糙(使增加与面层的粘结力);面层是起装饰作用的,无论在材料和色样上均视装饰效果而定。抹灰工程常见的损坏形式有开裂、空鼓、脱落和爆灰等。

开裂是指灰皮局部裂缝或灰皮与基体同时裂缝;空鼓是指抹灰层各层之间或抹灰层与基体脱离而鼓起,敲击可闻空洞声;脱落是指灰皮大部分或部分从基体上脱落,有的分层从墙面脱落;爆灰是指抹灰砂浆中有未经熟化的生石灰粒,抹到墙面上吸收潮气继续熟化产生爆裂。

造成抹灰工程损坏的原因是多方面的,归纳起来主要有以下几个方面:

(一)自然方面的影响

(1)结构变形。建筑物因各种原因而出现的不均匀下沉使抹灰层裂缝。

(2)胀缩。因温度变化而产生热胀冷缩,抹灰层与基层材料胀缩率不同而产生裂缝。

(3)透水及冻融。粉刷产生裂缝后受雨水侵入或基层渗水,如再遇冰冻,抹灰层就因

结冰膨胀而空鼓或脱落。

(4)潮湿。由于风雨的侵蚀,以及防潮层和排水管道的损坏,使墙面经常受潮,抹灰层表面极易风化,严重的自表层逐步向内酥松脱落。

(二)施工质量的影响

(1)抹灰前对基层清理不干净或浇水不足,使抹灰层与基层面(或中间层)胶结不牢,或失水而分离起壳以致脱落;对光滑基层表面没有毛化处理,产生空鼓。

(2)在操作中未按操作规程操作。如头灰刮糙后未等收水,即进行二次刮糙,或未等收水即进行粉面,这样就会引起龟裂或起壳脱落。

(3)砌砖墙时未等墙缝的灰浆干固,即进行抹灰,后待灰浆干缩,砖墙下坠,抹灰层即产生龟裂现象。

(4)灰浆配比不当、搅拌不匀、和易性差,造成抹灰层的强度增长不均匀,收缩变形不一致而开裂;灰浆材料未按施工要求处理;水泥过期;砂子含泥量过多等影响抹灰质量。

(5)抹灰养护不够,夏天浇水不到,冬天抹灰后受冻等。

(6)修补抹灰时,空鼓部位的铲除面积不够、不彻底,与原有抹灰接槎压得不实,也易开裂、脱落。

(7)大面积抹灰不设分格缝,没有分层抹灰,对抹灰层养护不够等均容易造成干裂和温度裂缝。

(三)使用不当,人为因素的影响

(1)人为的碰撞,任意钻孔、敲钉、悬挂重物等造成抹灰层破坏。

(2)楼面渗水造成顶棚抹灰层受潮而空鼓或脱落。

二、抹灰工程的维修

(一)抹灰工程修补范围的确定

(1)直观法。凭经验用眼直接观察抹灰工程损坏的现象和范围。

(2)敲击法。用小铁锤轻轻敲击抹灰面,从发出的声音判断抹灰层是否有空鼓现象,及确定空鼓的范围。

(二)抹灰工程的维修

(1)对灰皮的脱落、空鼓和爆灰等损坏现象,应将损坏部分全部铲除,根据原抹灰的种类严格按照施工做法操作,进行局部修补或全部重新抹灰。具体做法如下:

基层为砖砌体时,修补抹灰层的方法是把要修补范围内的灰层铲除,清理干净后用水冲洗,刷一遍107胶水泥浆(配合比为107胶:水:水泥=1:4:8),然后抹底层灰。底层灰是水泥砂浆或水泥石灰砂浆,待底层灰有六七成干时,抹中层灰浆,最后进行罩面抹灰。施工中对新旧面层接合处,要求结合平整密实。

混凝土基体修补抹灰层的方法是在铲除损坏抹灰层后,露出混凝土基体,用稀烧碱或洗洁精水溶液把修补面的油污和隔离剂洗净,用清水反复冲洗。然后用掺107胶的砂浆(配合比为107胶:水:水泥:中砂=1:4:10:10)喷洒到基准面上,经湿养护硬化后,即可抹底灰层,贴分格条,抹中层、面层灰等。

(2)对裂缝现象,当灰皮开裂而基体未开裂时,可加宽裂缝到20mm以上,清除缝中杂质,浇水湿润,再按抹灰做法补缝,补抹的灰要与原有的灰结合严密、平直;当灰皮与基体同时开裂时,应首先查出裂缝的原因再修补抹灰,修补时应加宽裂缝,先修补基体裂缝,后用灰修补表面裂缝。补抹的灰要与原有的灰面尽量一致。

(3)对于装饰抹灰,修补时应力求新旧抹灰用料一致,抹灰面平整、密合、颜色接近和协调。若难以保证和原颜色一致,可采取分格成块铲掉重做的方法,使新旧接槎成规则的矩形,虽色泽各有差异,但对美观影响不大。

(4)局部修补时,新旧抹灰接槎要牢靠,可先抹四周接槎处,再逐步往里抹,抹时要压实平整,接槎处更需压实。

三、抹灰工程的质量要求

(1)各抹灰层之间及抹灰层与基体必须粘结牢固,无脱层、空鼓,面层无爆灰和裂缝等缺陷。

(2)抹灰表面应光滑,接槎平整,线角直顺。

(3)孔洞、槽、盒和管道后面抹灰表面尺寸正确,边缘整齐、平顺。

(4)护角材料和高度符合设计要求,门窗框与墙体之间缝隙填塞密实。

(5)抹灰的分格宽度、深度应基本均匀,棱角整齐,横平竖直。

(6)滴水线和滴水槽应直顺,滴水槽深度和宽度均不小于10mm。

(7)水刷石石粒应紧密平整,色泽均匀,无掉粒。

(8)水磨石表面应平整光滑,石子显露均匀。

(9)斩假石剁纹应均匀直顺,棱角无损坏。

(10)干粘石石粒应粘结牢固,分布均匀,表面平整,颜色一致。

(11)假面砖表面应平整、色泽均匀,无掉角脱皮和起砂等缺陷。

(12)拉条灰应拉条顺直,深浅一致,表面光滑,上下端灰口齐平。

(13)拉毛灰、撒毛灰花纹、斑点、颜色应均匀。

(14)喷砂表面应平整,砂粒粘结牢固,颜色均匀。

(15)喷涂、滚涂、弹涂的颜色、花纹、色点大小应均匀,无漏涂。

(16)仿石和色彩抹灰应表面密实,线条、纹理清晰。

(17)抹灰装饰修补后,抹灰的偏差应不大于允许偏差。表7-1为一般抹灰的允许偏差值。

四、抹灰工程的养护

(1)及时修漏、补漏,防止因屋面、楼面渗漏或檐口、雨搭、阳台、窗台等渗水而造成顶棚、保温层、墙壁的潮湿,保持内外抹灰面的完好。

(2)预防抹灰面受潮,及时修复失效的墙壁防潮层、防水层,以及勒角、散水坡的破损部位,防止因基础渗水受潮而潮气自墙体上升,影响抹灰的使用寿命。另外,要经常保持室内具有良好的通风条件,避免湿度过大。

(3)保持上下水管道不漏、不堵,防止管道漏水侵入墙壁、顶棚,破坏内外抹灰面层。

(4)定期检查室内外抹灰面层有无损坏处,发现空鼓、裂缝、脱落、爆灰等现象应及时修补,以防扩大损坏范围。对外墙、顶棚抹灰的个别空鼓部位,如不及时修补有可能坠落伤人,应重点检查并及时修补。

表 7-1　一般抹灰允许偏差项目及偏差值

项　目	允许偏差(mm)			检验方法
	普通	中级	高级	
表面平整度	5	4	2	用 2m 靠尺和楔形塞尺检查
阴、阳角垂直度	—	4	2	用 2m 托线板检查
立面垂直度	—	5	3	用 2m 托线板检查
阴、阳角方正	—	4	2	用方尺和楔形塞尺检查
分格条(缝)平直度	—	3		拉 5m 线和尺量检查

注:1. 外墙一般抹灰,立面总高度的垂直偏差应符合《建筑安装工程质量检验评比标准》(GBJ301—88)中表 5.3.9 和 6.1.11 的有关规定。

2. 中级抹灰,对阴、阳角方正一项可不查。

3. 顶棚抹灰,对表面平整一项可不检查,但应平顺。

(5)做好爱护房屋装饰的宣传工作,不要在墙上随便乱画、打洞、钻眼和钉钉子;搬抬重物时要注意保护抹灰面以防碰坏;使用门窗要轻开轻关,不要碰坏墙壁的阳角和周围的装饰面层;对地漏、阳台的排水口要经常清理以防堵塞,使室内积水顺利排泄;在室外,不要靠墙堆放垃圾、煤炭、砂土等杂物,以避免污染外墙装饰。

第二节　饰面板(砖)工程的维修与养护

饰面板(砖)工程是用块(片)状的天然或人造块材镶嵌在墙体表面形成的装饰层。常用的饰面板(块)材料有釉面砖、瓷砖、陶瓷锦转、大理石、花岗岩等。

一、饰面板(砖)的损坏形式及产生原因

板(砖)饰面不仅美观,艺术效果好,且其耐久性、防水性等比一般抹灰优良。倘若在施工和使用过程中措施不当也会使饰面缺损,缺损的主要形式有饰面层空鼓、脱落掉块、饰面材料或饰面层开裂及受有害气体腐蚀等。

(1)空鼓。表现在找平层(底子灰)与基层之间,或饰面材料与找平层(底子灰)之间。主要是因为基层清理不干净;抹底子灰时基层没湿润;铺贴时底子灰没有保持湿润;粘贴材料不均匀、不饱满或未压实;铺贴前需浸泡的饰面材料未先浸泡;外墙面砖因勾缝不严进水、冬天结冰等。

(2)脱落。表现在饰面砖脱落或底子灰从基层脱落。主要原因与空鼓一样,空鼓面积过大或空鼓后受外力敲击就会脱落;此外粘贴材料、底子灰材料质量不合格,配合比不当也会引起空鼓和脱落。

(3)裂缝。由空鼓原因引起饰面材料裂缝;由墙体裂缝而延续至外墙壁饰面材料开裂。

(4)大气中有害气体的腐蚀使饰面材料表面脱落。

(5)饰面板安装常见的损坏形式有:基层损坏影响饰面板安装的牢固;固定饰面板的钢筋网片,绑扎的铜丝和钢丝锈蚀、断裂致使饰面板脱落;受空气中的腐蚀性介质的影响而使板面腐蚀变色;使用时人为的碰撞损坏。

二、饰面板(砖)工程的维修

(一)板(块)饰面空鼓、脱落的维修

1. 釉面砖、陶瓷锦砖及瓷砖饰面的修补方法

(1)基层处理。将脱落的饰面铲除,露出基层,要求平整、方正、垂直,清理干净。

(2)做底灰。用水湿润基层,刷一道水泥浆,用1∶3水泥砂浆或水泥石灰砂浆做底灰。

(3)备粘结灰浆。粘结灰浆宜用掺入107胶的1∶1水泥砂浆,且厚度不小于10mm。贴陶瓷砖,其粘结灰浆宜用纸筋∶石灰膏∶水泥=1∶1∶8的水泥浆,其厚度为1~2mm。

(4)镶贴面砖。贴面砖前,先将面砖表面清理干净,放入水中浸泡4h左右(不少于2h),再晾干或擦干。贴面砖在抹完底灰后次日进行,随抹粘结砂浆,随镶贴;面砖背面要挂满砂浆,逐块贴在粘结层上,并用木锤轻敲,使灰浆挤满。

(5)待粘结层水泥初凝后,揭去护面纸,用毛刷刷净,然后检查缝的平直情况,拨正调直,清除缝间多余的灰浆,擦干净砖面,次日洒水养护。

2. 大理石、花岗岩饰面的修补方法

(1)当出现空鼓,但空鼓面积不大,饰面板未损坏时,可用灌浆法将环氧树脂灌入空鼓的缝隙之中,使饰面板、底子灰重新粘贴牢固。

(2)若板块大面积起鼓或有脱落,就要把损坏的板块拆除,凿去原水泥砂浆粘结层,换上新的板块镶贴上。

(3)重新安装铺贴板块可采用环氧树脂螺栓锚固法。用此法维修后的饰面牢固,立面不受破坏,而且施工方法简便,具体做法如下(图7-1):①钻孔。对需要维修的板块,先确定钻孔位置和数量。用电钻钻孔,孔径10mm,深入墙体30mm;再在板块面上把钻孔扩大为孔径12mm,钻入深度5mm。钻孔时应向下成15°倾角,以防止注入的浆液太多而外流。钻孔后将孔洞灰尘全部清理干净。②浆液的配制。环氧树脂水泥浆的配比为环氧树脂(6101型)∶邻苯二甲酸二丁酯∶590号固化剂∶水泥=100∶20∶20∶(100~200)。配制时先把环氧树脂和邻苯二甲酸二丁酯搅拌均匀,依次加入固化剂、水泥,搅匀后待用。该浆液在40min左右便凝固,要配制好后立即灌注。③灌浆。宜用树脂枪灌注浆液,把枪头深入孔底,边灌注边向外退出。放入锚固螺栓:把Q235钢ϕ6螺栓(该螺杆是全螺纹型,在一端拧上六角螺母)经化学除油处理后,涂一层

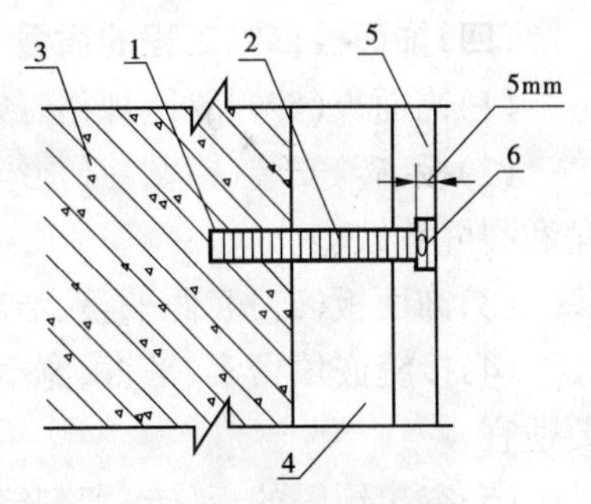

图7-1 灌浆锚固法镶贴大理石板

1—ϕ10孔内注环氧树脂水泥浆;2—ϕ6螺栓;3—混凝土墙或砖墙;4—砂浆;5—大理石板;6—ϕ12孔

环氧树脂(配比为环氧树脂:590号固化剂:二丁酯=100:20:20),然后慢慢旋入孔内。为避免浆液外流弄脏板面,可用石灰膏堵塞洞口,待浆液固化后再清理。若有浆液流出板面,应立即用丙酮或二甲苯及时抹净,否则待浆液固化后很难清理。④封口。树脂灌注2~3d后,用107胶白水泥浆封口,色浆颜色尽可能与板材表面颜色接近。

(二)板块饰面裂缝的维修

(1)板块饰面出现大面积开裂,应铲除损坏部分的饰面,重新镶嵌新板块。

(2)饰面板局部开裂脱落可用环氧树脂粘贴,有小缺损的板块可用配色环氧树脂胶泥嵌补缺损处,然后打磨平整。

(3)若因墙体自身裂缝延伸到饰面,使饰面层开裂,应把饰面层铲除,先把墙体裂缝修复,再做新的饰面。

(三)板块饰面受腐蚀的维修

饰面砖多数以陶土为原料,压制成型,煅烧制成,其质地坚硬,耐腐蚀性良好。而大理石板却容易受酸性气体或溶液所侵蚀,使其表面失光、麻点和粗糙,严重时可出现裂纹、裂缝。大理石板还容易吸附有色液体,可渗入表层而不宜擦掉,污染表面。

花岗岩面层被弄脏污黑或失光时,如果用水冲洗不干净,可采用专用清洗剂(如TBC—1型清洁剂)清洗,或用稀草酸溶液(浓度5%左右)刷洗,然后用清水冲洗干净。

对于大理石饰面,不能用稀草酸水溶液清洗污迹。这是因为大理石的主要成分是碳酸钙,碳酸钙遇酸会发生化学反应而使大理石板被腐蚀。当大理石腐蚀受损时,可采用掺107胶的白水泥浆嵌平或抹面,再磨平滑。若对装饰要求高,则应拆除被腐蚀板块,镶贴新的板块。

(四)饰面板(砖)工程的质量要求

(1)饰面板(砖)品种、规格、颜色和图案必须符合设计要求。

(2)板(砖)安装(镶贴)必须牢固,以水泥为主要粘结材料时,严禁空鼓,无歪斜、缺棱角和裂缝等缺陷。

(3)饰面板(砖)表面平整、洁净,色彩协调一致。

(4)接缝嵌填密实、平直、宽窄一致,阴阳角处的板(砖)压向正确,非整砖的使用部位要适宜。

(5)突出周围的板(砖)套割缝隙不超过5mm,墙裙等上口平顺。

(6)滴水线顺直,流水坡向正确。

(7)饰面板(砖)安装(镶贴)在允许偏差范围内。表7-2为建筑工程质量检验评定标准规定的釉面砖安装的允许偏差和检验方法。

三、饰面板(砖)工程的养护

(1)对饰面工程要定期检查,每年至少要全面检查两次,可用观察检查法和小锤检查法检查。

(2)要着重检查饰面上部收头部位,如发现有缝应及时修补,以免灌水,冬季受冻损坏饰面。对墙面凸起部分、块料面层角的裂缝或破碎部分也要详细检查,发现问题及时处理。

表 7-2　　釉面砖安装的允许偏差和检验方法

项　目		允许偏差(mm)	检验方法
立面垂直度	室内	2	用2m托线板和尺量检验
	室外	3	
表面平整度		2	用2m靠尺和楔形塞尺检验
阳角方正		2	用20cm方尺和楔形塞尺检验
接缝平直度		2	拉5m长线,不足5m拉通线尺量检验
墙裙上口平直度		2	
接缝高低	室内	0.5	用钢板短尺和楔形塞尺检验
	室外	1	

(3)检查窗台、腰线等突出部分的稳固情况,注意饰面的破损、脱落、裂缝等。

(4)在使用过程中,不要在饰面上钉钉子、打洞,必须打洞时应由专业人员操作,以免损坏饰面。

(5)严禁硬物碰撞饰面,搬抬重物和家具经过饰面时,要对饰面进行保护。

(6)对室内釉面砖进行擦洗时不应用强酸强碱,应用淡肥皂水或清水擦洗,以免损坏灰缝和釉面。釉面砖在贴前应用清水泡透,以免粘贴后的釉面砖吸收砂浆中的浑水而改变釉面砖颜色。

(7)大理石板易吸收有色液体,且不易擦掉,在使用过程中注意不要把有色液体弄到大理石面上,以防污染。

(8)突出饰面的装饰,如窗台、腰线、檐子要有滴水沟,以免下雨时窗台、腰线上的灰尘顺雨水直接流到饰面上污染饰面。

(9)饰面应定期进行清洗,以保持清洁。

(10)室外饰面附近有铁件如排水铁管等,要刷油漆,以防水锈流到饰面上造成污染。

(11)小便池墙面贴白瓷砖时,冲洗水管不要用黑铁管,以免水锈污染白瓷砖。

第三节　油漆工程的维修与养护

一、油漆工程缺损的形式与原因

(一)油漆流坠

其表现是在漆面下部油漆产生流淌,较轻的形式像泪珠串子;严重的如帐幕下垂,用手摸明显感到流坠处的漆膜比其他部位凸出。主要是因为油漆中加稀释剂过量或涂刷的漆膜太厚等。

(二)漆膜粗糙

其表现是漆膜中颗粒较多,表面粗糙,且造成颗粒凸出。此现象是由于漆料在制作过程中研磨不够,颜料过粗、用油不足、调制不均匀等原因造成的。

(三)漆膜皱纹

其表现是漆膜干燥后,收缩形成许多高低不平的皱纹。这主要是由底漆过厚,或涂料中含过多桐油或含有沥青成分等原因造成。

(四)漆膜起泡

其表现是漆膜干燥后,表面出现气泡,起泡的地方漆皮与基体脱离。此现象是由于基层潮湿、水分蒸发等原因造成的。

(五)刷纹不匀

其表现是油漆涂刷后木纹不清晰、色泽深浅不一致,漆膜厚薄不匀;或漆膜自生胶状物或硬块,影响漆膜的美观和使用寿命。此现象是由于使用稀释剂过多,或油漆中油质不足,或油质存放时间较长,颜料下沉,使用时未搅拌均匀等原因造成的。

(六)发笑

其表现是漆膜部分收缩成锯齿、圆环、针孔等形状,斑斑点点露出底层,影响漆膜的外观质量。此现象是由于基层表面太光或沾有油污,打底漆光泽太大,溶剂选用不当,挥发太快等原因造成的。

二、油漆工程的维修

(一)油漆流坠的维修

在漆膜未完全干燥时发现流坠,可用铲刀除去多余的油漆,然后用同样的油漆重新满刷一边即可。如漆膜已经完全干燥,大面积流坠时,可用水砂纸磨平或用铲刀清除干净流坠处的油漆,并修补腻子后再满刷油漆一遍。轻微流坠可用细砂纸将流坠处油漆磨平整。

(二)漆膜粗糙的维修

用砂纸打磨光滑,清除灰尘再刷一遍油漆。对高级装饰,可用水砂纸或砂蜡打磨平整,最后上光蜡或使用抛光膏出亮。

(三)漆膜皱纹的维修

用水砂纸轻轻将皱纹打磨平整。皱纹严重不能打磨的,需在凹陷处刮腻子找平,再做一遍面漆。

(四)漆膜起泡的维修

轻微的漆膜起泡,用水砂纸打磨平整,再补面漆。较严重的起泡,可将漆膜铲除干净,待基层干透,针对起泡原因经过处理后,再涂刷油漆。

(五)刷纹不匀的维修

较严重的,需用水砂纸轻轻打磨平整光滑后,再涂刷一遍面漆即可。

(六)发笑的维修

发笑严重时,将涂层全部清除,认真清理基层表面的油污、蜡质、潮气等,如基层表面太光滑,可用肥皂水、酒精或溶剂在表面上擦抹一层或用细砂纸打磨后再涂刷面漆。如果收缩现象在涂刷时发生,应停刷,用汽油或松香水擦净物面,用布包石灰粉或滑石粉拍擦物面,再清扫干净或刷 1~2 遍漆封闭即可。

(七)油漆工程的质量要求

(1)混色油漆工程严禁脱皮、漏刷和返锈。

(2)清漆工程严禁漏刷、脱皮和出现斑迹。

(3)美术油漆的图案、颜色和所用材料的品种必须符合设计和选定样品的要求。

(4)油漆工程的基本项目符合国家规范和质量标准规定。

三、油漆工程的养护

(1)定期检查,发现损坏现象及时按正确的维修方法处理。

(2)注意保持漆面的清洁和干燥,擦洗漆面时要用清水或淡肥皂水擦,以免损坏漆膜。对潮湿的房间要经常通风,以防油漆长期受潮老化。

(3)注意对漆面的保护,不要在漆面乱涂、乱画,或用硬物碰撞。

(4)有油漆墙面的厨房,要注意排除油烟,以防污染漆面。

(5)避免漆面与腐蚀性介质直接接触,已接触的应及时处理。

第四节　刷(喷)浆工程的维修与养护

刷(喷)浆工程是将刷浆涂料刷(喷)在抹灰层上,或结构表面(基体)上。按刷(喷)浆位置分室内和室外刷(喷)浆工程两类。传统的浆料有石灰浆、大白浆、可赛银浆等。由于这些灰浆成膜后的耐水、耐久性不高,时间稍长会泛黄,在维修中多做翻新处理。

一、刷(喷)浆工程的质量问题

(1)粗糙。产生的原因是基层处理不彻底,打磨不平,刮腻子时没有收干净,留有浮腻子,干燥后没有打磨平和扫净,或浆料细度不够。

(2)开裂。基层缺陷大未认真处理,腻子刮得过厚,没分层刮,第一层腻子未干燥又刮第二层腻子,从而造成收缩开裂。

(3)脱皮。刷(喷)浆太厚,浆内胶量太大,浆与基层附着力不好等都会造成脱皮现象。

(4)掉粉。浆内胶量太少,浆与基层附着力差而造成掉粉现象。

(5)泛碱、咬色。原因是基层潮湿,底浆胶少,前道浆没有干燥就刷下一道浆。

(6)流坠。基层潮湿,浆内胶量大,不易干燥,刷浆过厚等引起浆液流坠。

(7)透底。原因是基层表面太光滑不易粘住浆液,或基层油污等没有清干净。

出现上述质量问题的原因主要是施工操作问题。因此,在施工中应认真将基层清理干净,基层缺陷大的应先修补再刮腻子,避免刮腻子太厚。浆液配合比要合适,粘着力强。施工应严格按操作程序进行。对于刷(喷)浆完工后发现的质量问题,应针对出现问题的原因,将损坏的部位清除后,按照操作程序进行修补。

二、刷浆饰面的翻新

(一)浆料的配制

(1)石灰浆:将石灰粉用打浆机加水搅拌 6h,成为灰膏,再加适量水搅均匀成为灰浆。灰浆中可加入灰浆重的 0.3%~0.5%的食盐,食盐能增加灰浆的粘附能力。必要时灰浆用 50~60 目钢丝网过滤。

(2)大白浆:把50kg福粉逐渐放入22kg水中,使福粉吸水后变成膏浆。另把1kg纤维素、1kg聚醋酸乙烯乳液、5kg107胶水加入35kg水中,搅拌均匀成胶水。将此胶水与福粉膏浆混合均匀,用80目钢丝网过滤。

(3)可赛银浆:把可赛银浆加入适量清水中,溶解后拌均匀。

(二)施工基本步骤

(1)把要翻新的旧饰面铲除,清理基层,用水冲刷干净。

(2)用石膏腻子[石膏粉:乳胶:纤维素(0.5%)水溶液=100:4.5:60]填缝补隙,也可满刮腻子,用砂纸磨平整。

(3)粉刷灰浆,一般粉刷2~3遍。

三、小面积缺损的修补

对于小面积面层开裂、脱皮的修复,应先把缺损部分表面灰层铲除。若基层良好,把基层清理干净后,喷涂1~2遍107胶:水=1:9的水溶液,再用由107胶:水:轻质碳酸钙粉=1:1:6配成的粉浆刮填凹陷处,干硬后用砂纸磨平。最后刷涂面层灰浆,灰浆色泽要与原色相一致。

四、刷(喷)浆工程的质量要求

(1)表面颜色均匀,不显刷纹与喷点。

(2)不产生脱皮、掉粉、泛碱、咬色和漏刷、透底等现象。

(3)符合国家有关质量检验评定标准的有关规定。

五、刷(喷)浆工程的养护

(1)对刷(喷)浆面应注意爱护,不要在浆面上乱贴、乱画、乱钉,以免损坏浆面。

(2)搬运家具、重物时不要碰坏浆面。

(3)不防水的浆面不要用水擦,潮湿的毛巾等不要接触浆面。

(4)厨房、厕所刷浆时,尽量刷防水浆面。

(5)雨天要及时关门窗,以防雨水淋坏浆面。

(6)检查上下水管道,以防漏水冲坏浆面。

第五节　墙纸裱糊饰面的维修与养护

墙纸是装饰性壁纸、墙布的俗称,属裱糊类墙面装饰。把墙纸用粘结剂裱糊在墙面上成为饰面,由于材料和花色品种繁多,装饰效果甚佳,加之施工简便,比较普及。

壁纸一般有两种,即普通壁纸和塑料壁纸。普通壁纸是以原纸作基层,采用聚氯乙烯-醋酸乙烯共聚乳胶为主配成色浆,在纸表面印花(图案)而成。塑料壁纸由面层和衬底层组成,面层是聚氯乙烯塑料薄膜或发泡塑料(面上先喷花形成各种图案),再把面层热压在纸基或布基(衬底层)上复合制成。

墙布是由纤维编织而成的织物面料复合于纸基衬底上制成。其中一种较普及的玻璃纤维墙布，是以玻璃纤维织物为基材，经加色、印花而成的装饰墙布，具有加工简单、耐火、防水、抗拉、可擦洗等优点，缺点是日久变黄易泛色。

一、墙纸饰面的缺损及维修

墙纸饰面常见的缺损有墙纸翘边、空鼓起泡、撕裂、起霉和褪色等。

(1)翘边张嘴。产生的原因是基层不洁，有灰尘、油污或因受潮使胶粘剂粘力锐减，墙纸在气候变化时收缩所致。维修时可把翘起的墙纸翻起，清除原胶粘层，重新涂布胶粘剂，把墙纸压贴实。

(2)空鼓起泡。由于环境潮湿，涂胶不足或胶粘剂陈旧失效，水气膨胀使造成空鼓、起泡。对较大面积空鼓，修复时可将该处的墙纸割开成十字形，翻开墙纸重新涂布胶粘剂，贴实压平，及时将挤压出去的胶水抹去。

(3)塑料壁纸发霉、有污迹可用稀洗洁精水轻轻擦去。

(4)对大面积的破损，修补后不美观，大多除去旧墙纸，重新裱贴新墙纸。

二、翻新裱贴墙纸的步骤

(1)基层处理：把旧墙纸去除，原残留胶粘剂设法刷净。若基层不平整，如有必要，可用石膏腻子补平。

(2)配制胶粘剂：粘贴纸基墙纸是用聚乙烯醇缩甲醛和等量水混合而成。玻璃纤维布墙纸可用聚醋酸乙烯乳胶:2.5%的纤维素水溶液＝4:6配成的胶粘剂来粘结。也可用专用胶粘剂。胶粘剂的稠度要合适。

(3)涂胶：在基层面上涂布胶粘剂，胶粘剂不要涂得太厚，且要求基层不能潮湿（基层含水率不能大于5%）。裱糊普通墙纸，应把墙纸背面用水湿润；裱糊塑料墙纸可将整张墙纸浸水润湿；基层和墙纸背面均要涂胶粘剂。裱糊玻璃纤维布墙纸，只在基层涂布胶粘剂。基层涂布胶粘剂的宽度，宜比墙纸宽若干厘米。

(4)裱贴墙纸：操作按由上而下的顺序进行，贴好一幅后，即理平压实，压挤赶出的胶粘剂及时用湿布抹净。

(5)采用自粘型墙纸时，不用涂刷胶粘剂，只要把墙纸背面的保护膜撕下，便可裱贴。

三、墙纸裱糊饰面维修的质量要求

(1)基层面应平整，无飞刺、砂粒、凸包，阴阳角要垂直方正。

(2)基层须干燥，其含水率不大于5%，以防止基层干缩将墙纸拉裂。

(3)墙纸饰面修补、翻新后，要求做到颜色均匀一致，无空鼓、无气泡，不得有翘边张嘴、皱褶；无斑点，斜视无胶痕；拼接的各幅墙纸之间不露缝，拼接处图案、花纹吻合。

(4)墙纸裱糊饰面与挂镜线、贴脸板、踢脚线、电器槽盒等交接时，应交接紧密，无漏贴，不覆盖需拆卸的活动件。

四、墙纸裱糊饰面养护

(1)对墙纸裱糊工程应定期检查，发现损坏现象应及时修补，以免损坏扩大。

(2)墙纸裱糊面要保持清洁干净，平时要经常掸除上边的浮土灰尘，可擦洗的塑料壁纸擦洗时用淡肥皂水或清水。

(3)壁纸上不要钉钉子、乱涂、乱画，搬运家具等物品时要注意保护壁纸以免碰坏。

(4)下雨天要注意关好门窗，注意保持室内通风，防止室内潮湿影响壁纸。

(5)对于有防火、防水要求的建筑，可采用防火、防水性能的特种壁纸。对不具防火、防水功能的壁纸，要注意防火、防水。

第六节　顶棚装饰工程的维修与养护

顶棚又称天棚或天花板，是楼层下面的装饰层。对顶棚的基本要求是光洁、美观且能起反射光照、改善室内采光和卫生状况，有的还要有防火、隔声、保温、隐蔽管线等功能。

顶棚装饰常用的有抹灰装饰和悬挂式装饰(吊顶)两种。用抹灰装饰顶棚，所用材料、施工方法及缺损的维修等与墙面抹灰相同，前面已经介绍，不再叙述。本节只介绍吊顶装饰的维修与养护。

悬挂式顶棚简称吊顶，吊顶一般由悬吊构件、龙骨和罩面板组成，常见的龙骨有轻钢龙骨、铝合金龙骨和木龙骨。常见的罩面板有各类石膏板、矿棉(岩棉)吸音板、玻璃纤维板、胶合板、钙塑板、塑胶板、加压水泥板、各种金属饰面板及木板、胶合板等。木骨架吊顶使用大量木材，且不利防火，目前已较少采用。

一、吊顶的维修

(1)龙骨变形，吊顶下垂的维修。吊顶下垂大多数是因龙骨强度不足或吊筋拉力不足造成，对柔性吊筋则因刚性不够或吊筋松脱使吊顶下垂。维修时，可把罩面板拆下，检查吊顶下垂的原因，加固修复。

(2)罩面板翘边开裂或破损的维修。罩面板应平整地紧固在龙骨上，若面板变形，特别是胶合板因受潮而收缩不均匀的变形，容易使面板翘起，拼接缝也会变宽。对金属面板则不容易翘边。用石膏饰面板作罩面板，因石膏板的强度较木板、金属板为低，受撞击易开裂。塑料面板则易老化、变色、变脆。面板翘边的修复可局部加固，若效果不好，应予更换。破裂的面板，如裂纹不宽，可用适当的胶粘剂胶合修复，若破裂严重，一般以换新为宜。

二、吊顶维修的质量要求

(1)所有品种、规格、颜色、质量及其骨架构造，固定方法应符合设计要求和质量标准。

(2)吊顶龙骨及罩面板安装必须牢固，外形整齐、美观、不变形、不脱色、不残缺、不折裂。

(3)轻龙骨不得弯曲变形，纸面板不得受潮、翘曲变形、缺棱掉角，无脱层、干裂，厚薄一致。

(4)局部拆换罩面板时，新旧罩面板的品种、规格、颜色、图案应力求一致，接缝处花纹图案吻合，压条应保证平直。

(5)吊顶维修后,应检查其安装出现的偏差是否在允许的范围内。钢木骨架吊顶罩面板的安装允许偏差见表 7-3。

表 7-3　　吊顶罩面板工程质量允许偏差

项目	允许偏差(mm)											检验方法
	石膏板			无机纤维板		木质板		塑料板		纤维水泥加压板	金属装饰板	
	石膏装饰板	深浮雕嵌式装饰石膏板式	纸面石膏板	矿棉装饰吸音板	超细玻璃棉板	胶合板	纤维板	钙塑装饰板	聚氯乙烯塑料板			
表面平整度	3	3	3	2	2	2	3	3	2		2	用 2m 靠尺和楔形塞尺检查观感平整
接缝平整度	3	3	3	3	3	3	3	4	3		<0.5	拉 5m 线检查,不足 5m 拉通线检查
压条平直度	3	3	3	3	3	3	3	3	3	3	3	
接缝高低	1	1	1	1	1	0.5	0.5	1	1	1	1	用直尺和楔形塞尺检查
压条间距	2	2	2	2	2	2	2	2	2	2	2	用尺检查

三、吊顶的养护

(1)应定期检查吊顶内隐蔽的管线和空调、消防、电力电讯设备是否有漏水、漏电现象,有无虫、蚁、鼠患,及时消除隐患,确保安全。

(2)要注意通风,不要让吊顶长期受潮,特别是对木龙骨、木面板更应注意防潮、防蚁及防火。若原是木面板,在维修时尽可能换为金属板等防潮、防火性能好的面板。

(3)发现吊顶下垂或面板破损情况,要及时修复。

(4)要定期清洁罩面板,使其保持清洁及使室内采光效果良好。

(5)不要在吊顶龙骨上悬挂过重物品,以免使龙骨下坠变形。

第七节　花饰安装工程的修缮

花饰安装工程是将预制的花饰构件,安装或镶贴在建筑物的室内外墙面上,以增加建筑物的艺术效果。花饰材料分为水泥砂浆花饰、水刷石花饰、斩假石花饰、石膏花饰、塑料花饰、金属花饰等。按大小和重量分有轻型花饰和重型花饰。

一、花饰安装工程的质量要求

(1)花饰的品种、规格、图案和安装方法,必须符合设计要求。

(2)花饰安装必须牢固,无松动、裂缝、翘曲和缺棱掉角等缺陷。

(3)花饰表面和安装的基层洁净,接缝严密吻合。

(4)花饰安装的允许偏差符合国家质量标准要求。

二、花饰安装工程的维修

(一)花饰损坏的形式及原因

建筑物上的花饰,因使用年久而损坏需修补的情况有以下几种:

(1)花饰与基层面之间出现空鼓,花饰脱落。

(2)因基层粉刷层损坏空鼓而造成花饰不牢,甚至脱落。

(3)花饰虽还牢固,但日久已风化,或人为破坏。

(4)旧建筑因需翻建必须拆除,但又要求按原样式修复。

(二)花饰的修补

花饰的修补可根据不同的损坏情况而定,一般可采取以下几种方法:

(1)面壳的修补。花饰仍完好,但已起壳(空鼓)或连接不牢,可小心拆下花饰,整理后重新安装牢固。

(2)基层抹灰损坏的维修。基层抹灰层已损坏空鼓,但花饰完好,可仔细地拆下花饰,先清理花饰背面的基层损坏处,等基层修复好后再安装。

(3)花饰表面损坏的修补。对花饰图案较复杂,复制难度较大,但表面又有一定程度损坏的花饰,拆下后根据花饰采用的材料进行修复,修复后重新安装。

(4)花饰的复制。对损坏严重的花饰,要进行更换,可根据原花饰的材料、图案、尺寸进行制模复制。

(三)花饰安装工程的养护

(1)花饰工程要进行定期检查。

(2)注意检查空鼓、螺丝和螺栓的紧固情况,有松动的螺母应及时拧紧,缺少的螺母应补齐。

(3)检查花饰的稳固情况,砌筑的花饰有凸出平面的应及时修整或拆下重砌。

(4)对花饰污染严重的要定期清洗,裂缝掉角的要及时修补。

(5)注意对花饰的保护,搬抬重物时避免碰坏花饰。

第八章　屋面防水工程的维修与养护

第一节　屋面防水工程主要构造形式

屋面经常出现的问题是渗水漏雨，屋面渗漏不仅直接影响人们的生产、生活，而且雨水浸入后，使屋面潮湿，长时间后将导致结构病害，甚至发生危险。因此，在屋面工程的修缮中，主要是防止和处理屋面渗水漏雨问题。

屋面的种类很多，有钢筋混凝土柔性防水屋面和刚性防水屋面，以及青瓦、波形瓦屋面等盖材屋面。

柔性防水屋面包括卷材防水屋面和涂膜防水屋面。卷材屋面是采用沥青油毡、再生橡胶、合成橡胶或合成树脂类等防水卷材粘贴成一整片能防水的屋面覆盖层。涂膜防水屋面是采用乳型橡胶沥青防水涂料、聚氨脂防水涂料刷在屋面基层上形成防水面层。

刚性防水屋面是采用钢筋混凝土、黏土砖等刚性材料做防水层的屋面。主要有钢筋混凝土刚性防水屋面、预应力钢筋混凝土刚性防水屋面、微膨胀混凝土刚性防水屋面、自防水屋面、预应力钢筋混凝土双防水屋面、砖铺刚性屋面等。

第二节　屋面渗漏检查

屋面的渗漏，有普遍漏、局部漏、大漏和小漏等不同情况。整治屋面渗漏前，首先必须找出渗漏的具体部位，而后才能对症下药，制定出切实可行的整治方案。目前，屋面渗漏检查的一般方法详见表 8-1。

表 8-1　　屋面渗漏检查的一般方法

检查内容	检查方法	说　明
初步检查	首先向住用人员了解屋面渗漏的大致部位、范围和程度、何时开始渗漏，以及平时对屋面的使用和维修情况	
室内检查	先检查室内顶棚、屋面、墙面的渗漏痕迹，根据水向低处流的特点，由下向上沿着渗漏的痕迹找屋面渗漏的部位、范围和程度，并做好记录	检查时机以下雨（或雨刚停）和化雪天为好
室外检查	根据室内检查结果，再到室外屋面上相对应的范围内进一步确诊，因有些渗漏情况较复杂，室内外渗漏点往往不在同一位置。必要时须拆除屋面面层覆盖物进行检查	检查时机以下雨（或雨刚停）和化雪天为好
室外试验检查	对平屋面或砖拱屋面的裂缝或渗漏点，可在屋面上喷水或浇水进行试验，因渗漏处吸水多干燥慢，可留下较明显的湿痕迹，此痕迹处即为裂缝或渗漏点	必须在晴天进行

续表 8-1

检查内容	检查方法	说　明
室外试验检查	对屋面斜沟、檐沟、拱沟等的渗漏点,除采用浇水法试验外,还可用土筑小坝,然后灌水试验的办法检查,此法可逐段查出沟道的裂缝或渗漏点	必须在晴天进行
室外敲、照检查	瓦屋面渗漏处,怀疑瓦有裂缝时,可把瓦片取出用小锤轻敲,发出哑声者则说明瓦有裂缝等缺陷。如无哑声,则可把瓦片对着光线照,如果透亮,则说明有大沙眼,如果不透亮,可做渗水试验,检查是否渗水或漏水	适用于青瓦、筒瓦、平瓦(含水泥瓦)
室外水线、冰线检查	下雪天或雪刚停时上卷材屋面查渗漏点,当屋面积雪在100mm以内时,若发现积雪上有纵横条形水线或屋面水眼,或者在水线(眼)上结了一层薄冰,此水线或冰线处对应的屋面防水层往往开裂破损,导致渗漏	此法由江苏建筑设计院总结
室外撒粉法检查	将屋面渗漏部位附近擦干,薄薄地撒上一层干水泥粉或石灰粉,因裂缝或渗漏处吸水多,可留下较明显的湿点或湿线,此痕迹处即为裂缝或渗漏点	必须在阴天屋面潮湿时进行

第三节　柔性屋面防水工程的维修

一、卷材防水屋面

卷材防水屋面使用的防水卷材有石油沥青卷材、高聚物改性沥青卷材、合成高分子防水卷材三大类,其中以沥青卷材(油毡)应用最普遍,约占90%。用沥青油毡做防水层,一般采用二毡三油或三毡四油做法。二毡三油的做法是先在基层上铺1:3水泥砂浆找平层,刷一层冷底子油,然后,相间地涂上三层沥青胶及二层油毡,再撒上一层小石子作保护层。冷底子油的作用是使第一层沥青能与找平层结合牢固。若相间涂上四层沥青胶及三层油毡,则称为三毡四油做法。

由于沥青系列防水材料具有良好的韧性、不透水性、粘结性及能满足一般防水要求的其他性能,且材料来源广泛,价格较低,技术性能较稳定,在今后一段时期,仍将是一种主要的屋面防水材料。从使用效果看,油毡卷材还存在渗漏率较高的不足。随着油毡质量的改善和提高,加强施工管理及对屋面防水设计的规范化,渗漏问题是能较好地解决的。

(一)卷材防水屋面的渗漏和渗漏原因

屋面渗漏的外观现象表现在:卷材防水层有开裂、起鼓、流淌和卷材老化等。从渗漏部位来看,主要有下列部位易产生渗漏。

1.房屋结构或构造拼缝处渗漏

图8-1所示是屋面板之间、板与墙之间因受荷载影响产生裂缝引起渗漏。

2.屋面明显突变的部位渗漏

(1)屋面与纵横墙、山墙、女儿墙的连接处(图8-2)。

(2)屋面与突出屋面的构件(如管道、烟囱、水池等)连接处。

(3)屋面与檐口、雨水口连接处。

(4)伸缩缝、沉降缝、防水层分格缝等处。

3.卷材防水层的渗漏

引起防水层渗漏的原因是多方面的,归纳起来,主要有以下几个方面:

(1)施工方面。施工质量差是造成屋面渗漏的主要原因。例如因卷材搭接不当,导致卷材粘贴不牢,形成空隙,在外力作用下引起渗漏;因玛璃脂配制、熬煮及铺涂工艺不当,使玛璃脂流淌或铺涂不足使卷材粘贴不严。

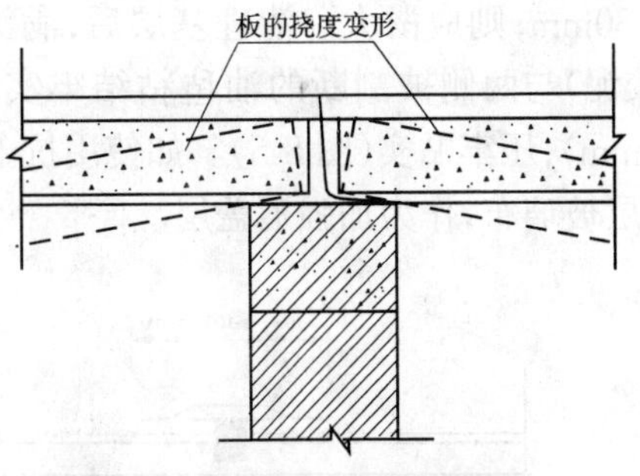

图 8-1 屋面板之间与墙之间开裂

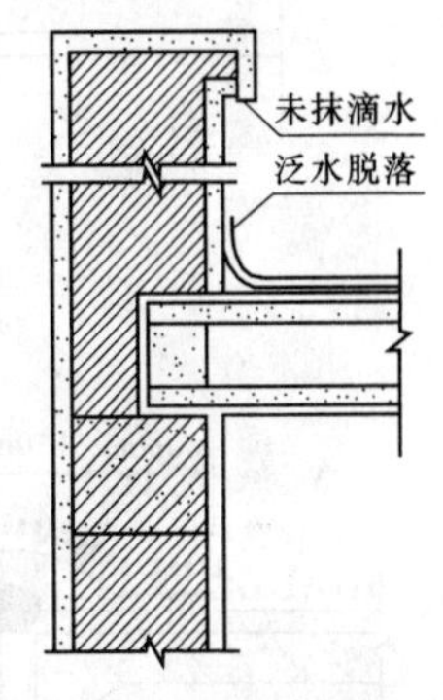

图 8-2 屋面与山墙、女儿墙连接处渗漏

若屋面基层没有整理平整,基层潮湿,会造成油毡不平整,贴不牢靠,在炎热的天气下,被卷材封闭的水蒸气受热膨胀,将防水层顶起而起鼓。

(2)材料方面。例如使用含蜡量高的沥青熬制玛璃脂,使玛璃脂粘结力低和耐热度不稳定,容易发生流淌及过早老化,导致油毡移位产生渗漏;油毡纸胎质量差,脆性大,抗渗、抗裂性较差,导致过早脆裂和老化,大大削弱其防水效果。

(3)设计考虑不周,局部构造不合理,未考虑结构变形对房屋渗漏的影响。

(4)管理不善,使用不合理。如维修不及时,使损坏愈加严重。另外,对屋面的管理薄弱,没有建立对屋面的日常管理、维修和使用制度。在屋面上任意堆放杂物、乱搭乱盖,或随意安装天线,破坏屋面的完整等均容易导致渗漏。

(二)卷材防水屋面渗漏的维修

1.防水层开裂的维修

屋面出现的裂缝可分为有规则和无规则两种。有规则裂缝一般呈直线状,少数也有呈断续弯曲状;无规则裂缝的位置、形状和长度都不定。这两种裂缝产生的原因和维修方法也不尽相同。

(1)有规则裂缝的维修方法。有规则裂缝多发生在装配式结构的屋面上,开裂的位置往往在正对屋面板支座的上部。这是屋面板受温度变化而变形及面板本身的干缩所引起的,常用的维修方法有三种:①干铺油毡贴缝法。在把裂缝及其附近的面层铲除并清理干净后,刷一道冷底子油,在裂缝中嵌上防水油膏或聚氯乙烯胶泥,然后沿缝单边点粘宽度不小于100mm的油毡作隔离层,最后用宽度大于300mm的油毡粘贴覆盖并作保护层,如图8-3所示。此法是利用干铺油毡作为隔离层,当屋面基层变形时起隔离作用,使面层油毡在基层开裂时有足够的变形能力而不会被拉裂。②半圆弧形贴缝法。此法与干铺油毡贴缝法的不同之处在于空铺层中间凸起半圆弧形,并在两端用热沥青胶结材料贴牢压实(图8-4)。此法有较大的适应基层变形的能力,但半圆弧空洞较易破裂。③油膏或胶泥补缝法。此法要先把裂缝两边各宽35~50mm的卷材切除,露出找平层。若裂缝宽、深不足 30mm,则应凿大。清理基层后,满涂冷底子油,再将油膏(胶泥)嵌入缝中,要把油膏(胶泥)与两侧被割断的油毡粘结牢实,油膏(胶泥)要高出油毡面并覆盖两侧(宽 20~30mm),压牢贴实(图 8-5)。如使用抗老化性能差的油膏作嵌补材料,可在油膏表面加贴一层玻璃布,作为加强覆盖层。

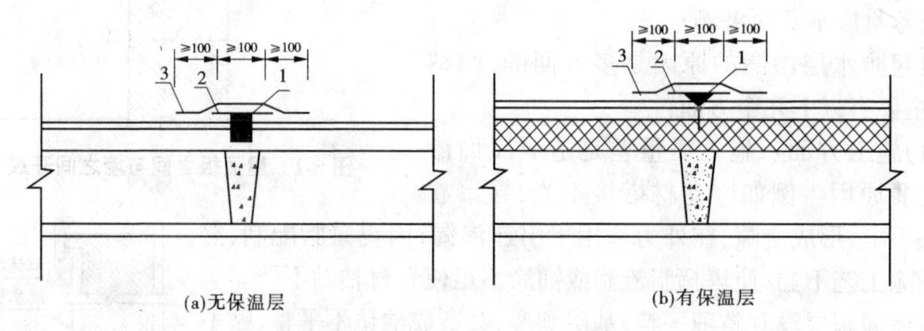

图 8-3 干铺油毡贴缝修补防水层裂缝(单位:mm)

1—密封材料;2—卷材隔离层;3—防水卷材

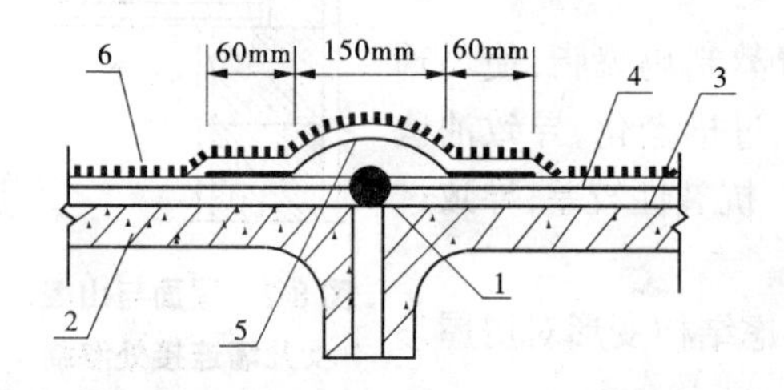

图 8-4 半圆弧形贴缝法修补卷材防水层裂缝

1—胶泥、油膏或油毡卷浸油草绳卷嵌缝;

2—原有屋面层;3—原有找平层;

4—原有二毡三油防水层;5—空铺半圆弧形油毡条一层;

6—实铺一毡一油绿豆砂护面层

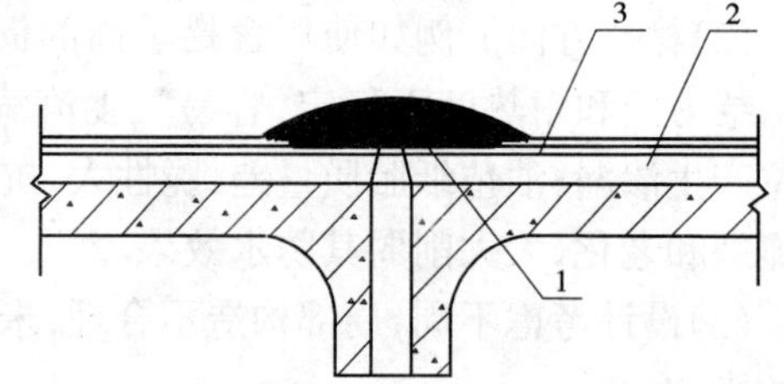

图 8-5 油膏或胶泥嵌补卷材防水层裂缝

1—胶泥或油膏;2—原有找平层;

3—二毡三油防水层

(2)无规则裂缝的维修方法。无规则裂缝的产生,主要是卷材搭接太短,卷材收缩后使接头开裂、翘起;卷材老化龟裂;找平层收缩引起卷材拉裂等原因所致。

对于卷材局部出现裂缝,但卷材尚未老化的修补,可在稍大于裂缝的范围内,把保护层铲除及清理干净,刷冷底子油一道,再沿裂缝铺贴宽度不小于 250mm 的卷材,用一毡二油或二毡三油的做法,照原样做好保护层。

若原油毡已老化或因损伤不能使用,应将此部分防水层铲除及清理干净,板面干燥后,刷上冷底子油,贴盖新的二毡三油防水层,每边与四周旧防水层的搭盖宽度为 50~100mm。搭盖方式为:左、右、下三边新防水层的第一、第二层分别贴入相应的旧防水层的上面,而上边的新防水层的第一、第二层则分别贴入旧防水层的第一、第二层下面。以上所用二毡三油亦可用一布二油代替。

2. 防水层起鼓的维修

造成卷材防水起鼓的主要原因是由于卷材粘贴不实的部位存有水分或气体,受热时因气体膨胀而起鼓(图 8-6)。防水层起鼓不一定渗漏,但是个隐患,特别是鼓泡受外力作用易开裂,或鼓泡由小至大甚至串连成片。对较大面积的起鼓,应及时修复。

根据鼓泡的大小及严重程度,可采取不同的维修方法。

(1)对直径在100mm以下的鼓泡,可采取抽气灌油法来修补。即在泡中插入两支兽用注射器,其中一支注射器内装有热沥青稀液。用空的一支注射器把泡内气体抽出,一边抽气,一边注入热沥青液,注满后抽出针管,把油毡压平贴牢,然后用沥青把针眼封闭,用砖块压上数天。

(2)对直径100～300mm的鼓泡,把其周围的砂粒、沥青胶刮掉,割破鼓泡或在鼓泡上钻眼排出泡内气体,使卷材覆平。在鼓泡范围面上铺贴一层卷材,外露边缘应封严,最后做保护层。

(3)对直径300mm以上的鼓泡,可按斜十字形将鼓泡切割,翻开晾干,清除原有沥青胶,将切割翻开部分的油毡重新分片按屋面流水方向用沥青胶粘贴,并在面上增铺贴一层油毡(其边长应比切开范围大100mm)将切割翻开部分卷材的上片压贴、粘牢封严(图8-7),最后做保护层。

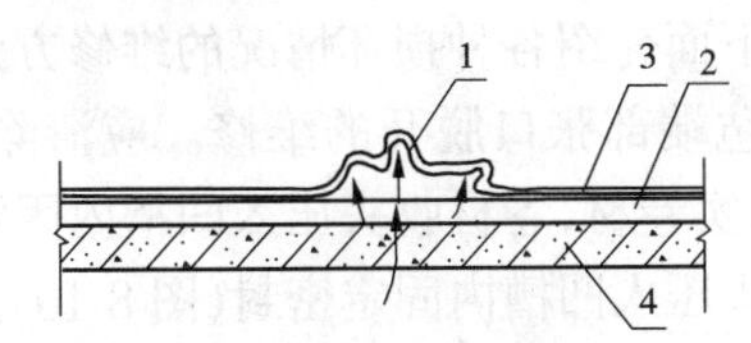

图8-6　卷材防水层鼓泡的形成

1—鼓泡皱褶;2—找平层;3—防水层;4—结构层

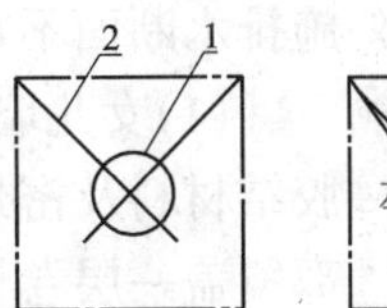

图8-7　切割鼓泡维修

1—鼓泡;2—呈斜十字切割;3—加铺卷材

3.沥青流淌的维修

屋面沥青防水层发生流淌,一般出现在表层油毡上,并在屋面完工后第一个高温季节出现,其原因主要是沥青玛𤦀脂耐热度偏低或玛𤦀脂胶结层过厚所致。

对于油毡防水层轻微流淌可不进行处理,如流淌严重,视其损坏程度,局部或全部重铺进行维修。

(1)切割法。该种做法主要用于修理屋面坡端和泛水处油毡因流淌而耸肩、脱空的部位。其做法是先铲除要切割处的保护层,将脱空的油毡切开,刮去油毡下积存的沥青胶,待干燥后将下部油毡用沥青胶粘结贴平,再补贴上一层新的油毡,并将上部油毡盖贴上,最后做保护层(图8-8)。

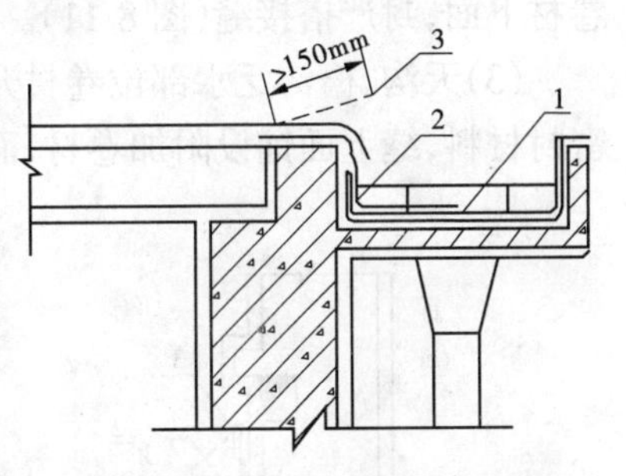

图8-8　卷材脱空、耸肩部位的维修

1—原防水卷材;2—揭开原防水卷材;

3—加铺卷材

(2)局部铲除重铺法。该种做法多用在天沟处已流淌而皱褶成团的部位。把皱褶成团的部位的表面油毡铲除,其范围以保留平整部位为准。对留下的油毡的边缘,将油毡揭开约150mm,清除原有胶粘材料及污物,在铲除部分重新铺贴新油毡,再把揭开的旧油毡盖贴上,新旧油毡搭接150mm,搭接处压实封严(图8-9)。

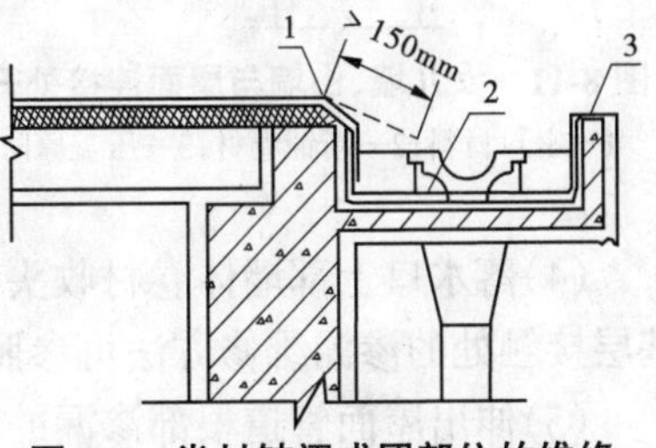

图8-9　卷材皱褶成团部位的维修

1—揭开原防水卷材;2—新铺卷材;

3—卷材收头封固

(3)全铲重铺法：当表层油毡流淌产生多处严重皱褶，且皱褶隆起在50mm以上，接头脱开150mm以上，局部修补有困难时，应把表层油毡整张揭去，重新铺贴。

4. 油毡老化的维修

油毡老化是不可避免的，防水层因老化而出现龟裂、收缩、发脆、腐烂等现象时，应及时维修。对局部的轻度老化防水层，可进行局部修补或局部铲除重铺，然后在整个屋面上涂刷沥青一层，并铺撒砂子形成保护层。严重老化的就需要全铲重铺。重新铺贴防水层，应严格按施工规范进行操作。

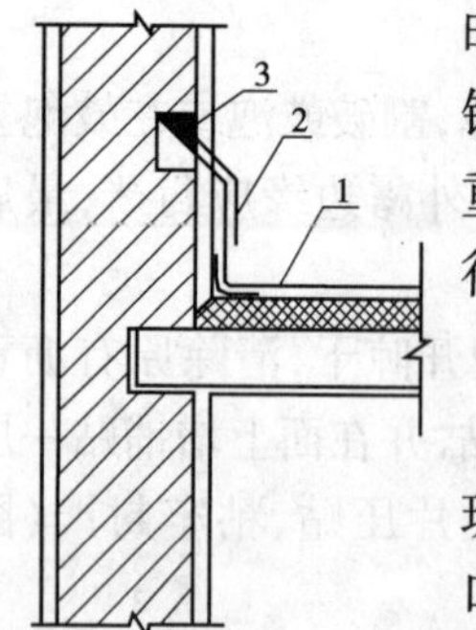

图 8-10 砖墙泛水处收头卷材张口、脱落的维修

1—原防水层卷材；
2—加铺一层卷材；
3—密封材料

5. 节点处防水构造失效的维修

屋面因节点构造处理不当而造成渗漏的情况是比较普遍的，表现在铺贴于突出屋面的结构（如山墙、女儿墙等）立面的卷材端部封口马虎或泛水高度不足造成渗漏；或变形缝防水不严密，或排水设施排水断面不足造成渗漏。下面介绍各种损坏情况的维修方法。

(1)女儿墙、山墙泛水油毡端部张口脱开的维修。应清除原有胶结材料及密封材料，重新贴实卷材，卷材收头压入凹槽内固定，上部覆盖一层卷材并将卷材收头压入凹槽内固定密封(图 8-10)。

(2)女儿墙、山墙等高出屋面的结构与屋面基层连接处卷材开裂的维修。在把裂缝清理干净以后，在缝内嵌填密封材料，上面铺贴新卷材，并压入立面卷材下面，封严搭接缝(图 8-11)。

(3)天沟、檐沟泛水部位卷材开裂的维修。先清除破损卷材及胶结材料，在缝内嵌填密封材料，缝上面铺设附加卷材，面层贴盖一层卷材，并贴实封严(图 8-12)。

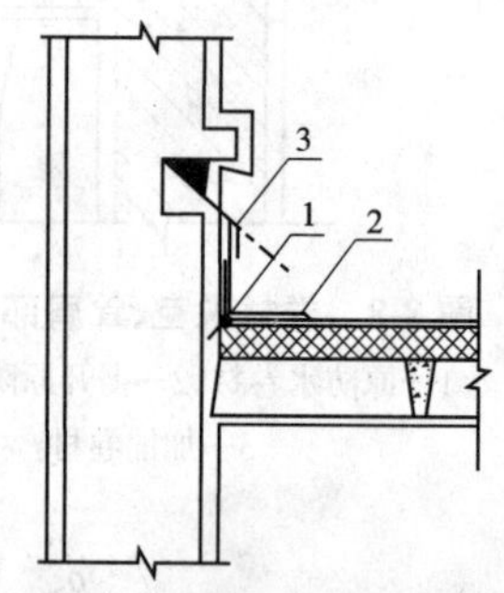

图 8-11 女儿墙、山墙与屋面连接处开裂的维修

1—密封材料；2—新铺卷材；3—压盖原防水层卷材

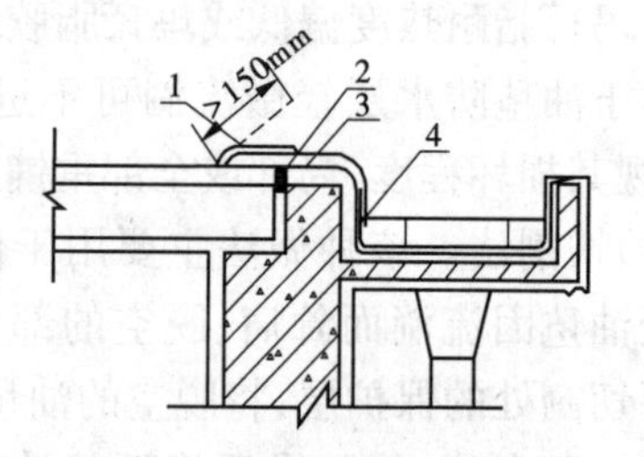

图 8-12 天沟、檐沟与屋面交接处渗漏的维修

1—揭开原防水卷材；2—密封材料；
3—新铺卷材附加层；4—贴盖一层卷材

(4)落水口上部墙体卷材收头处张口、脱落的维修。维修方法参照上(1)。落水口与基层接触处的渗漏维修方法可参照上(2)。见图 8-13。

(5)伸出屋面管道根部渗漏的维修。先把管道根部周围的卷材、粘胶和密封材料清除干净，管道与找平层之间剔成凹槽，槽内嵌填密封材料，增设一卷材附加层，再用面层卷材覆盖。卷材收头用金属箍箍紧或缠麻封牢，并用密封材料封严(图 8-14)。

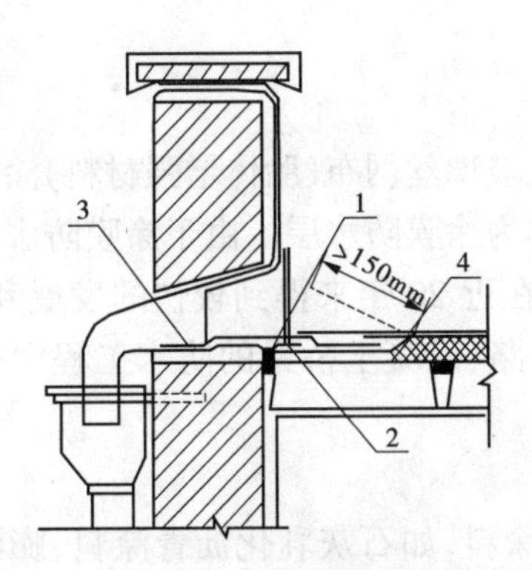

图 8-13　落水口与基层接触处渗漏的维修

1—密封材料；2—卷材附加层；
3—铺贴一层卷材；4—覆盖原防水卷材

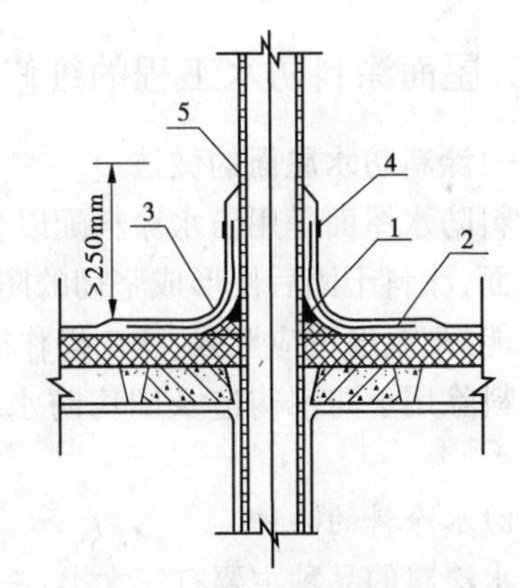

图 8-14　伸出屋面管道根部渗漏的维修

1—密封材料；2—卷材附加层；3—新铺卷材；
4—金属箍或缠麻；5—密封材料

(三)卷材防水屋面质量要求

(1)屋面防水层修缮完成后应平整，不允许有翘边、接口不严等缺陷，不得积水、渗漏。

(2)卷材的铺贴应顺屋面流水方向；卷材与找平层之间、卷材之间均应粘接牢固；卷材的搭接顺序和搭接长度应符合规范要求。

(3)卷材与屋面构筑物的连接处和转角处，应铺贴牢固和封闭严密。

(4)铺设保护层与原屋面保护层相一致，覆盖要均匀，粘接要牢固，多余的保护材料应清除。

(5)检查时，可按屋顶面积每 $50m^2$ 抽查一处，但每个屋顶的检查点不少于 5 处。

举例：某工厂厂房的室内温度较高，屋面不设保温层，屋面防水为二毡三油做法。使用到第二年雨季，厂房多处漏雨。在进行屋面检查后发现大部分裂缝都正对屋面板支座的上端，且通长而笔直。经过分析，出现这种现象是因屋面板在温度的变化下产生了胀缩而拉裂油毡。

处理方法：采用干铺油毡贴缝法维修。具体做法是先把裂缝两侧各约 350mm 宽处砂子保护层铲除干净，清理裂缝处浮灰杂物，待干燥后刷冷底子油，并在裂缝处嵌入聚氯乙烯胶泥，胶泥略高于防水层，然后铺上一层宽 400mm 油毡作延伸层，油毡两侧用玛琋脂粘贴，粘贴宽度为 20mm(这样粘贴油毡是为了玛琋脂不会从油毡条的两侧流入而使干铺油毡起不到延伸层的作用)。上面再实铺一层油毡条，最后做一油一砂保护层(图 8-15)。

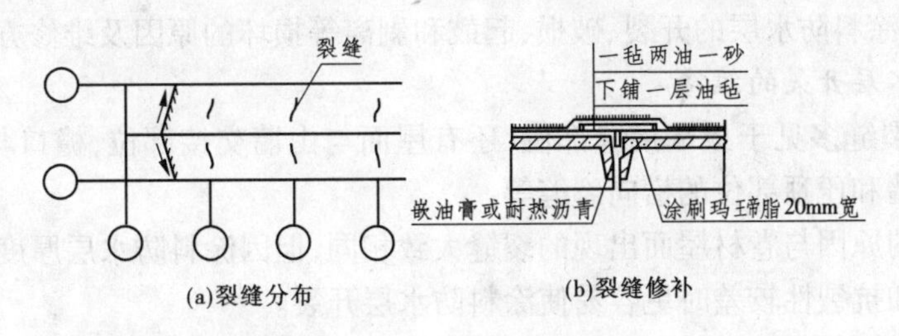

图 8-15　卷材屋面维修实例

二、屋面涂料防水工程的维修

(一)涂料防水屋面的做法

涂料防水屋面是用防水涂料配以合成纤维毡或玻璃丝网布(胎体增强材料)涂布在结构物表面,涂料干固后便形成坚韧的防水膜,故又称为涂膜防水层。由于涂膜防水层具有防水性能好、温度适应性强、施工操作简便等特点,在近 20 年来得到较快的发展和应用。防水涂料除用于防水构造及旧房防水维修外,在铁路、混凝土桥梁的防水工程中也广为使用。

1. 防水涂料的品种

防水涂料的品种主要有三大类:一是沥青防水涂料,如石灰乳化沥青涂料、膨润土乳化沥青涂料等;二是高聚物改性沥青防水涂料,如水乳型再生胶沥青涂料、SBS 改性沥青涂料等;三是合成高分子涂料,如丙烯酸酯防水涂料、有机硅防水涂料等。当前使用较多的是高聚物改性沥青防水涂料。

高聚物改性沥青防水涂料分溶剂型(如再生橡胶沥青涂料)和乳液型(如水乳型橡胶沥青涂料)两种类型。溶剂型需大量的有机溶剂,价格较贵,故水乳型发展较快。

水乳型橡胶沥青涂料,是以沥青为基料,加入增塑剂、防老化剂,以水为分散介质,借助适当的表面活性剂,通过搅拌使橡胶和沥青呈极细的微粒分散在水中,形成稳定的、均一的分散体系。

2. 涂料防水屋面的施工

涂料防水屋面的施工是冷施工。施工前按要求把屋面板的板缝用细石混凝土嵌密实,并做好找平层,施工时在找平层上均匀涂一层冷底子油或底胶,待干燥后于其上涂刷防水涂料,铺贴合成纤维毡或玻璃布等胎体增强材料,再在上面均匀地涂刷防水涂料,纤维不露白,并用辊子滚压密实,将毡布下空气排尽。此层涂料涂刷后,一般需 4~24h 后才能干燥,待其干燥后,再在其上涂刷一层防水涂料。在涂刷最后一道涂料后,应立即均匀撒上保护材料(如蛭石粉、云母粉、铝粉等),并用胶辊滚压,做成保护层。

以上的做法称为一毡(布)三胶,即在毡下面涂一道涂料,毡上面涂两道涂料。按设计要求还有二毡四胶和一布一毡四胶等做法。毡(布)的搭接尺寸与沥青油毡的铺贴搭接相同。

(二)涂料防水屋面渗漏的维修

涂料防水屋面的渗漏部位与卷材防水屋面大致相同,但其损坏原因及修复方法不尽相同,以下介绍涂料防水层的开裂、破损、起鼓和剥离等损坏的原因及维修方法。

1. 涂料防水层开裂的维修

防水层的裂缝多见于板端接缝部位,还有屋面与山墙交接部位,檐口与檐沟交接部位,天沟、女儿墙和压顶部位的横向裂缝等。

裂缝出现的原因与卷材屋面出现的裂缝大致相同,但因涂料防水层厚度较薄,若所选涂料的延伸率和抗裂性较差时更容易使涂料防水层开裂。

(1)防水层规则裂缝的维修。清除裂缝部位的防水涂膜,把裂缝剔凿扩宽,清理干净,用密封油膏嵌填。干燥后,缝上干铺或单边点粘宽度为 200~300mm 的卷材条做隔离层,再铺设带有胎体增强材料的涂料防水层，该防水层宽度约为400mm，且其与原防水层有效粘结宽度不应小于100mm，防水层的构造层次可用一布三胶或二布四胶，并做好保护层（图8-16）。

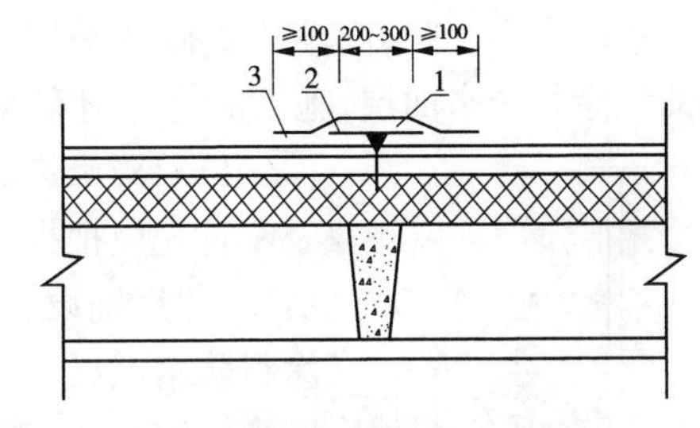

图8-16　涂料防水层规则裂缝的维修（单位：mm）

1—密封材料；2—隔离层；3—涂膜防水层

(2)防水层无规则裂缝的维修。应铲除损坏的涂膜防水层，清除裂缝周围附灰及杂物，沿裂缝涂刷基层处理剂，待干燥后，铺设涂料防水层。防水涂膜应由两层以上涂层组成。新铺设的防水层应与原防水层粘结牢固并封严。

2.涂料防水层破损的维修

防水层涂膜的最小厚度很薄，按规定沥青基层防水涂膜厚度不小于8mm；高聚物改性沥青防水涂膜厚度不小于3mm；合成高分子防水涂膜厚度不小于2mm。这很容易被扎穿或踩裂。

对局部破损部位的修补方法是把该部位及周围清理干净后，裁剪两块比破损处周边宽100mm的玻璃丝布，用与屋面相同的防水涂料仔细粘贴于破损处，然后在表面涂刷两遍以上的涂料，并做保护层。

3.涂料防水层起鼓的维修

涂料防水层起鼓是因基层水分过多，在温度升高时水蒸发膨胀而造成的。有些鼓泡可能随气温降低而消失。但鼓泡的产生使涂膜被拉伸，易使涂膜老化，并使其破裂而出现屋面渗漏。

对较小鼓泡的修复，可将鼓泡刺穿一小孔，排净空气后，由小孔注入相关防水涂料，然后用力滚压使其与基层粘牢，孔眼处用密闭材料封口。

对较大直径的鼓泡，将起鼓部位的防水层用刀呈斜十字形切割，排除泡内气体，翻开切割的防水层，清理干净并晾干。然后把翻开部分重新粘贴，在其上铺设胎体增强材料的涂料防水层，周边应大于原切割部位，搭接宽度不应小于100mm，外露边缘用防水涂料多遍涂刷封严。新旧涂膜搭接处处理见图8-17。

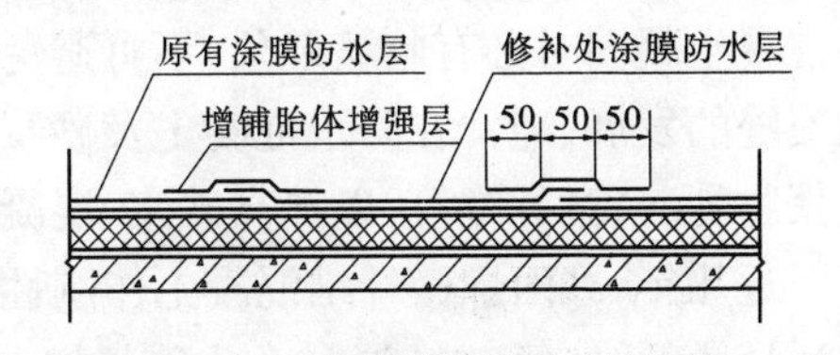

图8-17　新旧涂膜搭接处处理（单位：mm）

4.涂料防水层粘结不牢的维修

涂料防水层与基层因粘结不牢脱开，尤其是边缘部分，在风吹日晒下张口、开缝，成为渗水通道，造成渗漏。

造成粘结不牢的原因有：基层不平整或基层含水率高，防水涂料粘结性能差等。根据粘结不牢的面积的大小，采取不同的维修方法进行修补。

如屋面防水层大部分粘结牢固，只是个别部位出现脱空、翘边等现象，可进行局部修补。先将翘起的涂膜掀开，处理好基层后，再用防水涂料把掀开的防水层铺贴好，最后在掀开部位上面，加做一毡（布）二胶防水层，表面加保护层。

如粘结不牢的面积较大，或脱空、翘边较多，可采取全部翻修的做法。全部翻修时，先把原防水层全部铲除，修整或重做找平层，水泥砂浆找平层应顺坡抹平压光，面层牢固。然后铺设涂料防水面层，施工应符合国家现行《屋面工程技术规范》的规定。

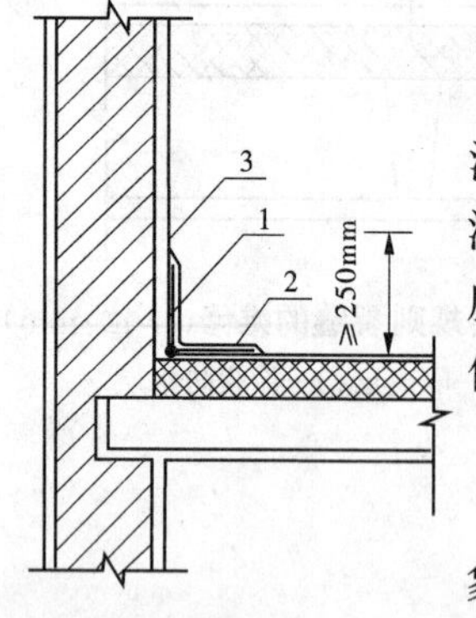

图 8-18　屋面泛水部位渗漏的维修

1—涂膜附加层；2—涂料防水层；3—粘牢封严

(三)对天沟、泛水等节点部位的维修

首先应把损坏部分的涂料防水层清理干净，基层面应干燥、洁净，然后铺设有胎体增强材料的附加层，最后做涂料防水层。涂料防水层泛水高度不应小于 250mm，新旧防水层搭接宽度不应小于 100mm，外露边缘应用涂料多遍涂刷封严。屋面泛水部位渗漏的维修见图 8-18。

(四)涂料防水屋面的质量要求

(1)维修完成以后，屋面应平整，不得积水，屋面无渗漏现象。

(2)天沟、檐沟、落水口等防水层构造应合理，封固严密，无翘边、空鼓、褶皱，排水通畅。

(3)防水层涂膜厚度应符合规范要求。涂料应浸透胎体，防水层覆盖完全，表层平整，无流淌、堆积、皱皮、鼓泡、露筋等现象。防水层收口应贴牢封严。

(4)铺设保护层应与原保护层一致，覆盖均匀，粘结牢固，多余保护层材料应清除。

(5)维修工程竣工后，须经蓄水检验。检验不渗漏，方为合格。

第四节　刚性屋面的维修

刚性防水屋面是以刚性材料做的防水层，主要有防水砂浆屋面和细石混凝土防水屋面两种。

刚性防水层是依靠混凝土自身的密实性和憎水性，即自防水能力来达到防水的目的。但混凝土凝固时必有收缩现象，不可避免地出现细微裂缝。为了减少这些细裂缝及抑制细裂缝的发展，通常在防水混凝土及砂浆中掺入各种外加剂(如减水剂、加气剂、防水剂)、高聚物乳液、微纤维等，以提高砂浆、混凝土的抗渗、抗裂等防水性能。

近几年，聚丙烯微纤维混凝土作刚性防水材料也愈来愈多。它是在普通混凝土中添加适量微纤维(每 $1m^3$ 混凝土或砂浆加入微纤维 0.45～0.9kg)拌制而成。微纤维能抑制混凝土微裂缝的发展，通过抗裂使混凝土更密实达到防水目的。在美国，近几年新建建筑物的屋面和地下室的混凝土大多数都采用微纤维混凝土。

一、刚性防水屋面的渗漏

(一)渗漏的主要部位

(1)屋面的预制板接缝处，纵横分格缝交叉处。

(2)屋面板端接头处，天沟、檐口与屋面板接缝处。

(3)防水层与女儿墙、檐沟、排水系统等构造节点连接处。

(4)伸缩缝、沉降缝处。

(5)整浇基层、刚性防水层因建材质劣或施工不当造成的病害,使防水层不密实、不平整,雨水沿较疏松或裂缝处滴漏。

(二)产生渗漏的原因

(1)因产生裂缝导致渗漏。产生裂缝的原因及种类大致有因温度变化而热胀冷缩引起的温度裂缝,因在荷载作用下变形引起的荷载裂缝,因水泥硬化干缩而产生的干缩裂缝,以及因地基变形而产生的沉降裂缝等。具体表现为:①刚性防水层因变形能力不足,当防水层分格过大时,易在基层变形时被拉裂。②刚性基层在温度变化下发生热胀冷缩,在受到梁和墙的约束下会产生较大内应力,使基层被拉裂。对现浇钢筋混凝土屋面,若抗温应力的钢筋铺设不足,也容易产生裂缝而渗漏。③预制板屋面基层由于板件在支座边有反挠翘起,使该处防水层受拉开裂。④嵌缝材料不良、操作不当或材料老化失效,雨水从分格缝直接渗入。⑤因房屋变形,尤其是地基不均匀沉降使屋面基层、防水层变形开裂。

(2)因构造节点处理不当而产生泛水渗漏。泛水渗漏是指女儿墙等墙体与屋面防水层相交部位的渗漏。当垂直面防水层与屋面防水层没有很好分层搭接,在防水层收口处开裂,水沿开裂处进入,造成漏水。

二、刚性防水屋面渗漏的维修

(一)防水层裂缝的维修

防水层裂缝的维修,要针对不同部位的裂缝变异状况,采取相应的治理措施。对防水层裂缝及接点部位渗漏修缮宜采用密封材料、防水卷材或防水涂料等柔性防水材料维修。刚性材料板块的表面风化、起砂等损坏可采用聚合物水泥砂浆、高标号细石混凝土等刚性材料进行维修。

1.防水层表面一般裂缝的修补方法

(1)贴盖法。该法是用防水材料贴盖在裂缝上,将裂缝密封。贴盖层应能适应缝口的变形,不致使贴盖层被拉脱、拉断,所用材料应具有柔韧性、延伸性和抗基层开裂的能力。主要材料有油膏、胶泥、石灰乳化沥青,以及油毡、纤维布等,构成一布两涂或二布三涂等防水贴盖层。贴缝卷材宽度不应小于300mm,周边与刚性防水层有效粘结宽度应大于100mm,卷材搭接长度不应小于100mm,如图8-19所示。

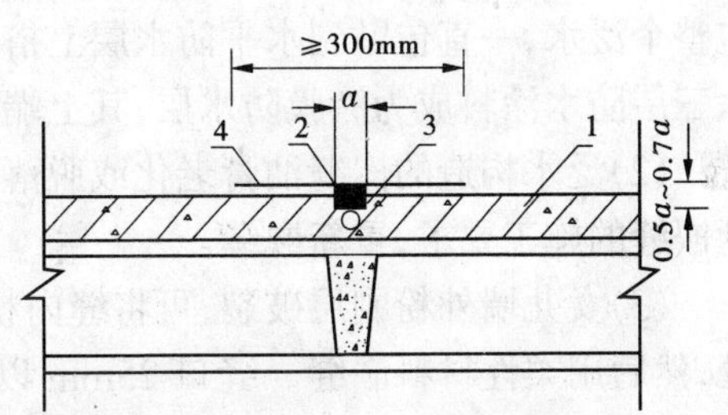

图8-19 贴盖法修补刚性防水层裂缝

1—刚性防水层;2—密封材料;
3—背衬材料;4—贴缝卷材或涂膜保护层;
a—缝宽

(2)嵌缝法。该法主要用于裂缝较宽的情况。为保证嵌缝质量,沿缝剔槽时要拓宽缝口使其呈V形或U形槽缝。嵌缝时,清除缝内浮土并干燥缝壁,采用防水油膏或胶泥嵌缝。油膏等覆盖宽度超出板缝两边不小于30mm,并隆起呈龟背形。

(3)干铺油毡法。该法是在嵌缝后,在缝口上铺设一条干油毡纸,宽60～100mm,在其上贴盖一布两涂防水层。防水层在缝口处被干油毡(纸)隔离,当基层缝口变形时,防水层则不易被拉裂(图8-20)。

2. 分格缝渗漏的维修

分格缝中的油膏如嵌填不实或老化失效，应将旧油膏剔除干净，重新嵌入新油膏。如旧油膏难以清除干净时，为保证防水质量，可在新油膏嵌入后，在缝上加做一布两涂(或一毡二油)防水层(图 8-21)。

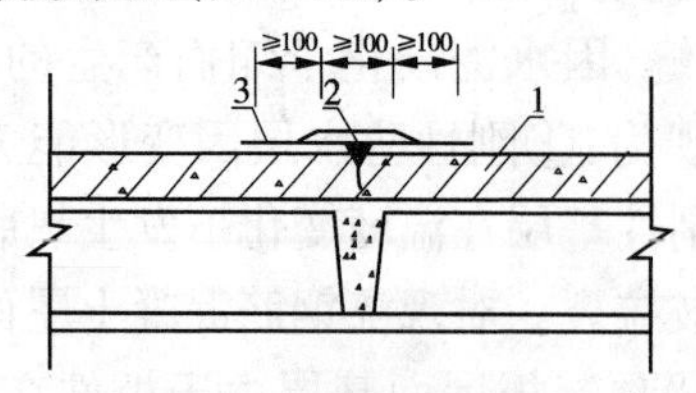

图 8-20 干铺油毡法修补刚性防水层裂缝(单位:mm)

1—刚性防水层;2—隔离层;3—防水卷材

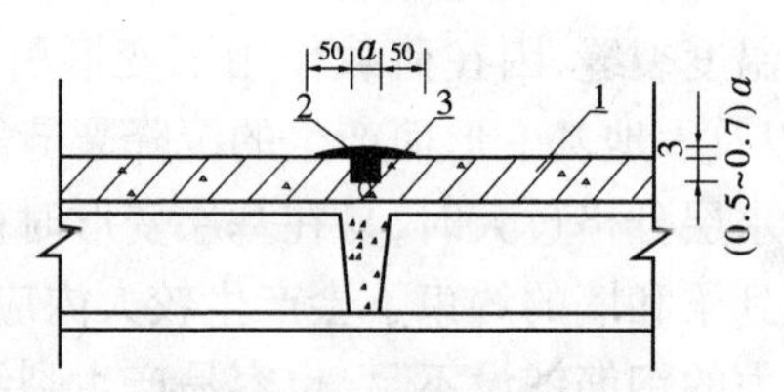

图 8-21 密封材料嵌缝(不加保护层)维修分格缝(单位:mm)

1—刚性防水层;2—密封材料;3—背衬材料;a—缝宽

3. 刚性防水层表面大面积风化、龟裂的维修

对刚性防水层表面大面积的龟裂、起砂现象，轻度的可以全面涂石灰乳化沥青、再生橡胶沥青或其他防水涂料，使表面全部覆盖一定厚度的防水涂膜;表面龟裂严重的应把整块防水层铲除重做。

(二)构造节点渗漏的维修

1. 屋面泛水的维修

突出屋面的墙体与屋面交接处都要做泛水处理。刚性防水层的泛水构造与卷材防水屋面基本相同，通常做法如图 8-22 所示。泛水渗漏的维修方法如下:

(1)刚性防水层上翻泛水断裂渗漏[图 8-22(a)]，可用二布三涂从缝口女儿墙开始，外包整个泛水，一直包贴到水平防水层上搭盖 100mm。所用二布三涂是用两层玻璃布相间涂三层防水涂料成为涂膜防水层，其上端外露边缘应用涂料多遍涂刷封固[图8-23(b)]。

(2)泛水构造的嵌缝油膏老化或脱落而产生的渗漏，应把老化、脱落的油膏挖除，按油膏嵌缝的施工要求，重新嵌缝。

(3)女儿墙外粉刷层破裂，可将缝内粉刷层清理干净，一直清到防水层底面的找平层处，然后用柔性材料嵌缝。缝口 25mm 以下用沥青麻刀填充，缝口用防水胶泥或油膏嵌实，胶泥要求突出缝口成龟背形。

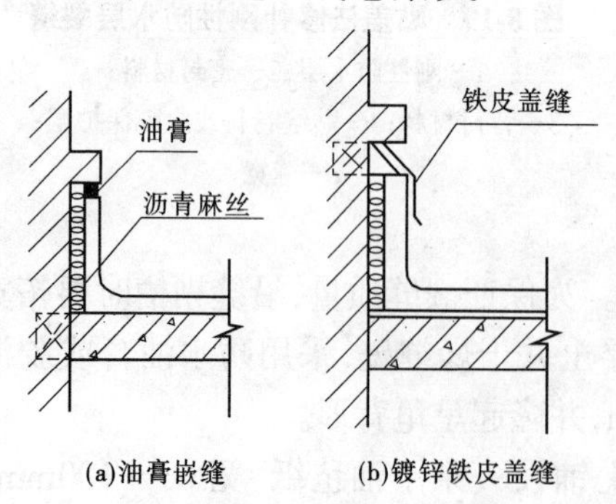

(a)油膏嵌缝 (b)镀锌铁皮盖缝

图 8-22 刚性防水屋面泛水构造

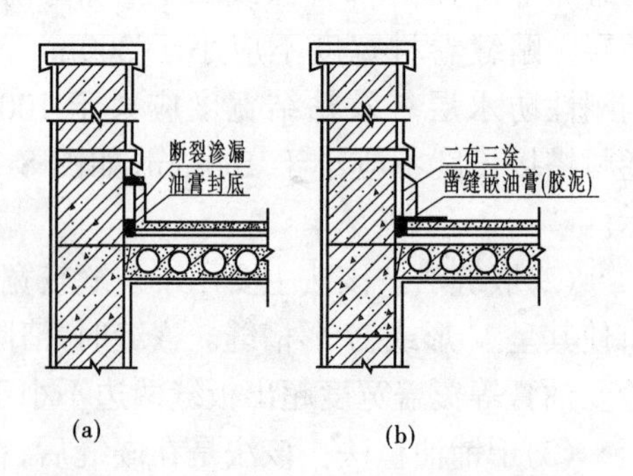

(a) (b)

图 8-23 刚性防水层上翻泛水断裂的维修

2. 檐口(带天沟)渗漏的维修

(1)防水层在檐口处沿外纵墙内侧,在屋面板与外纵墙接触处产生裂缝,这是刚性屋面常见裂缝之一[图 8-24(a)]。对不上人屋面,此裂缝可用贴盖法修复。如裂缝较宽,则可采取嵌缝和贴盖相结合的方法修复。对上人屋面,若防水层贯穿女儿墙伸入槽沟[图 8-24(b)],可采用嵌缝与贴盖结合的方法修复。但贴盖材料不能粘贴在墙上,应铲除粉刷层用水泥砂浆抹平,然后做一布两涂贴盖层,宜用木条压口。若防水层不出女儿墙,其渗漏部位常在出水口处,由于范围较小,可选用冷施工高弹性涂料按上述方法处理。

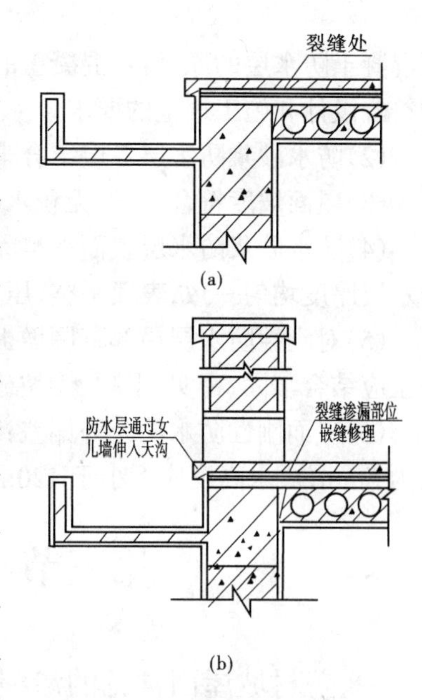

图 8-24　防水层贯穿女儿墙时檐口渗漏的维修

(2)檐口"滴水"被破坏(或无"滴水"),雨水沿防水层边缘进水产生严重渗漏时,由于滴水线难于修补,用嵌缝法密闭缝口的效果往往不好,可用包檐沟的办法来处理。施工时适当铲平板口,用二布三涂贴盖(图 8-25),如果檐沟沟口较深,也可贴至沟底阴角处。若檐口局部渗漏,可用防水胶泥堆铺封口,并补抹滴水线(图 8-26)。

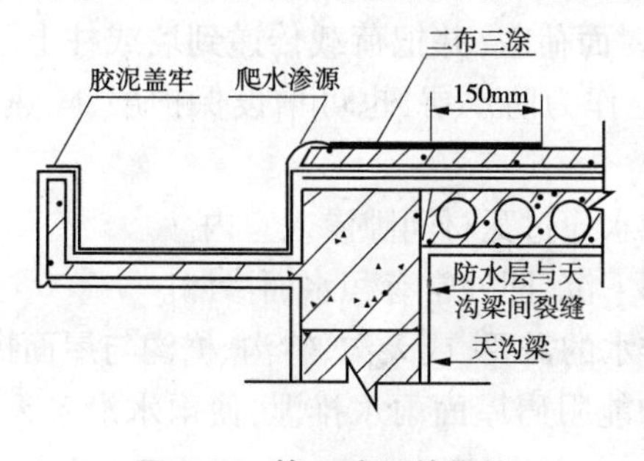

图 8-25　檐口渗漏的维修

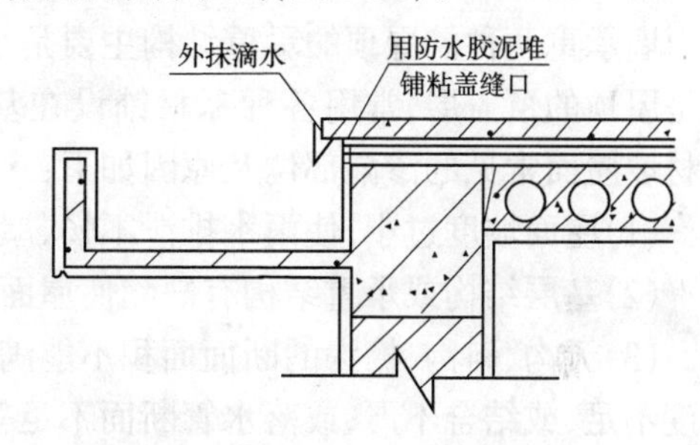

图 8-26　檐口局部渗漏的维修

3. 女儿墙裂缝渗漏的维修

(1)女儿墙风化严重、酥裂很多时,应拆除重做。

(2)对于一般的裂缝,应铲除裂缝处的粉刷层,将裂缝及其周围砖缝清理干净,用防水砂浆深嵌裂缝。

(3)女儿墙压顶裂缝,可用嵌缝法密封。压顶未按要求设置伸缩缝时,可利用已生成的裂缝或新开凿必要的伸缩缝。伸缩缝要将压顶全部断开,缝宽不小于 20mm,缝用柔性材料填充,周边用防水油膏嵌缝口。

三、刚性防水屋面维修的质量要求

刚性防水屋面维修的质量应达到如下要求:

(1)防水砂浆防水层的原材料、配合比和分层的做法符合设计和施工规范的要求。细石混凝土防水层的原材料、混凝土的防水性能和强度,钢筋的品种、规格、位置和保护层厚度符合设计和施工规范的要求。

(2)防水砂浆防水层各层结合牢固无空鼓。

(3)屋面坡度符合要求,无积水、无渗漏。

(4)防水砂浆防水层表面平整无裂纹、起砂,阴阳角要呈圆弧形或钝角。细石混凝土防水层厚度均匀一致,表面平整、压实抹光,无裂缝、起壳、起砂等缺陷。

(5)对刚性防水层局部范围做拆除重铺防水层时,新旧防水层交接处的水泥砂浆、混凝土应结合牢固、密实、平顺,无裂缝。

(6)屋面刚性防水的允许偏差:对于表面平整度,用2m靠尺和楔形塞尺检查,允许偏差为5mm;泛水高度应不小于120mm。

第五节　盖材坡屋面的维修

一、盖材坡屋面常见的渗漏及原因

盖材坡屋面的坡度一般大于10%,屋面排水较易,结构简单,在民用建筑中较多采用。

盖材坡屋面一般由屋面层和承重层两个基本部分组成。屋顶的承重方式有屋架承重和山墙承重两种。屋顶的承重结构主要是承受屋面荷载,并把荷载传递到墙或柱上。屋面是屋顶的覆盖层,常用各种瓦材铺设在基面上作为防水层,也可增设保护层、隔热层。盖材坡屋面常见的渗漏部位及原因如下:

(1)屋面坡度过小,使雨水排泄不畅,屋面积水通过瓦材间隙渗入室内。

(2)基层结构或承重结构有缺陷使屋面局部下沉,凹处常有积水而渗漏。

(3)天沟、斜沟、檐沟的断面面积不能满足排水的需要,或天沟、斜沟、檐沟与屋面搭接长度不足,或结合不严,或落水管断面不足等,均能阻碍屋面雨水排泄,使雨水沿着天沟、檐沟与屋面结合的缝隙流入屋内。

(4)檐头瓦出檐太短,倒泛水。

(5)压顶或泛水未按施工规范施工,使抹灰泛水不密实,起壳或开裂;镀锌铁皮泛水因不密贴、露缝,引起渗漏。

(6)屋面与突出屋面的墙体或烟囱等连接处因处理不完善而产生渗漏。

(7)瓦面、落水管破损或堵塞导致渗漏。

以上是盖材坡屋面渗漏的一般原因,但不同品种的瓦材铺设方法不同,产生渗漏有其特殊之处。例如对平瓦屋面,可因挂瓦条距离不正确,使上下两瓦搭接不够产生渗漏,又可因平瓦脱钩下滑产生渗漏等。

二、盖材坡屋面渗漏的维修

屋面渗漏的维修,首先应找出渗漏的部位及原因。一般可先由室内开始,从渗漏的水痕大致可判断渗漏部位,了解渗漏情况并加以记录,然后到屋面相应部位仔细察看,确定渗漏原因,制定出合理的整治方案。

(一)一般维修方法

(1)瓦屋面的实际坡度若小于30%,又经常有大面积渗漏时,应将屋面全部拆除,调整屋面坡度后重铺屋面。

(2)因房屋承重结构或屋面基层结构有缺陷造成屋面局部下陷,应彻底翻修。要维修有缺陷的结构构件,使坡度顺直,屋面平整后翻铺瓦屋面。

(3)因天沟、檐沟、落水管断面不足造成排水不畅,或因破损、变形造成渗漏时,应将其排水断面加大,对破损的应予更换。

(4)屋面与突出屋面的墙体或烟囱连接处的泛水开裂,应及时修复。

(5)因瓦片破损造成渗漏,应更换新的瓦片。

(6)对脊瓦搭接过小造成的渗漏,应揭下脊瓦,按规定尺寸搭接,重新铺挂。

(7)对平瓦屋面,若因瓦面下滑,造成上下脱节,可将下滑瓦片向上推移,使瓦片底面的后爪钩住挂瓦条。若挂瓦条因刚度不足弯曲严重或高度偏差较大,致使平瓦下滑,应更换挂瓦条。

(二)用石棉水泥瓦、金属波形瓦重铺应注意的事项

(1)瓦片铺钉在檩条上时,檩条间距视瓦长而定,每张瓦至少有3个支点。对石棉瓦的钉孔直径,要考虑温度变化而引起的变形,钉孔直径应比螺栓直径大2～3mm,且均应加防水垫圈,钉孔设在波峰上。

(2)瓦片上下搭接不小于100mm。左右两张瓦之间,大波瓦和中波瓦至少搭接半个波,小波瓦至少搭接一个波。只靠搭压,不宜一钉二瓦。

(3)对石棉水泥瓦的下列部位,要用油灰或麻刀灰填塞严密:脊瓦与两面波形瓦之间;波形瓦与泛水之间;波形瓦与天沟、斜沟、檐沟的铁皮之间。

第六节　屋面的养护管理

屋面的养护管理包括对屋面的保养、检查及维修等项内容。做好养护工作,不但可延长屋面防水层的使用寿命,还可营造良好的工作生活环境,节省房屋维修费用。房屋管理部门及有关人员必须重视这项工作。

屋面的日常养护管理主要应做好以下几个方面的工作:

一、屋面的检查

为了了解屋面的使用情况,应定时对屋面进行全面检查,把检查的情况按各个屋面分别记载存档。发现问题应分析原因,及时采取措施。

(一)应侧重检查的主要部位

(1)大面积防水层。柔性防水层有否起鼓,是否由于起鼓导致渗漏;卷材各层之间、搭接缝间粘结是否牢固,有无破裂;保护层有否脱落,涂料保护层有否风化、露筋;块体保护层是否松动、破碎。刚性防水屋面有无裂缝、起皮、酥松等。

(2)板端缝、伸缩缝。缝中嵌填油膏是否变硬酥松,本身是否开裂、皱褶,或与缝侧脱开;保护层是否完整等。

(3)泛水处。泛水处的收头是否固牢;上部滴水是否完好;有否下滑、脱空或老化;保护层是否完整。

(4)天沟。天沟由于坡度不合适或落水口堵塞造成积水,天沟中防水层有否脱开或损坏;有否由于天沟结构板热胀冷缩造成的开裂;天沟防水层收头是否固定等。

(5)落水管和落水口。排水是否良好;嵌缝油膏有无开裂;防水砂浆有否开裂或酥松。

(6)穿过屋面的管道。管道四周嵌缝是否严密;管道有无锈蚀。

(二)检查的时机及注意事项

(1)对屋面应每季度进行一次全面检查。

(2)每年开春解冻后、雨季来临前、第一次大雨后、入冬结冰前,均须进行屋面防水状况的检查。

(3)每次检查应按不同的屋面制定详细内容,检查的情况均需按各个屋面分别记载存档。

(4)检查中发现问题,当即分析原因,及时研究采取相应的技术措施进行维修,避免继续发展而造成更大渗漏。

二、屋面的清理

屋面及泛水部位的杂物、垃圾、尘土、杂草等应及时清除,以使排水设施排水畅顺。一般非上人屋面每季度清扫一次,雨季前必须进行一次清扫。上人屋面除经常打扫外,每月要进行一次大扫除。清扫重点在水沟和落水口。高楼下的屋面,因高层住户可能向外乱丢杂物,使屋面垃圾增多,故也要认真清扫,使屋面排水通畅。

三、加强屋面设施管理

(1)非上人屋面上人检查口及爬梯应设有标志,标明非工作人员禁止上屋面。

(2)不得随意在屋面设置电视天线等设施。若必须设置,须保证不影响屋面排水和防水层的完整,并事先经房屋管理部门同意和做好实施记录。

(3)不得将缆风绳直接绑在卷材防水层上,防止油毡发生腐烂,或因接触面小而压破油毡。

(4)不允许在屋面上堆放杂物、盖小房等。

四、及时做好屋面维修

(1)根据屋面原防水做法以及变化情况,按经济有效的原则,预定补漏材料。

(2)根据屋面漏雨部位、面积大小、严重程度的不同,确定工作方法,并编制施工操作技术方案。

(3)局部修补时,对其余部位屋面应采取保护性措施,防止任意堆物堆料以及损伤完好部位。

(4)屋面防水维修的专业性和技术性都很强,必须由专业维修施工队伍来进行维修施工。

附录一　常用护面层的用料及操作要求

(1)绿豆砂护面层:沥青胶结材料厚度 2～4mm;撒铺粒径 3～5mm、不带棱角的绿豆砂,铺前淘洗干净,加热到 80℃;趁热撒铺扫平,用轻磙子压实。

(2)沥青混凝土护面层:砂、石按 1∶1 配合比拌和(石子粒径 3～5mm),再加熬制到 170℃的脱水的石油沥青 10%(砂石重量之和),混合加热炒拌,炒拌温度保持在 180℃约 12～14min 可退火,成为沥青混凝土。铺在油毡面层上,虚铺 15mm 厚,用铁板铺平压实,再用木板拍打密实,至 10mm 厚度后,用熨斗熨平,使表面析出油分即成。这种护面层粘结力强、耐热性及抗冻性较好、不流淌、不散失、较耐磨,但造价比绿豆砂护面层高。但有重点的用在有人活动的油毡防水层上,是最适宜的。

(3)刚柔结合防水层:在二毡三油防水层上再铺一层厚 30～40mm 厚的 C20 细石混凝土(内配 $\phi4$ 双向钢筋网)作为护面层,配筋及混凝土质量要求均同刚性防水层。这种护面层造价更高,可用于经常有人活动的重要房屋的屋面上。

附录二　冷胶涂料的技术性能及使用方法

目前使用较多的冷凝胶涂料,有 JG—2 型防水冷胶料、SR 水乳型橡胶涂料等。SR 水乳型橡胶涂料是以废橡胶为基料,配合一定量的沥青,经水乳而成的一种冷施工胶结涂料。由于橡胶、沥青互为改性,涂层干燥后,形成一层具有良好的耐热、耐寒、粘结、弹塑、不透水及耐老化等性能的薄膜,达到防水效果;还具有不燃烧、无刺激气味等优点。与一般薄质溶剂型防水涂料相比,可改善劳动条件,节省大量溶剂。

1.主要性能

涂膜厚度 0.4～0.6mm 的 SR 水乳型橡胶涂料的主要技术指标性能试验结果见表 8-2。

表 8-2　　SR 水乳型橡胶涂料主要技术性能

项目名称	性　能
粘结性[(20±2)℃]	用“8”字模法测定比水泥砂浆试块的粘结强度＞0.2MPa
耐热性	80℃经 5h,无流淌、起泡、皱皮
低温柔韧性(−10℃)	冷冻 2h 后,在 ϕ10mm 轴棒上弯曲,无裂纹
不透水性[水温(20±2)℃]	动水压 0.1MPa,30min 内,涂膜不透水
耐碱性	浸于浓度为 1%氢氧化钙溶液中 15d,涂膜无气泡、无剥落
人工老化	经 800h 的失光老化,“WE—2 型耐候曝晒试验仪”测定,正常

2.使用方法和操作要点

(1)基层要求平整、干净,不要有突变部位;阴阳角、女儿墙、烟囱根、管道根等处均应作成圆角,以利铺贴。

(2)涂料使用前,按需要量倒入铁桶内,搅拌均匀,上下浓度一致。如采用 JG—2 型防水冷胶料,使用前应将其 A、B 两种液体按产品说明规定的比例[A 液∶B 液＝1∶(1～

2)]，进行配合搅拌后使用。

(3)在基层上，用长柄鬃刷(200mm 宽)先满涂冷底子油一层，要求纵横用力刷匀。在上铺贴玻璃丝布一层，用长刷或小刷排除残余气泡，并以涂料在布面上刷展压实，做到随刷随铺，贴好的玻璃丝布，不许有皱纹、翘边、白斑、起泡等现象。如需铺贴第二层玻璃丝布，应在第一层完成后的第二天进行。面层涂料要求涂刷 3 遍，每次间隔时间 24h，涂层总厚度 1.5～2.0mm。为保护涂膜及减少紫外线辐射，最后在面上撒晒干的细砂或云母粉，用胶皮铁磙压实。

(4)玻璃丝布同层内的搭接长度不小于 100mm，上下层的接缝应错开。

(5)构造节点的防漏要求，基本上同沥青油毛毡卷材防水屋面。

第九章　地下防水工程的维修与养护

地下工程是房屋建筑的组成部分，从功能上分为军事、民用、工业、交通等几种类型。一般城市房屋的地下工程主要用作人防、设备层、车库和仓储。地下工程最常见的通病与屋面工程类似，主要是地下室的渗漏。因此，地下防水工程就成为地下工程最为重要的组成部分。本章将主要介绍地下防水工程在使用过程中的维修方法与日常养护工作。

第一节　地下防水工程的分类

一、混凝土结构自防水

混凝土结构自防水是以工程结构自身的密实性来实现防水功能的一种防水方法，它使结构承重和防水合为一体。防水混凝土一般分为普通防水混凝土、外加剂防水混凝土和膨胀防水混凝土。可以用于一般工业与民用建筑的地下防水工程，但不适用于以下情况：一是裂缝开展宽度大于现行结构设计规范和规定的结构；二是遭受剧烈震动或冲击的结构；三是地下环境中对防水混凝土有侵蚀性作用的工程。

二、水泥砂浆防水

水泥砂浆防水是一种刚性防水，是用水泥砂浆或掺有防水剂的水泥砂浆抹在地下结构的内外表面，作为地下防水混凝土结构的附加防水层和防水补救措施。近年来，利用高分子聚合物材料制成聚合物改性砂浆，以提高材料的抗拉强度和韧性。适用于埋置深度不大，使用时不会因结构沉降、温度和湿度变化以及受震动等因素影响而产生有害裂缝的地下防水工程。

三、卷材防水

卷材防水是一种柔性防水，是将油毡、各种高分子防水卷材、高聚物改性沥青卷材等用粘结材料贴在地下结构外表面，作为防水层。卷材防水能适应钢筋混凝土结构沉降、伸缩或开裂变形的要求。有些新型卷材还具有抵抗地下水化学侵蚀的性能，适用广泛。

四、涂料防水

涂料防水实际也是一种柔性防水。以高分子合成材料为主体的防水涂料，在常温下呈无定型液态，经涂布后能在结构表面形成坚韧的防水膜，用它涂布在地下结构外表面形成防水膜。防水涂料很多，如聚氨酯防水涂料等。涂料防水的优点类似于卷材防水，适用面也很广，其推广和发展也很快。

第二节　地下防水工程补漏技术

一、渗漏的检查及补漏原则

在防水工程中常因构造设计不妥、选材不当、施工质量不佳、地基下沉、地震灾害等原因造成不同程度的渗漏现象发生。根据漏水量的大小，渗漏可分为慢渗、快渗、急流和高压急流四种情况。后三种情况比较容易判别出渗漏部位，慢渗情况判别不是那么直观。关于慢渗的漏水部位可以采用如下两种方法判别：方法一是在基层表面均匀撒干水泥粉，若发现湿点或湿线即为漏水孔或漏水缝；方法二是若发现湿一片的现象，可用水泥浆在基层表面上均匀涂一层，再撒干水泥粉一层，湿点或湿线即为漏水孔或漏水缝。

补漏的原则是逐步把大漏化为小漏，线漏变为点漏，片漏变为孔漏，要使漏水集中到一点或数点，最后逐个堵塞，做到不渗不漏为止。

二、地下室的一般补漏方法、材料和操作方法

地下室的一般补漏方法、材料的操作方法见表9-1～表9-4。

表9-1　　地下室的一般补漏方法、材料和操作方法

<table>
<tr><th rowspan="2">补漏方法</th><th rowspan="2" colspan="2">补漏材料类别</th><th rowspan="2">主要材料名称</th><th colspan="2">灰浆参配比、操作要求及其他</th></tr>
<tr><th>水泥胶浆重量比</th><th>水泥砂浆体积比</th></tr>
<tr><td rowspan="6">堵塞法和抹面法</td><td rowspan="4">促凝材料</td><td>氯化物金属盐类</td><td>氯化钙、氯化铝、水</td><td>促凝剂:水:水泥:砂=1.5:8:3</td><td>水:砂=1:2.5(用20倍水稀释的促凝剂溶液代水，水灰比为0.4)</td></tr>
<tr><td rowspan="2">硅酸钠类</td><td>硅酸钠溶液比重采用1.15(其浓度最好是波美度42°～48°之间)</td><td>以硅酸钠溶液代水拌和水泥
(水灰比为1.15～1.5)</td><td>水泥:砂=1:2以硅酸钠溶液代水拌和(水灰比为0.5～0.7)</td></tr>
<tr><td>双矾硅酸钠促凝剂，配合比(重量比)为红矾甲:胆矾:水玻璃:水=1:1:400:60</td><td>直接用促凝剂和水泥拌和而成，配合比为水泥:促凝剂=1:(0.5～0.9)</td><td>先将水泥:砂=1:1干拌均匀，以促凝剂加水(1:1)稀释液代水拌和，水灰比控制在0.45～0.5之间</td></tr>
<tr><td>特种水泥</td><td>膨胀水泥</td><td>水:膨胀水泥=1:1.5</td><td>膨胀水泥:砂=1:2.5，水灰比为0.45～0.5</td></tr>
<tr><td rowspan="2" colspan="2">地方材料</td><td>硅化砂浆是用水玻璃和氯化钙两种材料，先制成硅胶；过滤后与水泥、砂子拌和即成，主要用于补成片渗漏</td><td colspan="2">1.水泥:砂=1:2干拌均匀
2.用调制好的硅胶拌和已经拌和好的水泥砂子即为硅化砂浆
3.硅胶的用水量须在实践中调整，以砂浆适宜于需要的稠度为准
4.水玻璃为水泥重量的20%～50%，氯化钙为水泥重量的14%～35%</td></tr>
<tr><td>水泥桐油灰：普通硅酸盐水泥、生桐油和生石灰粉制成</td><td colspan="2">1.每1kg石灰干粉掺0.3kg生桐油，捣成桐油灰
2.按桐油灰:水泥=1:1(重量比)掺揉成水泥桐油灰
3.本品可代替促凝水泥胶浆堵塞较细的急流水孔洞</td></tr>
</table>

续表 9-1

补漏方法	补漏材料类别	主要材料名称	灰浆参配比、操作要求及其他	
			水泥胶浆重量比	水泥砂浆体积比
灌浆法	柔性粘结材料	普通橡胶片含橡胶量应不小于 60%	用于刚性防水层的裂缝或变形缝渗漏处补漏	
		氯丁橡胶板，氯丁胶粘剂	用于刚性防水层的裂缝、变形缝补漏	
	粘合剂	促凝水泥胶浆环氧树脂水泥	用于固定注浆嘴，混凝土裂缝封缝和细缝刮浆等	
	灌浆材料	膨胀水泥	对已稳定的混凝土蜂窝或沉降蛰裂处补漏	
		500 号普通硅酸盐水泥环氧树脂溶液	用于补漏补强要求较高处	
		丙凝	为双液灌浆，用于补变形缝渗漏	
		氰凝	为单液灌浆，用于混凝土结构裂缝、变形缝等补漏	
贴面法	沥青制品	石油沥青或煤沥青卷材	只宜用来修补卷材防水层施工中局部破损处	

表 9-2　　孔洞补漏方法

水压和渗漏情况	处理方法	操作程序
水压不大，水头不大于 2m，孔洞较小	直接堵塞法	1. 在漏水点剔槽，直径×槽深为 10mm×20mm、20mm×30mm、30mm×50mm，根据漏水量大小确定 2. 用水将槽冲净，随即用 1:0.6 的水泥胶浆碾成与槽径接近的锥形体，以拇指用力塞于槽内，并向槽内四周挤压持续半分钟 3. 先擦干孔洞四周，撒干水泥检查，如有渗漏，应将原堵胶浆剔净，按原法重堵 4. 在胶浆表面抹素灰(水灰比为 0.4)和 1:2.5 水泥砂浆各一层与基层抹平
水压较大，水头 2～4m，孔洞较大	下管堵漏法	1. 将漏水处空膨面层及松动石子剔除，并将漏水处剔成上下基本垂直的孔洞，漏水严重的，深度可达垫层，填入碎石，上盖油毡，中间设引水管 2. 如是地面漏水，须在漏水处四周砌临时挡土墙，将水引出挡水墙外 3. 用水泥胶浆一次灌满，并四周挤压密实，擦干表面后，撒干水泥检查 4. 胶浆表面用素灰、水泥砂浆各抹一层 5. 砂浆达到一定强度后，可将引水管拔出，用堵塞法堵塞管孔，拆除挡土墙

续表 9-2

水压和渗漏情况	处理方法	操作程序
水压很大，水头大于4m，孔洞较大	木楔子堵漏法	1.将漏水处剔成孔洞，用胶浆把铁管稳牢在孔洞内，铁管直径10～15mm、长100mm，将一端弄扁，管端低于基层表面30～40mm 2.按铁管内径制木楔一个，表面涂冷底子油 3.水泥胶浆凝固24h后，将木楔打入管内，并用1:1水泥砂浆(水灰比为0.3)堵实管口 4.随即在整个孔洞表面抹素灰及砂浆各一层与基层平
水压较大，水头10m以上，漏水严重的较大底板孔洞	预制套盒堵漏法(当采用下管堵漏法有困难时)，可在较大面积修漏时，兼做临时积水坑用	1.将漏水处剔成圆形孔洞，直到垫层下，在孔洞四周砌临时挡土墙 2.根据孔洞大小做混凝土套盒，盒外表面抹4层刚性防水层，表面做成麻面 3.孔洞底部垫层以下铺碎石一层，上盖苇席 4.将混凝土套盒反扣在孔洞内，盒的底面应比原地面低20mm，盒与孔洞间填碎石与垫层平，其上用水泥胶浆灌满并挤压密实 5.用胶浆把橡胶引水管引出挡水墙外 6.擦干孔洞上部表面后，抹素灰及砂浆各一层 7.砂浆凝固后，拔出引水管按直接堵塞法堵住水眼

表 9-3　裂缝补漏方法

水压和渗漏情况	处理方法	操作程序
水压较小的慢渗、快渗或急流	裂缝漏水直接堵漏法	1.沿裂缝方向以裂缝为中心剔成八字形边坡沟槽，深30mm、宽15mm，将沟槽清洗干净 2.水泥胶浆碾成条形，在将凝固时，迅速填入沟槽中，以拇指向两侧挤压密实，如裂缝过长，可分段堵塞，在分段处做成斜坡搭接，用力压实 3.经撒干水泥检验确无漏水时，抹素灰及砂浆各一层
墙根阴角处漏水	一般可任选上述裂缝补漏方法，如因混凝土基层薄或工作面狭窄而无法剔槽时，可采用墙角压铁片的堵塞方法	1.将墙角漏水处用钢丝刷和水冲洗干净 2.将长300～1 000mm、宽40～50mm的铁片斜放在墙角处并用胶浆逐段将铁片稳牢，胶浆表面做成圆弧形达到铁片与地、墙结合牢固，并使铁片下部水流畅通 3.将引水管插入铁片下部并用胶浆稳牢 4.在胶浆上做好整体的刚性4层防水层，与墙、地结合牢固 5.待防水层经过养护有一定强度后，拔出引水管，再用孔洞直接堵塞法将管孔堵塞

续表 9-3

水压和渗漏情况	处理方法	操作程序
水压较大的慢渗或快渗	下线、下钉堵漏法	1.剔槽做法同上栏所述,在沟槽底部沿裂缝放置一根线绳,线长200～300mm,线直径视漏水量确定 2.水泥胶浆填入沟槽,迅速挤压密实后,抽出线绳,再压实一次,较长的裂缝可分段进行,每段长100～150mm,两段间留空隙20mm 3.两段间的空隙,用下钉法缩小孔洞 4.经检查除钉孔外其他部位无渗、漏水现象后,沿沟槽抹素灰及砂浆各一层 5.砂浆凝固后,按直接堵塞法堵塞钉孔
水压较大的急流漏水	下半圆铁片堵漏法	1.将漏水缝剔成八字形的边坡沟槽,尺寸视漏水量确定 2.将100～160mm长的铁片弯成半圆形,宽度同槽宽,将半圆铁片卡在槽底上,每隔500～1 000mm放一个带有圆孔的铁片,用胶浆分段堵塞,但在圆孔处留空隙 3.将引水管插入铁片孔内,再用胶浆稳牢在空隙处 4.撒干水泥检查无渗漏后,沿沟槽胶浆上抹素灰、砂浆各一层
水压较大,易渗漏潮湿	简易补漏	1.在漏水处剔出沟槽,深20～30mm 2.将配制好的桐油灰水泥压入槽内约10mm 3.用水玻璃拌水泥补平、压实,最后抹一层水泥浆 4.桐油灰水泥的配制:桐油21%,蚬壳灰29%,水泥50%将桐油和蚬壳灰拌匀,再加进水泥拌匀,即可使用 5.水玻璃拌水泥:水玻璃28%,水泥72%,将水玻璃倒入水泥内拌匀成块粒状,即可使用,但必须随拌随用

表 9-4　　用促凝水泥补成片漏水的方法

水压和渗漏情况	处理方法	操作方法
在不能降低地下水位的情况下,对混凝土地坪大面积漏水补漏	经过结构鉴定,认为强度能满足设计要求时,按孔洞或裂缝补漏法先明显后隐蔽地分批修补	1.在附近建筑物出口处设临时积水坑,排除积水 2.将明显的孔洞或裂缝分别按相应的堵漏法逐个堵塞 3.对毛细孔渗水先将混凝土表面刷干净后抹1:1.5水泥砂浆厚15mm,凝固后,查出渗漏部位,按直接堵塞法一一堵好 4.用预制套盒堵漏法处理好临时积水坑 5.最后整个地面做防水层
水量较小,水压不大的混凝土蜂窝麻面补漏	涂抹胶浆堵漏法	1.将漏水处用钢丝刷刷净 2.在混凝土表面涂抹胶浆,并撒上干水泥粉 3.干水泥粉上出现的湿点即为漏水点,应立即用拇指压住漏水点,待胶浆凝固后,再按此方法,堵完各漏水点 4.随即抹素灰和砂浆各一层
水压较小,砖墙面密集的小孔补漏	割缝堵漏法	1.用钢丝刷将壁面及灰缝清理干净后,看准漏水部位,用坐标法定位 2.在漏水处选1～2处抹促凝剂水泥砂浆一层,迅速在漏水处用铁抹子割开一道缝隙,使水顺缝流出 3.待砂浆凝固后,将缝隙用胶浆堵塞好 4.最后按要求做好全部防水层

第三节　地下防水工程养护

地下防水工程的养护应包括以下几方面的内容:定期对地下室进行检查,尤其注意易出现渗漏的部位,如施工缝、沉降缝、后浇带、管道穿过外墙部位、外墙预埋件部位等;对发现的渗漏部位要及时维修,以免渗漏的加大和渗漏部位的扩大;注意对混凝土内外墙面的保护,对混凝土表面出现的蜂窝、麻面、孔洞、裂缝等要及时修补,以免混凝土表面损坏扩大而渗漏;避免直接在外墙面和底板上打洞、钉钉和安置膨胀螺栓;建立地下防水工程档案,对出现渗漏的部位进行登记,以便以后检查。

第十章 房屋附属设施的养护与管理

房屋的附属设施很多,使用最多的主要有阳台、雨篷、通风道、楼梯、门厅、过道、台阶、散水等,这些附属设施一般都是房屋的公用设施,而且对整个建筑物的使用功能、美观、甚至安全都有重要作用。因此,加强对这些附属设施的养护管理是十分必要的。

第一节 阳台、雨篷的养护与管理

一、阳台的养护管理

阳台主要是为了给在高楼生活、工作的人们提供一个户外活动的空间,使人们在楼上也能接触到新鲜空气和阳光,有利于人们的身心健康。阳台的形式多为悬挑结构,对承受的荷载有严格限制,否则容易出现倾覆断裂的危险。阳台对整个建筑物的美观也有很大影响,甚至有些城市为此专门制定了有关维护阳台整洁的管理规定。因此,有必要加强对阳台使用和养护的管理。

(一)对阳台定期进行安全检查

检查每年至少一次。检查时应认真做好记录,对其完好程度及技术状况加以说明,发现不符合使用要求、安全隐患、损坏的现象,要及时纠正、维修和加固。检查内容包括:

(1)阳台的使用状况是否符合要求,是否自封和拆改阳台。

(2)阳台的堆载是否超过设计要求,有无安全隐患。

(3)阳台的板、梁是否有裂缝,阳台的栏板、栏杆是否有损坏。

(4)阳台、泄水孔是否畅通。

(5)阳台的抹灰面层是否有损坏。

(二)经常向用户宣传正确使用阳台的知识和相关规定

通过宣传,提高用户思想认识,发现问题及时解决。建立健全管理规章制度,要有必要的行政手段来制止对阳台的危险使用。

(三)阳台的维修与改造

阳台的维修由房管部门或物业管理单位负责,阳台的改造也应由上述部门对全楼阳台统一设计、统一施工,保持整洁美观。

总之,阳台的养护管理是一件认真细致的工作,既需要房屋管修人员做大量的工作,更需要广大用户的配合。只有全体住户都认识到它的重要性,不去人为地损坏它、破坏性地使用它,才能保证阳台的安全可靠,延长阳台的使用寿命。

二、雨篷的养护管理

雨篷的主要作用是挡雨,一般用于大门上面和顶层阳台上面。雨篷的构造和结构形式与阳台基本一样，除了大型公用建筑大门的门廊雨篷外，一般用悬挑结构。雨篷经常发生的问题是泄水孔被灰土、树叶等杂物堵塞而积水。因此，对雨篷要定期检修和清扫。雨篷的其他养护管理与阳台基本相同。

第二节　通风道及各种管井道的养护与管理

一、通风道的养护管理

通风道的作用是换气通风，主要用于厨房、卫生间的通风，尤其是厨房、卫生间是暗房的时候必须设置通风道，以利于厨房、卫生间的通风换气。此外，有的建筑物还设有专用通风道。

通风道有多种，常用的有铁皮风道、砖砌风道、矿渣石膏板风道、胶合板风道、金属网抹灰(水泥砂浆)风道、镁纤风道、预制钢筋混凝土风道等。现在一般住宅和通风房屋中用得最普遍的是预制钢筋混凝土风道、砖砌风道和水泥砂浆风道。

通风道一般为垂直设施，多数房间均应单独设置通风孔和垂直通风道，垂直风道一般直出屋顶，并加设风帽以防雨、防尘、防坠物。

通风道在使用和养护管理中，主要做好如下几方面的工作：

(一)正确地使用通风道，保证通风道的使用功能

(1)用火炉取暖而没有烟囱的房屋，不允许将通风道当烟囱使用，否则将影响其他用户的使用，并使浓烟灌入其他用户房间，损害他人利益，还易引起火灾、煤气中毒等严重事故。

(2)不能随意将通风道封堵，应保持通风道畅通。

(3)不允许在通风道上乱打、硬凿、钉钉子，给通风道造成损害。

(4)严禁从楼梯顶往通风道扔砖石，以免造成通风道堵塞。要做好对儿童这方面的教育工作。

(5)通风道挂满油腻和灰尘时要及时清理，以免失效。

(二)定期检查，发现问题及时清理和维修

(1)逐层逐户对每一条通风道的使用情况，有无裂缝、破损、堵塞等情况进行检查。发现不正确使用通风道的行为要及时制止，发现损坏要认真记录，及时修复。

(2)在楼顶通风道风帽处测通风道通风情况，并用悬挂大铅锤放入通风道检查通风道是否畅通。

(3)在检查过程中，对发现的通风道小裂缝可用素水泥浆填补，对发现的较大裂缝可用1:1水泥砂浆填补。对严重损坏的，要在房屋大修时彻底更换。

(三)加强宣传，使通风道设施尽量不被损坏

房管部门或物业管理单位要做好宣传工作，使用户自觉维护通风道设施。

二、各种管、线井道的养护

除通风道外，楼层中还设有各种管、线井道，如上下水管井、电缆井等，这类管井道一般是在安装各种管、线后隔层或层层封堵的。对管井道的养护主要应注意对检修口门的保护,对安装固定件的保护,避免搬运重物时碰撞管井,发现损坏及时维修。

第三节　楼梯、门厅、过道的养护与管理

楼梯、门厅、过道等都是房屋中的公共交通通道,是房屋的重要组成部分,对房屋使用便利、舒适、安全起着重要作用。必须有足够的通风能力、坚固性及耐久性,要通行便利,满足各种安全要求,有很好的采光及通风效果,保证房屋使用人员在出现意外情况时能够及时疏散到户外。因此,楼梯、门厅、过道等对保证房屋的正常使用功能起着重要作用,在使用养护管理中要注意以下几个方面:

(1)不允许占用公共通道来堆物、做饭、停自行车,以免通行不利,在紧急情况下更易出危险。

(2)及时维修公共通道中易损坏的门、窗、墙面、地面等部位,保持通道的整洁和正常使用功能。

(3)定期对楼梯等部位重点进行安全检查。对楼梯梁、平台及其与墙砌体局部承压结合部位、过道板等应特别注意。对各种混凝土构件破损都应及时修补。出现损坏的,要进行检测计算,鉴定构件承载力,采取必要的加固措施。

(4)少量在使用的木楼梯、木栏杆等构件如发现腐朽,严重损坏,在修缮时,尽可能用混凝土或钢构件代替。尚可使用的,应及时加固维修。

(5)楼梯的栏杆、外廊的栏板,混凝土制作的如发现断裂、倾斜、变形等情况的,砖砌的如发现裂缝、松动、变形的,均应及时加固或拆砌。

(6)由于是公共交通设施,更应加强对用户的法制道德教育,提高居民的素质。

(7)房屋管理部门或物业管理单位必须健全有关规章制度,加强维护管理,要有一些强有力的经济处罚手段。

第四节　台阶、散水的养护与管理

台阶是用来连接首层室内地坪与室外地坪高差的,散水设置在建筑物周围,防止落水直接渗入或冲刷基础。台阶和散水都是建筑物的重要组成部分,对于保持建筑物的正常使用都各自有着重要用途。这些部位大都暴露在楼外,雨淋日晒、夏曝冬寒、热胀冷缩,很容易损坏。因此,在日常使用、维修和养护方面,尤其不应忽视,要认真做好以下几个方面的工作:

(1)要认识台阶、散水的重要作用,使用中要注意珍惜爱护,不要重车碾轧,随便刨、凿、磕碰,造成人为不必要的破坏。

(2)台阶、散水一般都建造在房屋的回填土上,要特别注意检查房屋四周回填土有无夯填不实、坍塌现象,检查台阶、散水有无空鼓、断裂,发现问题应及时修复,以免损坏扩大,影响正常使用,危害建筑物。

(3)台阶、散水与建筑物外墙留有沉降缝,缝内用沥青砂浆嵌填。但时间一长,由于沉

降不同及沥青老化，很多散水、台阶会与外墙脱离开缝，造成渗水，加剧台阶散水的损坏。因此，发现开缝后应及时用沥青砂浆重新填补嵌缝。

(4)由于基底土壤沉降、坍塌，造成台阶、散水空鼓或开裂时应及时加固基底，填补空洞，可用素混凝土或级配砂石捣固。

(5)台阶、散水表面开裂应及时修补，通常可根据开裂损坏的程度的不同，分别用素水泥浆灌缝，1:1 水泥砂浆或钢筋混凝土填补等多种办法修补。

第十一章　房屋建筑的抗震加固

第一节　地震的概念

一、地震的原因

通常所说的地震，为地球表层的震动，它是地壳构造运动的一种形式。地球是一个半径约6 400km的椭球体，它由地核、地幔、地壳三部分组成。地壳是地球上厚5～40km的外层。当地壳中或地球表面出现岩石破裂、错动、地表塌陷、火山爆发、人工爆炸等事件时，就会伴随出现剧烈的震动，引起破坏，这就是地震。地震可分为天然地震和人工地震两大类。

按照地震发生的成因不同，天然地震可分为构造地震、火山地震、陷落地震三类。构造地震是当地壳中岩石所积累的应力超过岩石的强度极限时，产生新断层或使原有断层发生错动，以达到新的平衡，在这一瞬间释放出的能量，以弹性波的形式引起地壳的震动。构造地震占全球地震总数的90%以上。我国1975年辽宁海城地震、1976年河北唐山地震就属构造地震。火山地震是由于火山爆发、岩浆喷出、气体爆炸等引起震动而产生的地震。火山地震约占全球地震总数的7%。陷落地震是由于底层陷落（例如，喀斯特地形、矿坑下塌等）引起的地震，约为全球地震总数的3%。

人工地震是人为方法产生的地震。例如，火药爆破和核爆炸，或沉重物体的坠落冲击等。此外，往深井里注水或大水库蓄水，也会引起地震。但这类地震与人工地震不同，所以称其为诱发地震。在矿山等地进行的岩石爆破以及地下核试验之后发生的余震，也可认为是一种诱发地震。一般所说的地震，多指天然地震。

全球范围内的地震主要发生在两个大地震带上：①环太平洋地震带。②欧亚横贯地震带。此外，各大洋的海岭上面也是地震发生频繁的地方，这个带上地震强度较弱，但绵延几万公里。我国处在前两个地震带之间，是多地震国家。主要分布在台湾、西南和华北地区。

地震发生时，地下发生震动的地方为震源；震源上方正对着的地面称震中；从震源到震中的垂直距离称为震源深度（我国发生的地震的震源深度较浅，一般为10～20km）；在地面上地震影响的任何一点到震中的距离称为震中距。

二、地震震级和烈度

（一）地震等级

地震等级是衡量地震强弱的尺度，某次地震震级是用该次地震过程中释放出来的能量的总和来衡量的，一次地震只有一个震级。我国常用里氏震级M来划分震级的大小（共划分九级）。$M<3$级的地震，人们感觉不到，只有测地震的仪器才能记录下来，称为

微震；3≤M≤5 级的地震，人们能感觉到，称为有感地震或弱震；M>5 级的地震，会引起地面上的房屋、烟囱等建筑物、构筑物破坏，称为破坏性地震；5≤M≤7 级的地震，称为强震；M>7 级的地震，称为大震。世界上已记录到的最大地震的震级为 1986 年 5 月 21 日在南美洲智利发生的 8.9 级地震。

（二）地震烈度

地震烈度是表示受震地区地面上的房屋等遭受地震破坏的强弱程度，每次地震只有一个震级，但对不同的地点其地震烈度有所不同。我国将地震烈度分为 12 度，表 11-1 为中国地震烈度表，表中说明了各种烈度下房屋建筑的震害程度等情况。

表 11-1　　中国地震烈度表

烈度	人的感觉	一般房屋		其他现象	参考物理指标	
		大多数房屋震害程度	平均震害指数		水平加速度（cm/s^2）	水平速度（cm/s）
1	无感					
2	室内个别静止中的人的感觉					
3	室内少数静止中的人的感觉	门、窗轻微作响		悬挂物微动		
4	室内多数人感觉。室外少数人感觉。少数人梦中惊醒	门、窗作响		悬挂物明显摆动，器皿作响		
5	室内的人普遍感觉。室外多数人感觉。多数人梦中惊醒	门窗、屋顶、屋架颤动作响，灰土掉落，抹灰出现细微裂缝		不稳定，器物翻倒	31（22～44）	3（2～4）
6	惊慌失措，仓皇逃出	损坏：个别砖瓦掉落，墙体细微裂缝	0～0.10	河岸和松软土上出现裂缝。饱和砂层出现喷砂冒水。地面上有的砖烟囱轻度裂缝、掉头	63（45～89）	6（5～9）
7	大多数人仓皇逃出	轻度破坏：局部破坏、开裂但不妨碍使用	0.11～0.30	河岸出现坍方。饱和砂层常见喷砂冒水。松软土上地面裂缝较多。大多数烟囱中等破坏	125（90～177）	13（10～18）
8	摇晃颠簸，行走困难	中等破坏：结构受损，需要修理	0.31～0.50	干硬土上亦有裂缝，大多数烟囱严重破坏	250（178～353）	25（19～35）

续表 11-1

烈度	人的感觉	一般房屋		其他现象	参考物理指标	
		大多数房屋震害程度	平均震害指数		水平加速度（cm/s^2）	水平速度（cm/s）
9	坐立不稳，行动的人可能摔跤	严重破坏：墙体龟裂、局部倒塌，修复困难	0.51～0.70	干硬土上有许多地方出现裂缝，基岩上可能出现裂缝滑坡，坍方常见。砖烟囱出现倒塌	500（354～707）	50（36～71）
10	骑自行车的人会摔倒。处于不稳状态的人会摔出几尺远。有抛起感	倒塌：大部分倒塌，不堪修复	0.71～0.90	山崩和地震断裂出现。基岩上的拱桥破坏。大多数砖烟囱从根部破坏或倒毁	1 000（708～1 414）	100（72～141）
11		毁灭	0.91～1.00	地震断裂延续很长。山崩常见。基岩上的拱桥毁坏		
12				地面剧烈变化，山河改观		

注：1.1～5度以地面上人的感觉为主；6～10度以房屋震害为主，人的感觉仅供参考；11、12度以表现为主，需要专门研究评定。

2.一般房屋包括用木构架和土、石、砖墙构造的旧式房屋和单层或数层的、未经抗震设计的新式砖房。对于质量特别差或特别好的房屋，可根据具体情况，对表列各烈度的震害程度和震害系数予以提高或降低。

3.震害指数以房屋“完好”为0，“毁灭”为1，中间按表列震害程度分级，平均震害指数指所有房屋的震害指数的总平均值而言，可以用普查或抽查方法确定。

4.表中数量词的说明：个别为10%以下，少数为10%～50%，多数为50%～70%，大多数为70%～90%，普遍为90%以上。

（三）地震震中烈度与地震震级的关系

当地震发生时，震源深度是一定值，震中烈度与震级成正比关系（表 11-2）。

表 11-2　震中烈度与震级关系

震级	震中烈度值			
	震源深 5m 时	震源深 10m 时	震源深 15m 时	震源深 20m 时
3级以下	5.0	4.0	3.5	3.0
4级	6.5	5.5	5.0	4.5
5级	8.0	7.0	6.5	6.0
6级	9.5	8.5	8.0	7.5
7级	11.0	10.0	9.5	9.0
8级	12.5	11.5	11.0	10.5

(四)工程中常用的烈度

1.基本烈度

一个地区的基本烈度是指该地区今后一定时期内,在一般场地条件下可能遭受的最大地震烈度。《中国地震烈度区划分》上所表示的烈度就是国家根据我国财力和各地的具体情况制定出的各地区地震基本烈度。这里的"一般场地条件"是指大体相当于厂区、居民区和自然村区域范围内的建筑物所在地,应具有相近的反应谱特性。

2.设计烈度

按照抗震设计规范,根据建筑的重要性和不同的场地,设计烈度的取值可高于、等于或低于基本烈度,但基本烈度为7度的地区不降低。

3.抗震鉴定和加固烈度

抗震鉴定和加固烈度一般按设计烈度取用。

第二节 全国抗震防灾重点城市和部分市、县基本烈度

一、全国抗震防灾重点防御地区

全国地震区明确了12个抗震防灾重点防御地区。它们是:京、津、唐山及晋冀交界地区;苏、鲁交界—南黄海一带和苏鲁皖交界地区;川西—滇东一带;滇西北地区;祁连山地区;辽东半岛、辽西及辽蒙交界地区;甘东南—甘川交界地区;宁蒙地区;新北天山西和南天山东部地区;晋中南部—晋陕交界地区;海南岛北部和雷州半岛北部地区;东北松辽平原两侧地区。

二、全国抗震防灾重点城市

城市是未来地震灾害的焦点,在全国重点抗震地区内确定了77个城市为全国抗震防灾城市。它们是:北京、天津、唐山、邯郸、秦皇岛、邢台、太原、大同、长治、临汾、呼和浩特、包头、乌海、大连、锦州、丹东、沈阳、鞍山、长春、吉林、上海、南京、徐州、连云港、苏州、镇江、南通、杭州、宁波、合肥、蚌埠、淮南、九江、厦门、泉州、漳州、福州、烟台、德州、枣庄、临沂、安阳、焦作、三门峡、洛阳、新乡、湛江、汕头、深圳、海口、北海、岳阳、武汉、成都、攀枝花、自贡、西昌、乐山、贵阳、六盘水、昆明、大理、东川、西安、宝鸡、咸阳、渭南、兰州、天水、嘉峪关、玉门、西宁、银川、石嘴山、乌鲁木齐、喀什。

三、全国部分市、县基本烈度

地震烈度区划分是抗震设防的依据,地震基本烈度标明在区划图上。以下是《中国地震烈度区划图(1990)》标明的全国部分市、县基本烈度。

1.北京市

7度:密云 怀柔 昌平 房山*

8度:北京 顺义 通县 平谷* 大兴 延庆

2. 天津市

7度:天津　蓟县　宝坻　武清　静海

8度:宁河

3. 河北省

<6度:康保　沽源

6度:围场*　隆化　平泉　承德　丰宁　滦平　宽城　青龙　崇礼　张北　万全　尚义　怀安　迁安　兴隆　遵化　易县　阜平　满城　完县　唐县　望都　曲阳　定州　行唐　灵寿　新乐　无极　平山　获鹿　正定　井陉　藁城　栾城　元氏　赵县　赞皇　高邑　临城　柏乡　内丘　武安　涉县　青县　黄骅　沧州　海兴　献县　泊头　孟村　盐山　南皮　吴桥　景县　东光　阜城　武邑　枣强　故城　南宫　清河　广宗　威县　平乡　鸡泽　临西　丘县　曲周　肥乡　馆陶　广平

7度:张家口*　宣化　赤城　阳原　蔚县　涞源　涞水　新城　固安　永清　涿州　香河　玉田　丰润　滦县　卢龙　抚宁　昌黎　秦皇岛　滦南　唐海　乐亭　定兴　容城　徐水　霸县　雄县　文安*　保定　高阳　任丘　大城　博野　蠡县　河南　肃宁　深泽　安平　饶阳　晋县*　深县　武强　辛集　宁晋　衡水　隆尧　新河　冀县　任县　巨鹿　南和　沙河　永年　邯郸　成安　磁县　临漳　魏县　大名　邢台*

8度:怀来　涿鹿*　唐山　丰南　宁河　廊坊

4. 山西省

6度:平定*　和顺　左权　襄垣　黎城　潞城　屯留　长治　平顺　长子　壶关　高平　陵川　晋城　阳城　偏关　河曲　保德　五寨　岢岚　兴县　临县　方山　柳林　离石　中阳　石楼　永和　大宁

7度:大同　阳高　天镇　左云　右玉　怀仁　浑源　广灵　灵丘　应县　平鲁　山阴　朔州　神池　宁武　繁峙　盂县　五台　静乐　清徐　寿阳　阳泉　榆次*　昔阳　交城　文水　汾阳　祁县　平遥　孝义　榆社*　武乡　沁县　沁源　古县　安泽　浮山　交口*　隰县*　汾西　蒲县　吉县　乡宁　翼城　曲沃　侯马　新绛　绛县　河津　稷山　万荣　闻喜　垣曲　临猗　夏县　运城　永济　沁水

8度:代县　原平　忻州　定襄　阳曲　太原　太谷　介休*　灵石　汾西　霍县　洪洞　临汾　襄汾　平陆　芮城

5. 内蒙古自治区

<6度:额左旗　鄂伦春旗　额右旗　满洲里　陈巴尔虎旗　牙克石　海拉尔　额温克旗　新巴尔虎右旗　新巴尔虎左旗　乌兰浩特　霍林郭勒　突泉　东乌珠穆沁旗　科右中旗　西乌珠穆沁旗　扎鲁特旗　巴林左旗　克什克腾旗　翁牛特旗　苏尼特右旗　镶黄旗　正镶白旗　正蓝旗　多伦　太仆寺旗　化德　商都　额济纳旗　乌审旗

6度:莫力达瓦旗　阿荣旗　甘南　龙江　扎赉特旗　乌拉特后旗　乌拉特中旗　达尔罕茂名安联合旗　四王子旗　察右中旗　察右后旗　集宁　兴和　科左中旗　开鲁　科左后旗　奈曼旗　库伦旗　敖汉旗　阿拉善左旗　鄂托克旗　鄂托克前旗　杭锦旗　东胜　伊金霍洛旗　准格尔旗

7度:阿拉善右旗　五原　乌拉特前旗　固阳　武川　卓资　察右前旗　和林格尔

托克托　凉城　丰镇　赤峰　喀喇沁旗　通辽　扎兰屯

8度:杭锦后旗　临河　磴口　乌海　陶乐　包头　达拉特旗　呼和浩特　宁城

≥9度:土默特右旗　土默特左旗

6.辽宁省

<6度:康平　清原　新宾　桓仁　本溪(县)

6度:昌图　西丰　法库　彰武　阜新　新民　黑山　北镇　义县　辽中　凌源　喀喇沁　锦州　锦县　锦西　兴城　绥中　建昌　本溪(市)　宽甸　凤城　岫岩　庄河　长海

7度:北票　朝阳　建平　开原　铁岭　抚顺　沈阳　灯塔*　辽阳　鞍山　海城　台安　盘锦　大洼　营口(县)　营口(市)　盖县　瓦房店　大连　丹东　东沟

8度:新金

7.吉林省

<6度:敦化　安图　和龙　靖宇　抚松　柳河　浑江　通化　集安　长白　长岭

6度:江清　延吉　图们　珲春　龙井　德惠　农安　跤河　桦甸　公主岭　双阳　伊通　梨树　四平　辽源　盘石　东丰　辉南　梅河口　东辽　洮南　榆树

7度:镇赉　白城　大安　乾安　舒兰　九台　吉林　永吉*　长春

8度:扶余　前郭尔罗斯

8.黑龙江省

<6度:漠河　塔河　呼玛　黑河　嫩江　逊克　孙吴　伊春　克山　克东　依安　拜泉　海伦　绥棱　铁力　庆安　林甸　青冈　杜尔伯特　扶远　同江　绥滨　富锦　桦川　集贤　友谊　双鸭山　宝清　虎林　密山　鸡西　鸡东　林口　穆棱　绥芬河　牡丹江　海林　宁安　东宁

6度:喜荫　罗北　鹤岗　汤原　佳木斯*　桦楠　依兰　七台山　勃利　通河　方正　木兰　巴彦　延寿　尚志　宾县　大庆　安达　兰西　肇东　呼兰　哈尔滨　阿城　双城　肇州　肇源　五大连池　讷河　德都　北安　甘南　富裕　龙江　齐齐哈尔

7度:泰来*　望奎　绥化　五常

9.上海市

6度:崇明　嘉定　青浦　上海(县)　松江　金山　奉贤

7度:上海(市)　川沙　南汇　浦东

10.江苏省

<6度:高淳

6度:丰县　沛县　灌南　响水　滨海　阜宁　涟水　怀安　建湖　洪泽　宝应　金湖　兴化　高邮　六合　句容　丹阳　金坛　溧阳　宜兴　无锡　常州　苏州　江阴　常熟　昆山　太仓　吴江　泰兴　靖江　张家港　南通　海门　启东

7度:徐州　东海　赣榆　连云港　灌云　沭阳　泗阳　淮阴(市)　淮阴(县)　盱眙　射阳　盐城　大丰　东台　海安　泰县　江都　泰州　如皋　如东　扬中　扬州　仪征　江浦*　南京　镇江　江宁

8度:新沂　邳县　睢宁　泗洪*

≥9度:宿迁

11.浙江省

<6度:长兴 安吉 临安 桐庐 诸暨 嵊县 丰化* 象山 新昌 浦江 义乌 东阳 宁海 天台 三门 临海 仙居 兰溪 金华 永康 黄岩 椒江 温岭 缙云 武义 龙游 开化 淳安 建德 常山 衢州 江山 遂昌 丽水 松阳 青田 永嘉 乐清 玉环 龙泉 云和 景宁 文成 泰顺 洞头

6度:湖州 德清* 嘉善 嘉兴 平湖 海盐 桐乡 余杭 海宁 萧山 上虞 慈溪 余姚 绍兴 宁波 瑞安 平阳 苍南 杭州 富阳 温州

7度:舢岱 嵊泗

12.安徽省

<6度:芜湖(县) 郎溪 广德 宣州 南陵 泾县 宁国 旌德 绩溪 黟县 休宁 歙县 黄山 青阳 石台 祁门

6度:砀山 萧县 淮北 濉溪 宿州 亳州 界首 大和 临泉 阜南 利辛 蒙城 怀远 凤台 淮南 长丰 寿县 颍上 霍丘 金寨 六安 肥西 舒城 天长 来安 滁州 全椒 含山 和县 巢湖 马鞍山 当涂 芜湖 庐江 无为 桐城 铜陵(市) 铜陵(县) 繁昌 贵池 枞阳 安庆 岳西 潜山 太湖 怀宁 望江 东至 宿松

7度:灵璧 泗县 固镇 五和 蚌埠 凤阳 嘉山 定远 合肥 肥东 霍山 阜阳 涡阳

13.福建省

<6度:寿宁 周宁 福鼎 福安 柘荣 浦城 崇安 光泽 松溪 建阳 邵武 顺昌 建宁 将乐 明溪 清流 连城 上杭 永安

6度:正和 建瓯 屏南 霞浦 宁德 南平 古田 罗源 连江 沙县 三明 龙溪 闽清 闽侯 永泰 大田 德化 永春 仙游* 漳平 龙岩 永定 华安 泰宁 宁化 长汀 武平

7度:福州 长乐 福清 平潭 惠安 安溪 南安 泉州 晋江 石狮 同安 厦门 金门 龙海 漳州 漳浦 云霄 南靖 平和 沼安 东山 长泰

14.江西省

<6度:浮粮 景德镇 婺源 德安 都昌 波阳 乐平 德兴 玉山 广丰 上饶 横峰 弋阳 贵溪 铅山 鹰潭 万年 余干 永修 安义 靖安 丰新 武宁 铜鼓 宜丰 高安 新建 南昌(市) 南昌(县) 曲贤 上高 万载 丰城 漳树 高安干 萍乡 东乡 余江 金溪 资溪 临川 崇仁 宜黄 南城 乐安 永丰 南丰 吉水 莲花 安福 吉安 泰和 永新 永冈 黎川 广昌 兴国 于都 赣州 赣县 南康 新丰 遂川 万安 井冈山 上犹 崇义

6度:彭泽 湖口 九江(市) 九江(县) 星子 瑞昌 修水 庐山 宁都 石城 瑞金

7度:会昌 寻乌

15.山东省

6度:乐陵 庆云 无棣 阳信 宁津 沾化 利津 滨州 惠民 陵县 商河 临邑 博山 高青 济阳 禹城* 齐河 邹平 章丘 济南 长清 泰安 肥城 东平 汶上 宁阳 泗水 平邑 曲阜 邹县 嘉祥 巨野 金乡 武城 单县 曹县 鱼台 招远 栖霞 莱州 莱阳 乳山 海阳 莱西 平度 即墨 高密 胶州 胶南 青岛 日照

7度:德州* 平原 高唐 茌平 东阿 聊城 莘县 阳谷 梁山 郓城 鄄城 菏泽 定陶 东明 垦利 东营 广饶 桓台 寿光 昌邑 潍坊 昌乐 青州 淄博 临朐 安丘 莱芜 沂源 新泰 沂水 蒙阴 沂南 莒县 诸城 五莲 莒南 临沭 费县 临沂 兖州 济宁 藤州 微山 枣庄 苍山 长岛 蓬莱 龙口 烟台 牟平 威海 文登 荣城 冠县*

8度:郯城

16.河南省

<6度:鲁山 南召 驻马店 新蔡 淮滨 息县 正阳 确山 泌阳 桐柏 遂平*

6度: 沁阳 博爱* 济源 孟县 孟津 巩县 渑池 义马 洛阳 偃师 杞县 民权 商丘 虞城 夏邑 永城 密县 登封 新郑 尉氏 通许 睢县 宁陵 柘城 卢氏 宜阳 嵩县 汝阳 伊川 汝州 禹州 郏县 宝丰 襄城 平顶山 叶县 偃城 舞阳 长葛 鄢陵 扶沟 太康 鹿邑 郸城 沈丘 项城 淮阳 周口 上蔡 许昌 临颍 西华 漯河 西平 栾川* 淅川 西峡 内乡 镇平 南阳 唐河 邓州 新野* 社旗* 平舆* 新县*

7度:安阳 林县 南乐 内黄 清丰 台前 鹤壁 辉县 浚县 濮阳 滑县 长垣 延津 封丘 焦作 修武 武陟 原阳 温县* 荥阳 郑州 兰考 开封 中牟

8度: 汤阴 淇县 卫辉 新乡 获嘉* 范县 三门峡 灵宝

17.湖北省

<6度:枣阳 随州 广水 应山 大悟 红安 京山 安陆 应城 云梦 孝感 黄陂 天门 旱川 潜江 仙桃 嘉鱼 咸宁 大冶* 阳新 蒲圻 崇阳 通山 通城 五峰 鹤峰 来凤

6度:麻城 新州 罗田 英山 旱阳 武汉 武昌 黄岗 鄂州 浠水 蕲春 黄梅 武穴 黄石 郧县 白河 十堰 丹江口 老河口 谷城 襄樊 宜城 南漳 保康 神农架 荆门 钟祥 远安 兴山 巴东 秭归 宜昌 当阳 建始 利川 恩施 宣恩 咸丰 长阳 枝城 松滋 江陵 沙市 公安 石首 监利 洪湖

7度:竹溪 竹山 房县

18.湖南省

<6度:平江 浏阳 湘潭 湘乡 株洲 醴陵 衡山 祁东 祁阳 冷水滩 永州 衡东 攸县 安仁 茶陵 酃县 桂东 来阳 永兴 资兴 常宁 新田 桂阳 郴州 汝城 双牌 永远 嘉禾 宜章 蓝山 临武 江华 道县 江永 龙山 桑植

大庸　永顺　花垣　保靖　古丈　沅陵　安化　吉首　泸溪　凤凰　麻阳　辰溪　溆浦　新化　冷水江　涟源　娄底　双峰　新邵　邵阳(市)　邵阳(县)　隆回　洞口　武冈　绥宁　城步　新宁　东安　芷江　怀化　新晃　黔阳　江洪江　会同　靖州　通道　宁乡*

6度:津市　澧县　石门　慈德　桃源　华容　南县　临湘　汉寿　沅江　益阳　桃江　望城　长沙

7度:临澧　常德　岳阳(市)　岳阳(县)　汨罗　湘阴

19.广东省

<6度:乐昌　连县　连南　连山　阳山　怀集　广宁　封开　郁南　德庆　信宜　蕉岭　翁源　连平　新丰　和平*

6度:南雄　仁化　始兴　郛源　韶关　曲江　英德　清远　佛冈　龙门　龙川　河源　平远　梅州　大埔　梅县　兴宁　五华　紫金　揭西　陆河　海丰　陆丰*　从化　花县　增城　博罗　罗阳(市)　惠阳(县)　三水　东莞　四会　肇庆　云浮　高要　高明　鹤山　罗定*　新兴　江门　新会　开平　恩平　台山　阳春　高州　阳西　化州　廉江　遂西　吴川

7度:饶平　丰顺　揭阳　普宁　汕尾*　惠来　深圳　佛山*　番禺　顺德　中山　珠海　斗门　阳江　茂名　电白　湛江　海康　徐闻

8度:潮州　澄海　南澳　汕头　潮阳

20.海南省

<6度:东方　乐东　通什

6度:昌平　白沙　琼中　万宁　保亭　陵水　三亚

7度:临高　澄迈　儋县　屯昌　琼海

8度:海口　琼山　定安　文昌

21.广西壮族自治区

<6度:资源　全州　三江　龙胜　兴安　灌阳　灵川　桂林　临桂　永福　融安　融水　天峨　南丹　环江　河池　罗城　柳城　宜山　柳江　柳州　阳朔　恭城　富川　钟山　贺县　平乐　荔浦　蒙山　昭平　金绣　象州　都安　忻城　合山　来宾　武宣　桂平　平南　桂港　崇左　上思　龙州　宁明

6度:天峨　东兰　巴马　大化　马山　上林　宾阳　武鸣　南宁　大新　扶绥　邕宁　横县　钦州　防城　合浦　北海　藤县　苍梧　容县　北流　玉林　陆川　凭祥　凤山　凌县　田林　隆林　西林　那坡　德保　靖西　天等

7度:乐业　百色　田阳　田东　东果　隆安　灵山　浦北　博白

22.四川省

<6度:南江　通江　平昌　万源　白沙　城口　巫溪　开江　开县　梁平　垫江　酉阳　秀山　巴中　苍溪　仪隆　南部　盐亭　营山　蓬安　西充　三台　射洪　蓬西　岳池　遂宁　武胜　潼南　乐至　安岳　旺苍*　南充

6度:巫山　丰节　云阳　万县　中县　丰都　石柱　黔江　宣汉　达县　大竹　邻水　彭水　长寿　涪陵　武隆　南川　渠县　广安　华蓥　合川　铜梁　大足　壁山　江北　重庆　巴县　荣阳　永川　江津　綦江　隆昌　富顺　泸县　南溪　泸州　纳溪

江安　长宁　赤水　珙县　兴文　筠连　习水　叙永　古蔺　广元　剑割　江油　梓潼　绵阳　德阳　中江　金堂　广汉　简阳　资阳　仁寿　资中　井研　荣县　威远　内江　阿坝　红原　稻城　乡城　德荣

7度:青川　平武　北川　安县　绵竹　茂县　汶川　都江堰　什邡　彭县　郫县　新都　温江　成都　大邑　崇庆　双流　邛崃　新津　宝兴　芦山　天全　蒲江　彭山　名山　丹棱　眉毛　雅安　洪雅　夹江　青神　峨嵋　荥经　乐山　汉源　峨边　犍为* 沐川　自贡　宜宾　屏山高县* 甘洛　越西　美姑　昭觉　布拖　金阳　若尔盖　色达　壤塘　石渠　德格　白玉　新龙　雅江　金川　巴丹　黑水　马尔康　金川　理县　小金　九龙　木里　盐原　德昌* 盐边　攀枝花　米易　会理　会东

8度:南平　甘孜　炉霍　石棉　喜德　普格　宁南　理塘　巴塘　冕宁　马边　雷波　泸定

≥9度:松潘　道浮　康定　西昌

23.贵州省

<6度:桐梓　仁怀　遵义　金沙　大方　黔西　息烽　织金* 修文　务川　沿河　德江　绥归　凤冈　湄潭　印江　松桃　江口　铜仁　万山　恩南　石矸　余庆　翁安　开阳　玉屏　天柱　锦屏　剑河　黎平　雷山　丹寨　榕江　独山　从江　荔波

6度:岭巩　镇远　三穗　施秉　黄平　台江　凯里　福泉　贵定　麻江　都匀　平塘* 贵阳　清镇　龙里　平坝　纳雍　赫章　威宁　水城　六盘水　普定　安顺　六枝　镇宁　惠水　长顺　关岭　紫云　罗甸　盘县　普安　晴隆　兴仁　贞丰　安龙　兴义　册亨　毕节

7度:望漠*

24.云南省

6度:威信　镇雄　宣威　丘北　广南　富宁　砚山　西畴　文山　麻栗坡　马关　屏边　河口　筠连　墨江

7度:盐津　彝良　大关　韶通　鲁甸　富源　曲靖　陆良　师宗　泸西　弥勒　开远　个旧　蒙自　元江　红河　远韶　绿春　德钦　贡山　中甸　福贡　维西　宁蒗　华坪　兰坪　泸水　云龙　永平　保山　昌宁　永德　永仁　大姚　元谋　禄功　武定　牟定　南华　禄丰　富民　安宁　双柏　易门　临沧　镇沅　景谷　普洱　思茅　勐腊　江城* 盈江　陇川

8度:永善　会泽　马龙　路南　嵩明　昆明　呈贡　澄江　晋宁　玉溪　江川　华宁　峨山　通海　新平　宾川　漾濞　魏山　南河　凤庆* 云县　耿马　双江　沧源　西盟　孟连　勐海　景洪　腾冲　施甸　梁河　龙陵　潞西　镇康　畹町　瑞丽

≥9度:巧家　东川　寻甸　宜良　石屏　建水　丽江　鹤庆　剑川　洱源　大理* 弥渡　祥云　永胜　澜沧

25.西藏自治区

7度:日土　噶尔　革吉　札达　改则　隆格尔　措勤　仲巴　萨格　吉隆　尼玛　班戈　昂仁　定日　拉孜　谢通门　日喀则　萨迦　定结　南木林　白朗　岗巴　亚东　江孜　康马　浪卡子　曲水　贡嘎　洛扎　达孜　扎囊　错美　黑竹工卡　加查　工布

江达　郎县　安多　聂荣　巴青　索县　比如　嘉黎　丁青　类乌齐　昌都　察雅　八缩　左贡　盐井　碧土　察隅　芒康　生达　妥坝　江达　贡党

8度:普兰　聂拉木　那曲　林周　拉萨　堆龙得庆　尼木　仁布　桑日　乃东　琼结　曲松　边坝　洛隆　林芝　米林　波蜜　隆子　错那*

≥9度:申扎　当雄　墨脱

26.陕西省

<6度:镇巴　榆林　横山　靖边

6度:府谷　神木　佳县　米脂　子洲　绥德　吴堡　子长　清涧　安塞　延安　延长　定边　吴旗　志丹　延川　华池　甘泉　富县　宜川　洛川　黄龙　黄陵　宜君　铜川　长武　彬县　永寿　淳化　洛南*　商州　柞水　山阳　丹凤　商南　佛坪　镇安　宁陕　留坝　勉县　汉中　南郑　城固　洋县　西乡　石泉　汉阴　旬阳　紫阳　宁强　略阳　白河　岚皋　镇坪

7度:韩城　合阳　澄城　白水　耀县*　蒲城　大荔　三原　富平　泾阳　礼泉　乾县　扶风　武功　兴平　周至　眉县　太白　岐山　凤翔　宝鸡(市)　宝鸡(县)　崇信　陇县　千阳　凤县　安康　平利　户县　长安*　蓝田

8度:咸阳*　西安　高陵　临潼　华县　华阴　潼关

27.甘肃省

6度:环县　华池　庆阳　合水　宁县　正宁　镇原　西峰　泾川　灵台　安西

7度:崇信　平凉　华亭*　敦煌　玉门　嘉峪关　金塔　酒泉　肃南　山丹　金昌　民勤　永凳　皋兰　白银*　永清　积石山　临夏　东乡　和政　广河　临洮　定西　会宁　静宁　宁浪　张家川　通渭　渭源　康乐　夏河　碌曲　临潭　卓尼　漳县　岷县　玛曲　迭部　舟曲　宕昌　两当　徽县　成县　康县

8度:阿克塞　肃北　高台　临泽　张掖*　民乐　永昌　武威　古浪　天祝　景泰　靖远　兰州　陇西　武山　泰安　清水　甘谷　天水　西和　武都　文县

≥9度:礼县

28.青海省

6度:天峻　共和　刚察　德令哈

7度:门源　大通　互助　海晏　湟源　西宁　乐都　湟中　平安　民化　化德　贵德　尖扎　循化　同仁　乌兰　都兰　格尔木　兴海　贵南　泽库　同德　河南　曲麻来　甘德　达日　久治　班玛　治多　称多　玉树　杂多　囊谦

8度:玛多　玛沁

29.宁夏回族自治区

7度:灵武　彭阳　陶乐

8度:惠农　平罗　石嘴山　贺兰　永宁*　吴忠　青铜峡　中卫　中宁　同心　海原　西吉　固原　隆德　泾源　银川

30.新疆维吾尔自治区

<6度:吉乃木　塔城　额敏　和布可赛尔　福海

6度:布尔津　奇台*　伊吾　哈密　鄯善　吐鲁番　托克逊　和硕　蔚犁

沙雅　麦盖堤　皮山　墨玉　策勒　于田　民丰　且末　若羌

7度:克拉玛依　温泉　博乐　精河　霍城　伊宁　察布查尔　奎屯　沙弯*　石河子　玛纳斯　呼图壁　昌吉　阜康　吉木萨尔　木垒　拜城　阿合奇　新和　轮台　和静　焉耆　博湖　库尔勒　伽师　岳普湖　莎车*　泽普　叶城　和田　洛浦　英吉沙*

8度:乌鲁木齐　米泉　乌苏*　尼勒克　巩留　新源　库车*　巴里坤　乌什　温宿　阿克苏　柯平*　喀什　疏附　疏勒　阿克陶　清河　富蕴

≥9度:乌恰　阿图什　塔什库尔

说明:

(1)有*号的市(县)是在《中国地震烈度区划图(1990)》上骑跨烈度线者,其设防烈度须由各有关省(市)建设主管部门校定。

(2)本表地名和烈度数值如与《中国地震烈度区划图(1990)》有出入者,应以《中国地震烈度区划图(1990)》为准。

第三节　房屋抗震加固的程序

一、房屋抗震的内容和设防

(一)房屋抗震的内容

(1)对新建房屋的建设,根据房屋的重要性,按照抗震设计和施工规范的要求,对房屋的设计和施工等进行验收。

(2)对已有的房屋,按照抗震鉴定和加固的要求,适时进行鉴定和加固。

(二)房屋抗震的设防

房屋抗震的设防应根据其重要性区别对待,可参照以下规定设防:

(1)对特别重要的房屋,如必须提高1度设防时,应按国家规定的批准权限报请批准后,其设计烈度可以比基本烈度提高1度采用。

(2)对次要的房屋,如一般仓库、人员较少的辅助房屋,其设计烈度可以比基本烈度低1度采用,但基本烈度为7度时不降低。

(3)临时性房屋不设防。

(4)经地震设防后的房屋,在遭到相当于设计烈度的地震影响时,房屋的损坏不致使人员和装备遭受危害,房屋不需修理或经一般修理仍可以继续使用。

(5)对尚可使用又无加固价值的房屋,震前必须对人员和装备采取必要的安全措施。

(6)迅速加固已有地震预报地区的房屋。

(7)对地震基本烈度6度地区,特别是省会城市和百万人口以上的大城市,应按国家规定设防。

二、房屋抗震加固设防

房屋抗震加固必须按照下列程序进行:抗震鉴定、加固设计、设计审批、工程施工、工程验收等。未经鉴定的房屋,不得作加固设计;没有设计或设计未审查批准的工程不得施工;施工未完成或施工质量不合格的工程不得验收。抗震加固的程序框图如图 11-1 所示。

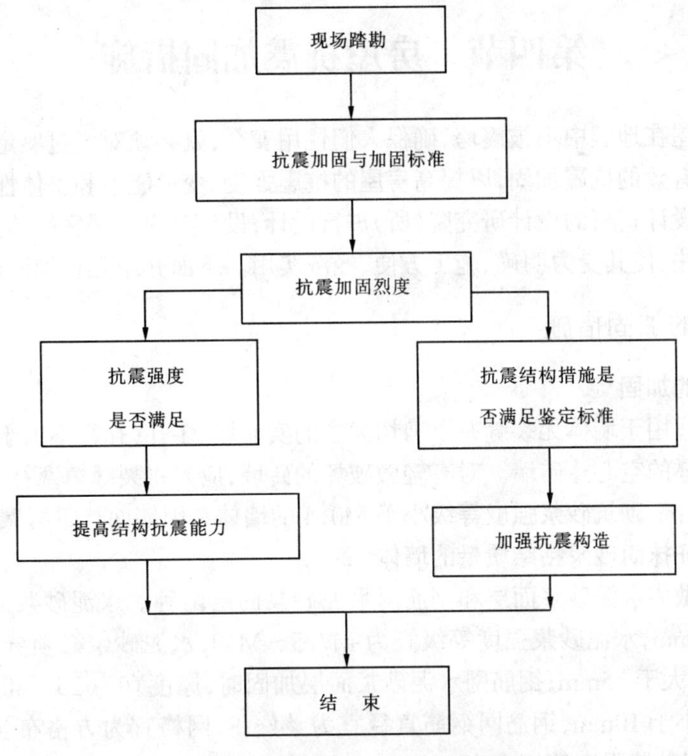

图 11-1　抗震加固的程序框图

(一)抗震鉴定

抗震鉴定就是按照我国现行的建筑抗震鉴定标准(GB50023—95)对现有房屋的抗震能力进行鉴定。经鉴定不合格的工程,提出抗震加固计划报上级抗震防灾主管部门批准,列年度加固计划。

(二)抗震加固设计

列入年度计划的加固工程,加固前必须进行加固设计。设计文件包括:技术说明书、施工图、计算书和工程概算等。

(三)设计审批

所有抗震加固设计方案和概算都要经加固单位的上级主管部门组织审批。审批的内容是:是否符合鉴定标准和工程实际,设计数据是否准确,方案是否合理和便于施工,设计文件是否齐全。

(四)工程施工

施工单位必须有施工执照,并具有相关施工经验,必须按图施工,并严格遵守有关施工验收规范。要做好施工记录,特别是隐蔽工程施工记录。要保证施工质量,积极采用先进的施工方法。

(五)工程验收

所有完成抗震加固的工程,都要认真验收。工程验收的条件是:工程所属单位已经对施工单位所做工程进行了施工验收；设计、施工等资料齐全；施工验收时所提出的问题已作了处理。

第四节　房屋抗震加固措施

要保证房屋在地震中不被震垮，确保人们住用安全，就必须对经过鉴定不符合抗震要求的房屋进行有效的抗震加固，以提高房屋的抗震强度、变形能力和整体性。抗震加固设计一般由具有设计资格的设计研究院(所)进行设计，设计时应根据房屋的具体情况，选择恰当的加固方法，使其受力明确、施工方便、经济实用。下面介绍几种加固措施以供参考。

一、墙体的加固措施

(一)面层的加固

面层加固适用于墙体无裂缝并以剪切为主的实心墙、多孔(孔径不大于15mm空心砖墙)及240mm厚的空心斗砖墙。对有轻微破坏的砖墙，应先将裂缝填塞补严后再做面层。面层加固不适合于砌筑砂浆强度等级小于M0.4的墙体和因墙面严重酥碱或油污而不易清除并不能保证抹面砂浆粘结质量的墙体。

面层可以做成水泥砂浆面层和钢筋网水泥砂浆面层两种。水泥砂浆面层加固时，厚度宜为20～30mm，水泥砂浆强度等级宜为M7.5～M10，水泥砂浆必须分层抹至设计厚度，每层厚度不大于15mm；钢筋网水泥砂浆面层加固时，厚度宜为25～40mm，钢筋外保护层厚度不应小于10mm，钢筋网钢筋直径宜为$\phi4\sim8$，网格宜为方格布筋，间距不宜小于150mm，水泥砂浆强度等级宜为M7.5～M10，钢筋网用$\phi4\sim6$的穿墙S筋(双面加固时)或用$\phi4$U形筋(单面加固时)与墙体固定。

做面层前，应将抹灰清除干净，剔刮砖缝，将油漆或瓷砖等光面表层铲除。但切忌将砖表面打毛，以免打酥和松动墙体。做面层前要用水润湿墙面，面层做好后应洒水养护，以防干裂或与原墙面脱开。

(二)压力灌浆加固法

压力灌浆加固法适用于以剪切为主、墙体厚度不小于240mm的、砌筑砂浆强度等级不大于M2.5的实心砖墙。根据砖墙的实际抗震能力和要求，还可和水泥砂浆面层或钢筋网水泥砂浆面层联合加固墙体。

灌浆一般采用水泥与水溶液重量比为1:0.7的浆液材料，水泥标号一般不宜低于425号，水溶液是由水和悬浮剂制成，悬浮剂为聚乙烯醇等。灌浆孔宜每隔1m左右布设一个，厚度大于360mm的墙体宜两面布孔，孔深一般宜为30～40mm，孔径稍大于灌浆嘴的外径，孔内应冲洗干净，并用1:2的水泥浆灌浆嘴固定在灌浆孔中。

灌浆加固前，应首先用水泥砂浆抹严墙面漏浆的孔洞与缝隙。清水砖墙勾缝不牢时，应将松动部位清理，然后进行勾缝封闭，水泥浆墙面空臌处，应铲除并以抹面封闭。依照自下而上的顺序进行灌浆，灌浆前，应先在每个灌浆孔内灌入适当的水，灌浆应进行到不进浆或附近灌浆孔溢浆方可停止(灌浆压力控制在200kPa左右)。

(三)增设抗震墙

当多层砖墙因横墙间距过大或刚性多层砖房墙体抗震强度不足时,可以增设抗震墙使其满足要求。新增设抗震墙可以是砖砌体,也可以是钢筋混凝土墙或配筋砖砌体的。

为了使新增设的抗震墙起到良好的抗震作用,施工新增设的墙体时,要使墙体上下与楼板或梁顶紧,保证能够传递剪力,两端要与原有的墙体或柱子尽可能地拉结。在刚性地面上砌砖墙时,如承载力不足应重做基础或加固基础。

二、增强房屋整体性加固措施

(一)多层砖房外加圈梁及钢拉杆

采用外加圈梁加固多层砖房,以提高其整体性,效果显著。一般应优先采用现浇钢筋混凝土圈梁,外加固圈梁应靠近楼(屋)盖设置,并应在同一标高交圈闭合。否则,应采取加固措施使其闭合。内墙圈梁可采用钢拉杆代替,钢拉杆设置的间距应适当加密,且应贯通房屋的全部宽度,并须设在横墙处,同时应锚固在纵墙上。

横墙承重的房屋,除顶层必须每开间设钢拉杆外,7 度区的墙体砌筑砂浆强度等级小于 M10 的四层及四层以上的房屋,8 度区墙体砌筑砂浆强度等级小于 M2.5 的三层及三层以上的房屋及 9 度区房屋,其楼层宜每开间设钢拉杆。其他情况下,房屋楼层钢拉杆宜每层隔开交错设置,或隔层每开间设置。

纵墙承重和纵、横墙承重的房屋,作为内圈梁的钢拉杆,宜在横墙两侧各设一根,无横墙处可不设。一般宜每层隔间设置钢拉杆。多层砖房的每道内纵墙均应用钢拉杆与外山墙拉结。

钢拉杆与墙体或圈梁的联结,可以在外墙上或圈梁内通过钢垫板用螺帽拧紧。当拉杆较长时,宜在中段用花篮螺丝作为系紧装置,将拉杆拧紧。外加钢筋混凝土圈梁与砖墙的联结方式有砂浆锚筋、普通锚栓、胀管螺栓及钢筋混凝土销键等几种方式。

(二)楼盖、屋盖加刚性面层

在多开间设置的横墙房屋,当楼、屋盖采用装配式钢筋混凝土梁板,而其整体性特别差时,可在楼、屋盖上做 30~40mm 厚的钢筋网细石混凝土面层(内配双向 ϕ4b@200 钢筋网),使其成为整体装配式楼、屋盖。对单开间和双开间设置的横墙房屋,为减小结构自重增加对结构抗震不利的影响,一般做 20mm 的面层即可。

(三)增设钢筋混凝土构造柱

当房屋的总高度超过规定的限值较多和楼梯间在房屋的尽端时,除按要求增加圈梁外,还需要在外墙的阳角处、每隔 4~8m 内外墙交接处的外侧以及房屋尽端楼梯间两侧横墙的外侧,增设钢筋混凝土构造柱与圈梁及墙联结在一起,以增强房屋的整体性。新增设钢筋混凝土构造柱的截面尺寸一般为 300mm×250mm,柱内的竖向钢筋一般采用 4 根直径为 ϕ12~16 的钢筋,箍筋一般采用直径为 ϕ6 的钢筋,间距为 250mm。在外墙的阳角处,一般宜设置截面为 L 形(其截面的一般尺寸为 600mm×600mm×200mm)的钢筋混凝土构造柱,其配筋的数量需适当增加。钢筋混凝土构造柱的下部要做基础,新基础与原外墙基础用压浆锚杆进行拉结。

在屋盖及每层楼盖处,有钢筋混凝土构造柱的横墙应设钢拉杆,且外墙应设圈梁。如原房屋已有圈梁或现浇钢筋混凝土楼(屋)盖时,则该处可不再增设钢拉杆或圈梁,但外加钢筋混凝土构造柱与原圈梁或现浇钢筋混凝土楼(屋)盖应可靠拉结。外加钢筋混凝土构造柱宜在每层1/3及2/3高处根据砖横墙的类别选用钢筋或压浆锚杆与横墙拉结。

三、砖柱及屋盖的加固

(一)砖柱的加固

多层的砖柱需要抗震加固时,可采用钢筋网水泥浆套层、钢筋混凝土套层及四角包角钢等方法来提高其强度和延性。钢筋网水泥砂浆套层和钢筋混凝土套层,一般都采用直径为 $\phi8\sim10$ 的竖向钢筋,间距为 100～200mm,箍筋直径常用 $\phi6$,间距小于或等于150mm。钢筋网水泥砂浆套层厚度为30mm,强度等级为M5～M10的砂浆,钢筋混凝土套层厚度为60～100mm,强度等级为C15的细石混凝土。

(二)木屋盖的加固

当房屋的山墙比较单薄时,用墙缆把山墙互相拉结。加固时,先在屋架两侧增设木竖杆,木竖杆的两端用螺栓分别与屋架的上、下弦联结。然后把墙缆的一端用螺栓、方木拉杆与新加的木竖杆联结,另一端穿过山墙的水平灰缝,在山墙的外侧加钢销插紧。

当木屋架间无支撑时,可每层增设剪力撑。对于砖墙和木屋架软硬间隔布置的屋盖,可用扒钉加强檩木和屋架的联结。

无下弦人字屋架的房屋,应在楼屋盖处外加钢筋混凝土圈梁、内设钢拉杆、在屋架下弦位置加拉结钢筋或木夹板的加固措施。

(三)出屋面女儿墙和小烟囱的加固

当女儿墙的高度超过了抗震要求,而建筑要求不能拆除时,可以将外加钢筋混凝土构造柱延伸压顶。在两根构造柱之间的女儿墙上适当位置,拆除部分女儿墙,外加钢筋混凝土小立柱;最后在女儿墙顶部加做钢筋混凝土压顶,并与构造柱和小立柱整体浇筑,提高女儿墙的整体性。

出屋面的小烟囱可在其外侧用钢筋网砂浆套层进行加固,其具体的加固方法与砖柱加固方法基本相同。

第十二章 修缮工程预算编制

第一节 修缮预算的特点

房屋工程除小修不编制预算外,其他各类较大的修缮均需编制修缮预算。修缮工程与新建的相比,具有施工地点分散、项目复杂、工期一般较短、连续作业差、现场狭窄、地区特性更强和旧料回收利用等特点。因此,修缮预算的编制与新建工程预算编制不同。

一、使用修缮定额

在编制房屋修缮预算时,所使用的定额为《房屋修缮工程预算定额》,简称修缮定额。修缮定额与预算定额相比,有如下特点。

(一)工料消耗多

完成相同数量的同一种分项工程项目,在修缮定额中规定的工料消耗量要高于建筑工程预算定额的工料消耗量。这主要是由于修缮工程零星分散,施工场地狭窄;施工中有时房屋不腾空,不停止使用,要保护原有建筑物和装修、设备、家具等;作业环境不好,难以专业化施工,经常变换工种操作,以手工作业为主,不能大量使用机械;材料损耗量大等原因造成的。如××市建委在 1986 年规定:修缮定额中缺项部分,"可参考《省预算定额》相应项目,人工费乘以系数 1.15,材料费乘以系数 1.05"。

(二)地区性强

因为修缮定额是根据各地的施工特点、施工技术、管理水平、以及当地的工料价格等资料编制的,尤其是由于各地旧房在建筑结构和建筑风格上存在着很大的差异,就更加突出了修缮定额地区性的特点。因此,有些地区和城市便编制适用于当地的修缮定额,而未使用所在省的统一修缮定额。

二、回收利用旧料

在房屋修缮工程施工中,往往有大量的旧料被拆下来。这是一笔不小的财力物力。为了贯彻厉行节约的原则,在房屋拆除工程施工中,应做到文明施工,切实抓好"拆、收、管、用"四个环节,充分回收和利用旧料,以减少新材料的使用量,降低房屋修缮工程的造价。

在编制房屋修缮预算、计算旧料回收利用的数量时,可根据房屋的实际破损情况,按照修缮定额的旧料回收率确定。有的现行的修缮定额中已包括利用旧料因素。××市修缮定额中"旧料回收率"见表 12-1。

表 12-1 旧料回收率

名称	回收率(%)			名称	回收率(%)		
	完好房	一般房	危房		完好房	一般房	危房
椽子	70	55	40	门窗扇	80	70	60
檩子	90	85	80	板墙	50	40	30
屋架	85	80	75	墙筋、平顶筋	60	45	30
封檐板	50	40	30	穿斗排列	70	60	50
木大梁	95	90	85	抬梁、顶撑	80	70	60
楼地楞	90	85	80	砖墙、柱(高标号)	50	40	30
楼地板	60	45	30	砖墙、柱(低标号)	70	60	50
踢脚板	75	60	50	土瓦	50	40	30
楼梯梁、帮、板	80	70	60	平瓦	60	50	40
门窗框	95	90	85	勒角、基角条石	按实	按实	按实

第二节 修缮定额

一、修缮定额的内容

修缮定额一般由目录、总说明、分部工程说明及工程量计算规则、定额项目表以及有关附录等部分组成。

(一)总说明

综合说明修缮定额的编制原则、指导思想、编制依据、适用范围、组成和作用,同时还说明编制定额时已考虑和没考虑的因素,有关规定和使用方法等。

(二)分部工程说明

在修缮预算定额中每个分部工程的首页说明中,均附有分部工程说明。主要说明本分部工程定额的编制依据,项目划分的原则,施工方法的确定,定额综合的主要内容,定额的换算原则和方法,选用材料的规格和各种材料损耗率的确定等。

(三)分部工程量计算规则

在修缮预算定额中每个分部的定额项目表之前,均附有分部工程量计算规则。对分部所属各分项工程项目的工程量计算规则,均作了明确的规定。它规定了各级分项工程项目工程量的计算方法、计量单位、尺寸的起止范围、应扣除和应增加的部分,以及计算附表等。

工程量是以物理计量单位(如 m、m^2、t)或自然计量单位(如个、套等)表示的修缮工程中各分项工程项目的实物量。计算工程量的工作,是整个修缮预算编制过程中最繁重的一道工序,花费的时间最长,它直接影响到修缮预算的编制速度。工程量又是修缮预算的基础数据，它的准确与否又直接影响到修缮预算的准确性。所以，必须全面熟悉修缮定额中的工程量计算规则，在工程量计算上狠下功夫，才能保证修缮预算的质量。

（四）定额项目表

定额项目表是定额的主要构成部分。在项目表中规定了各分项工程项目的人工、材料耗用量指标，还列有根据取定的人工工资标准、材料预算价格等分别计算出的人工、材料费用（有的项目还列有机械费用）及其汇总的基价（即修缮预算价格）。在项目表的上方为该分项工程的工作内容和计量单位。有时在项目表的下部还列有附注。

（五）附录

附录（或附件、附表）通常包括各种混凝土、砂浆配合比表，建筑材料名称及规格表等。

二、修缮定额的选用

在编制房屋修缮预算时，必须正确地选用定额。在选用定额时，应注意以下几点：

(1)因修缮定额有较强的地区性，故应选用当地、现行的修缮定额。

(2)如果当地没有修缮定额时，可利用附近地区的修缮定额，但必须注意结合当地实际情况，把附近地区定额中有关数据进行适当调整。

(3)如果当地没有修缮定额时，还可利用当地、现行的预算定额，但须注意增加工、料消耗数量，考虑拆除工程和旧料回收利用等事项。

第三节　修缮预算的编制步骤和方法

一、熟悉施工图纸、收集预算资料

（一）熟悉施工图纸

在编制修缮预算之前，应首先熟悉施工图纸，了解设计意图和工程全貌，以便准确、及时地编制预算。

(1)先依据图纸目录清点和整理图纸，并准备好所需要的各种图集。

(2)按图纸顺序逐张阅读图纸，了解工程概貌、各个部位的结构构造和使用材料情况，以及各部分之间的关系等。

(3)在阅读、熟悉施工图纸的基础上，还应对施工图纸进行必要的核对。发现问题，应在着手编制预算前解决。

（二）收集预算资料

应将编制修缮预算必备的修缮预算定额，地区材料预算价格、取费标准等有关资料收集齐全，并熟悉它们的内容和使用方法。

（三）收集施工组织设计资料

编制修缮预算还应注意收集施工组织设计中影响预算编制的资料，如土方开挖是采用机械还是人工；运土的方法和距离；放坡或支撑挡土板；构、配件的加工和堆放地点；脚手架的采用；构件的吊装方法等，以便正确地计算工程量和选用修缮预算单价。

(四)了解施工现场情况

了解施工场地、楼层、水源、电源、施工材料堆放地点等情况，使预算编制更切合实际。

(五)了解施工方式

了解建筑工程是采用自营式，还是承包方式；发包时是采用包工包料方式，还是包工不包料方式；施工企业的所有制性质是国营企业、县以上国营企业，县以上城镇集体企业还是县以下集体企业。以便正确地确定应取的费用。

二、计算工程量

(一)确定工程量计算项目(列工程项目)

计算工程量时，应先根据图纸、修缮定额、施工组织设计资料及施工现场实际情况，确定工程量计算项目，并将分项工程项目名称、定额编号和计量单位一并列出。这样既可加快计算速度，又可减少或避免在计算工程量过程中发生漏项、错项或重复计算的现象。

在计算工程量列项目时，要按先拆除、后新做和修补的修缮施工顺序进行，还须注意拆除工程对其他部位的影响。如拆换基础若使基础附近的室内地面、室外散水也会受到损坏时，则应同时考虑对它们进行修缮。

(二)计算工程量

工程量计算表如表 12-2 所示，在计算过程中，如发现新项目，要随时补充，以免遗忘。

表 12-2　　工程量计算表

工程名称____________

序号	定额编号	分项工程名称	单位	工程量	工程量计算式	备注

关于工程量计算，不同的分项工程有不同的计算规则。例如 2000 年《××省房屋修缮工程预算定额》中，屋面分项工程工程量计算规则作如下说明：

(1)坡屋面面积按屋面斜面积计算。新做、翻修屋面面积，以屋面前后坡的瓦檐外皮及其两山墙的拔水檐外皮为计算起点，以“平方米”为单位计算，不扣除屋脊、斜沟、烟囱、风帽底座等所占面积。

(2)同一幢房屋的屋面遇有做法不同时，应分别计算面积，执行相应的定额。

(3)屋面查补面积率不同的工程，按其单间、单坡的面积分别列项计算，执行相应的定额。

(4)抹水泥泛水、补抹青灰背、补抹泥背等均按实际面积，以“平方米”为单位计算。

(5)屋脊、斜沟、拔水檐及边梢等项均按实做长度，以“米”为单位计算。

(6)抽换瓦件、包和尚头等按实做数量，分别以“个”、“块”为单位计算。

(7)落水管疏通按长度以“米”为单位计算，其檐沟的水斗、拐弯等折成长度并入落水管项目内计算。

三、选用修缮预算单价

工程量计算完毕后，应按照修缮定额的分部分项顺序，逐项套用与施工图纸中工程内容相应的修缮预算单价。如遇到工程内容与定额项目内容不一致时，在定额允许换算的情况下，应将有关的修缮预算单价换算成所需要的修缮预算单价。如遇到定额中没有某个项目时，应编制补充修缮预算定额(或补充单位估价表)。

在选用修缮预算单价时，还要注意考虑旧料的回收利用问题。有的修缮定额注明了旧料回收利用率，有的修缮定额将旧料回收隐含在定额中，选用修缮定额时，应认真阅读定额说明，看所采用的修缮定额单价中是否已考虑利用回收旧料这一因素。

预算单价表一般包括定额编号、项目、基价(预算单价)、工料消耗等内容，现列出2000年《××省房屋修缮工程预算定额》中部分内容供参考(表12-3、表12-4)。

表12-3　墙体拆除(摘选)

定额编号			1－54	1－55	1－56	1－57
项　　目			整碎砖乱石墙		整砖墙(砂浆)	
			泥浆	白灰砂浆砌	M2.5以下	M2.5以上
基价(元)			7.04	9.39	15.27	21.14
其中	人工费(元)		7.04	9.39	15.27	21.14
	材料费(元)		—	—	—	—
	机械费(元)		—	—	—	—
名　　称		单位	数　　量			
人工	综合工日	工日	0.36	0.48	0.78	1.08
材料						

四、编制修缮工程预算表

编制修缮工程预算表时，要按先拆除、后新做和修补的顺序排列工程项目。修缮工程与工程所采用的预算表式样基本相同。目前所使用的工程预算表的式样各地不尽相同，表12-5是某地采用的工程预算表。该表不仅能够反映单位工程的工程直接费，分部工程的工程直接费，单位工程的人工费、材料费和其他费，还能够统计出各种主要材料需用量。

表 12-4　　　　新做防水工程(摘选)

定额编号			1－790	1－791	1－792	1－793
项　目			新型防水材料屋面			
			三元乙丙	氯丁橡胶	建筑油膏	聚氨酯涂膜
基　　价(元)			64.86	50.95	25.07	20.92
其中	人　工　费(元)		1.76	1.76	1.41	4.70
	材　料　费(元)		63.10	49.19	23.66	16.22
	机　械　费(元)		—	—	—	—
名　　称		单位	数　　量			
人工	综合工日	工日	0.09	0.09	0.072	0.24
材料	油膏	kg	—	—	6.960	—
	浅色保护涂料	kg	0.200	0.210	—	—
	聚氨酯涂膜甲、乙(A、B)	kg	—	—	—	1.129
	二甲苯	kg	0.220	0.220	—	0.120
	409 胶	kg	—	0.530	—	—
	聚乙烯粘合剂 XY404	kg	0.420	—	—	—
	丁基粘合剂	kg	0.130	—	—	—
	基层处理剂(溶剂)	kg	0.210	0.210	—	—
	氟化镁	kg	—	—	—	1.616
	三元乙丙防水橡胶	m^2	1.230	—	—	—
	氯丁橡胶卷材	m^2	—	1.230	—	—
	聚氨酯嵌缝膏	kg	0.020	0.030	—	—
	107 胶水泥浆	m^3	0.001 4	—	—	—

表 12-5　　　　工程(预)算表

工程名称＿＿＿＿＿＿　　　　共　　页　第　　页

序号	定额编号	项目名称	单位	工程数量	预算价格(元)	总价(元)	人工费(元)	材料费(元)	机械费(元)	钢材(kg)	木材(m^3)	水泥(kg)	……
							单价	单价	单价	定额量	定额量	定额量	……
							合价	合价	合价	需用量	需用量	需用量	……
							—	—	—	—	—	—	……
							—	—	—	—	—	—	……
							—	—	—	—	—	—	……

编制工程预算表的一般步骤和方法如下：

(1)按定额编号的顺序，把工程量计算表中相应的定额编号、分项工程项目名称、单位和工程数量，填入工程预算表内。

(2)根据工程预算表内各分项工程项目的名称和定额编号，将选用的各分项工程项目的预算单价及人工、材料、机械三种费用的单位价和主要材料的定额量，填入工程预算表相应栏内。

(3)将各分项工程项目的工程数量乘其预算单价，即得其总价，填入工程预算表相应栏内。

(4)将各分项工程项目的工程数量分别乘其人工费、材料费和机械费的单价，即得其合价，填入工程预算表相应栏内。

(5)将各分项工程项目的工程数量分别乘各种主要材料的定额量，即得其需要量，填入工程预算表相应栏内。

(6)按各分部工程将各分项工程项目的总价、合价及各种主要材料的需用量分别进行汇总，即得分部工程的直接费、人工费、材料费、机械费和各种主要材料需用量，填入工程预算表相应的小计栏内。

(7)最后把各分部工程小计栏内的工程直接费、人工费、材料费、机械费和各种主要材料需用量分别进行汇总，即得单位工程的工程直接费、人工费、材料费、机械费和各种主要材料需用量，填入工程预算表最后相应的总计栏内。

五、编制主要材料用量表

修缮预算文件还应包括主要材料用量表，如表12-6。主要材料一般包括：钢材(钢筋、型钢)、木材、水泥、砖、瓦、生石灰、砂、石、玻璃、沥青、铁件等。次要的材料可以省略不计。

表12-6　　主要材料用量表

序号	材料名称	规　格	单　位	数　量	备　注
1	水泥		t	217.000	
2	木材		m^3	146.140	
3	钢筋	ϕ10以上	t	8.288	
4	钢筋	ϕ10以内	t	6.743	
5	钢管		t	0.267	
6	生石灰		t	47.34	
7	砂	净砂	t	794.84	
8	砾石		t	283.43	
9	……				

有些地区将主要材料分析统计工作合并在工程预算表内一次完成，从而使修缮预算的编制程序进一步简化，只是由于受表格篇幅的限制，所统计的主要材料种类较少。当地区规定需要统计的主要材料较多时，采用表12-5有些不便，可采用如下专用主要材料分

析统计表(表 12-7)进行主要材料的分析统计。

表 12-7　　主要材料分析统计表

工程名称＿＿＿＿＿＿　　　　共　页第　页

序号	定额编号		178		182		187		主材合计
	分项工程名称		C20 钢筋混凝土现浇框架		C20 钢筋混凝土现浇圈梁		C20 钢筋混凝土现浇雨篷		
	单位		m^3		m^3		m^3		
	工程数量		218.69		24.85		54.57		
	主材名称及单位		定额量	需用量	定额量	需用量	定额量	需用量	
1	钢材	kg	124	27 118	110	2 734	7	382	30 234
2	木材	m^3	0.242 5	53.032	0.052 4	1.302	0.016 6	0.906	55.240
3	水泥	kg	312	68 231	312	7 753	30	1 637	77 621
4	河砂	t	0.47	102.784	0.47	11.680	0.01	2.183	116.647
5	碎石	t	1.66	363.025	1.66	41.251	0.15	8.186	412.462
6	……								

主要材料分析统计中的定额编号、分项工程名称、单位及定额量,分别从修缮定额的相应栏内抄来。表中的工程数量从工程量计算表中相应栏内抄来。然后,用各子目的工程数量分别乘其各种主要材料的定额量,即得其需用量。最后将各子目所需的各种主要材料需用量分别加以汇总,即得该单位修缮工程各种主要材料的总用量,将其填入表 12-7 中。

编制主要材料分析统计表的工作量大而复杂,所以在进行计算或统计时,必须十分仔细,以防遗漏或错算。

六、编制主要材料调价计算表

主要材料调价计算表(表 12-8)可用来计算以下两种差价:

表 12-8　　主要材料调价计算表

工程名称＿＿＿＿＿＿　　　　工程地点＿＿＿＿＿＿

材料名称	规格	单位	数量	价差调整(元)		分区价差调整(元)	
				差价	金额	差价	金额
钢材	圆钢	t					
钢材	型钢	t					
木材		m^3					
水泥		t					
小计							
采购及保管费率 2.2%							
合计							

(一)主要材料差价的调整

根据地区规定,有些主要材料因材料来源、材料原价、运费标准发生变化,实际价格与预算价格发生出入时,应按照实际来源和各级物价部门规定或批准的出厂价格和运费标准进行调整。调整的方法一般有三种,各地可根据有关规定进行。

(1)将材料差价直接进入相应的修缮预算价格,即重新编制单位估价表,这种方法计算繁琐,一般不予采用。

(2)汇总主要材料用量,对需调价的主要材料单独列表计算调整价格,这是一般常用的方法。

(3)由当地建设主管部门在一段时间内测定综合调整系数,按调整系数求得材料价差调整额。用这种方法调整价差最简便,但若市场价格变化太大则不易控制调整系数、调整出入较大。

(二)主要材料分区差价的调整

根据地区规定,有些主要材料应按照工程所在地点和当地主管部门颁发的“分区价差调整表”规定的价差进行分区价差的调整。

分区价差调整额=主要材料用量×分区价差×(1+采购及保管费率)

七、编制修缮工程预算费用表

编制修缮工程预算费用表是在完成上述编制工作、求得工程直接费的基础上,按照有关规定和费率,进而计算间接费、计划利润和营业税金等费用,并确定单位工程修缮预算造价的计算过程。因各地规定的取费项目及费率不尽相同,其表达式也不一样。下面列出2000年中国计划出版社出版的《××省房屋修缮工程预算定额(费用定额)》中有关内容供参考。

(一)修缮工程预(结)算程序

一般修缮工程预(结算)程序如表12-9,承包定额用工修缮工程预结(算)程序如表12-10。

表12-9　　一般修缮工程预(结)算程序

<table>
<tr><th>序号</th><th colspan="2">费用名称</th><th>计算方法</th><th>备注</th></tr>
<tr><td rowspan="2">(一)</td><td rowspan="4">直接工程费</td><td rowspan="2">直接费</td><td>1.∑定额子目基价×工程量</td><td rowspan="2"></td></tr>
<tr><td>2.其他材料费=1.中材料费×1%</td></tr>
<tr><td>(二)</td><td>其他直接费</td><td>(一)中人工费×费率(费率按规定计取)</td><td></td></tr>
<tr><td>(三)</td><td>其他费用</td><td>(一)中人工费×费率(费率按规定计取)</td><td></td></tr>
<tr><td>(四)</td><td colspan="2">间接费</td><td>(一)中人工费×费率(费率按规定计取)</td><td></td></tr>
<tr><td>(五)</td><td colspan="2">利　润</td><td>(一)中人工费×费率</td><td></td></tr>
<tr><td rowspan="6">(六)</td><td rowspan="6">有关费用调整</td><td>1.人工费</td><td>(一)中人工费×人工费调整率</td><td>由省发布</td></tr>
<tr><td rowspan="2">2.材料费</td><td>1.(一)中人工费×材料费调整率</td><td rowspan="2">由市地发布</td></tr>
<tr><td>2.∑(一)中材料费×单项材料差价额</td></tr>
<tr><td>3.其他直接费</td><td>(一)×其他直接费调整率</td><td>由省发布</td></tr>
<tr><td>4.间接费</td><td>(一)中人工费×间接费调整率</td><td>由省发布</td></tr>
<tr><td>5.其他</td><td></td><td></td></tr>
<tr><td>(七)</td><td colspan="2">定额管理费</td><td>[(一)+(二)+(三)+(四)+(五)+(六)]×费率</td><td></td></tr>
<tr><td>(八)</td><td colspan="2">税　　金</td><td>[(一)+(二)+(三)+(四)+(五)+(六)+(七)]×费率</td><td></td></tr>
<tr><td>(九)</td><td colspan="2">工程造价</td><td>(一)+(二)+(三)+(四)+(五)+(六)+(七)+(八)</td><td></td></tr>
</table>

表 12-10　　　　　　　　　　　承包定额用工修缮工程预(结)算程序

序号	费用名称		计算方法	备注
(一)	人工费合计		定额子目人工费×工程量	
(二)	其他费用		(一)中人工费×费率(费率按规定计取)	
(三)	综合费用		(一)中人工费×费率(费率按规定计取)	
(四)	有关费用调整	1.人工费	(一)中人工费×人工费调整率	由省发布
		2.综合费用	(一)中人工费×综合费调整率	
		3.其他		
(五)	定额管理费		[(一)+(二)+(三)+(四)]×费率	
(六)	税　金		[(一)+(二)+(三)+(四)+(五)]×费率	
(七)	合　计		(一)+(二)+(三)+(四)+(五)+(六)	

(二)费用组成及标准

定额房屋建筑费用包括其他直接费、间接费、工程其他费、利润和税金五个部分(表12-11～表12-13)。其他直接费包括中小型机械费、生产工具用具费、冻雨季施工费、二次搬运费、检测试验费和临时设施费;间接费包括一般修缮工程中的现场管理费、企业管理费和承包定额工日工程中的工具用具费、冻雨季施工费、施工管理费;工程其他费用包括修缮工程施工保护费、高台建筑增加费、超高增加费等;利润指根据工程类别确定的,属计入工程造价内的施工企业所得部分费用;税金包括营业税、城市建设税和教育费附加。

表 12-11　　　　　　　　　　　　　其他直接费费率

工程名称	其他直接费费率(%)	取费基础
土建工程	13	定额人工费
二次装修	25	定额人工费
古建工程	13	定额人工费

表 12-12　　　　　　间接费、利润、定额管理费、税金等费率　　　　　　(%)

<table>
<tr><th rowspan="2">施工合同方式</th><th rowspan="2" colspan="2">费用名称</th><th colspan="5">土(古)建工程类别</th><th colspan="5">装饰工程类别</th><th rowspan="2">计费基础</th></tr>
<tr><th>Ⅰ</th><th>Ⅱ</th><th>Ⅲ</th><th>Ⅳ</th><th>Ⅴ</th><th>Ⅰ</th><th>Ⅱ</th><th>Ⅲ</th><th>Ⅳ</th><th>Ⅴ</th></tr>
<tr><td rowspan="6">承包修缮工程</td><td colspan="2">间接费</td><td>47</td><td>39</td><td>33</td><td>22</td><td>12</td><td>102</td><td>85</td><td>73</td><td>49</td><td>25</td><td rowspan="2">见修缮工程预(结)算程序</td></tr>
<tr><td colspan="2">利　润</td><td>30</td><td>21</td><td>18</td><td>11</td><td>7</td><td>62</td><td>46</td><td>39</td><td>23</td><td>14</td></tr>
<tr><td colspan="2">定额管理费</td><td colspan="10">0.09</td><td rowspan="5"></td></tr>
<tr><td rowspan="3">税金</td><td>市区</td><td colspan="10">3.41</td></tr>
<tr><td>县城或镇</td><td colspan="10">3.35</td></tr>
<tr><td>市县或镇以外</td><td colspan="10">3.22</td></tr>
<tr><td>承包定额工日</td><td colspan="2">综合费用</td><td colspan="10">26</td></tr>
</table>

表 12-13　　　　　　　　　　　　　　　其他费用费率

序　号	项　　目		取费基础	费率(%)
1	修缮工程施工保护费		定额人工费	3.00
2	高台建筑增加费(2m 以上)		定额人工费	1.00
	高台建筑增加费(5m 以上)			1.30
3	超高增加费	7～10 层	定额人工费	100
		7～16 层		120
		7～20 层		130
		7～40 层		160
		7～60 层		210

(三)工程类别划分标准(土建部分)

工程类别划分标准，以一个单位工程为确定指标(表 12-14)。确定工程类别一般须满足表中修缮面积或每 $1m^2$ 定额直接费两指标中的一个，如遇结构变化，按结构变动体积指标确定。

“修缮面积”是指下列修缮工程内容的面积之和。包括更换屋面保温或防水层的面积、更换门窗的面积、室外墙面改造或修补的面积、室内地面改造或修补的面积、室内天棚改造或修补的面积等。修缮面积的确定，以成活后的面积为准。若在同一“修缮面积”中有不同的修缮做法(如墙面抹灰后粉刷)，其修缮面积不得重复计算。每 $1m^2$ 定额直接费指工程施工发生的项目工程直接费(包括其他材料费)除以所施工的面积。

结构变动体积以原建筑物被拆建、改造的基础、墙体、柱、梁、板的体积之和计算。结构变动的取费，套用土建工程费用标准。随同房屋修缮工程施工的添建工程，其工程类别以添建工程的基础、墙体、柱、板体积之和，套用结构变动体积划分标准。

表 12-14　　　　　　　　　　工程类别划分标准(土建部分)

工程类别	划分标准		
	修缮面积(m^2)	每 $1m^2$ 定额直接费(元)	结构变动体积(m^3)
Ⅰ	>36 000	>1 200	>1 500
Ⅱ	>20 000	>750	>800
Ⅲ	>12 000	>300	>400
Ⅳ	>6 000	>150	<400
Ⅴ	≤6 000	≤150	—

八、写编制说明

在编制说明中，一般应说明以下问题：

(1)编制依据。

(2)施工方式。
(3)遗留项目或暂估项目,并说明原因。
(4)存在的问题及处理意见。
(5)其他。

九、装订签章

(一)装订

装订编制好的单位工程修缮预算,一般按下列顺序编排并装订成册:
(1)封面。
(2)编制说明。
(3)修缮工程预算费用表。
(4)修缮工程预算表。
(5)主要材料调价计算表。
(6)补充或换算的单位估价表。
工程量计算表和主要材料分析统计表一般只留作底稿,可不装入预算文件中。

(二)签章

已经编好的修缮工程预算,编制者应签名或盖章,并请有关负责人审核、审批、签字(或盖章)后,再加盖编制单位公章,才算最后完成。

参考文献

1 梅全亭等编著.实用房屋维修技术手册.北京:中国建筑工业出版社,1998
2 潘蜀健主编.物业管理手册.北京:中国建筑工业出版社,1999
3 许琪楼等编著.建筑结构抗震设计.郑州:河南科学技术出版社,1992
4 雍传德等编著.房屋渗漏通病与防治.北京:中国建筑工业出版社,1998
5 廉晓飞主编.钢筋混凝土及砖石结构.北京:中国广播电视大学出版社,1986
6 刘宗仁等编.建筑施工技术.北京:中国广播电视大学出版,1986
7 裴刚等编.房屋建筑学.广州:华南理工大学出版社,2002
8 李国豪主编.土木建筑工程词典.上海:上海辞书出版社,1991
9 刘建荣主编.房屋建筑学.武汉:武汉大学出版社,1990
10 王赫主编,建筑工程事故处理手册(第二版).北京:中国建筑工业出版社,1998
11 北京房地产协会.房屋维修养护管理手册.北京:中国建筑工业出版社,1995
12 黄志洁,邢家千.房屋维修技术与预算.北京:中国建筑工业出版社,1999
13 沈蒲生,罗国强主编.混凝土结构(第二版).武汉:武汉工业大学出版社,1993
14 董洁士主编.房屋维修加固手册.北京:中国建筑工业出版社,1988
15 傅信祁,广士奎主编.房屋建筑学(第二版).北京:中国建筑工业出版社,1994
16 费以原主编.房屋管理与维修.北京:机械工业出版社,2001